ACCESO GRATIS *a la Lectura en la Nube*

Para visualizar el libro electrónico en la nube de lectura envíe junto a su nombre y apellidos una fotografía del código de barras situado en la contraportada del libro y otra del ticket de compra a la dirección:

ebooktirant@tirant.com

En un máximo de 72 horas laborales le enviaremos el código de acceso con sus instrucciones.

ANÁLISIS PRÁCTICO DE LOS RECURSOS TRIBUTARIOS

Procedimiento de selección de originales, ver página web:

www.tirant.net/index.php/editorial/procedimiento-de-seleccion-de-originales

ANÁLISIS PRÁCTICO DE LOS RECURSOS TRIBUTARIOS

JOSÉ IGNACIO RUIZ TOLEDANO

tirant lo blanch
Valencia, 2022

Director de la colección:

DOMINGO CARBAJO VASCO

© José Ignacio Ruiz Toledano

© TIRANT LO BLANCH
EDITA: TIRANT LO BLANCH
C/ Artes Gráficas, 14 - 46010 - Valencia
TELFS.: 96/361 00 48 - 50
FAX: 96/369 41 51
Email:tlb@tirant.com
www.tirant.com
Librería virtual: www.tirant.es
DEPÓSITO LEGAL: V-1638-2022
ISBN: 978-84-1130-667-6

Si tiene alguna queja o sugerencia, envíenos un mail a: *atencioncliente@tirant.com*. En caso de no ser atendida su sugerencia, por favor, lea en *www.tirant.net/index.php/empresa/politicas-de-empresa* nuestro procedimiento de quejas.

Responsabilidad Social Corporativa: http://www.tirant.net/Docs/RSCTirant.pdf

A mi hijo Daniel

"El que planifica la victoria en el cuartel general,
incluso antes de entablar la batalla, es el que tiene
más factores estratégicos de su parte"
Sun Tzu

ÍNDICE

Capítulo Primero
RECURSOS Y DEMÁS MEDIOS DE REVISIÓN TRIBUTARIA Y SU REGULACIÓN

Capítulo Tercero
RECURSO DE REPOSICIÓN

Capítulo Cuarto
RECLAMACIONES ECONÓMICO-ADMINISTRATIVAS

Capítulo Quinto
OTROS MECANISMOS DE REVISIÓN EN VÍA ADMINISTRATIVA

Capítulo Sexto
RECURSO CONTENCIOSO-ADMINISTRATIVO Y OTROS RECURSOS JUDICIALES

ABREVIATURAS

AEAT:	Agencia Estatal de Administración Tributaria
AN:	Audiencia Nacional
ATC:	Auto del Tribunal Constitucional
C-A:	Contencioso-Administrativo
CC:	Código Civil (Real Decreto de 24 de julio de 1889)
CCAA:	Comunidades Autónomas
CE:	Constitución Española
CEDH:	Convenio Europeo de Derechos Humanos
CSV:	Código Seguro de Verificación
DA:	Disposición adicional
DEH:	Dirección Electrónica Habilitada
DEHU:	Dirección Electrónica Habilitada Única
DT:	Disposición transitoria
DGT:	Dirección General de Tributos del Ministerio de Hacienda
EELL:	Entes Locales
IAE:	Impuesto sobre Actividades Económicas
IBI:	Impuesto sobre Bienes Inmuebles
IEDMT:	Impuesto Especial sobre Determinados Medios de Transporte
IIEE:	Impuestos Especiales
IIVTNU:	Impuesto sobre Incremento de Valor de los Terrenos de Naturaleza Urbana
IRPF:	Impuesto sobre la Renta de las Personas Físicas
IP:	Impuesto sobre el Patrimonio
IPS:	Impuesto sobre las Primas de Seguros
IRNR:	Impuesto sobre la Renta de No Residentes
IS:	Impuesto sobre Sociedades
ISD:	Impuesto sobre Sucesiones y Donaciones
ITPAJD:	Impuesto sobre Transmisiones Patrimoniales y Actos Jurídicos Documentados
IVA:	Impuesto sobre el Valor Añadido
IVMDH:	Impuesto sobre las Ventas Minoristas de determinados Hidrocarburos
JCA/JCAS:	Juzgado/s de lo Contencioso-Administrativo
LBRL:	Ley 7/1985, de 2 de abril, Bases del Régimen Local

LEC:	Ley 1/2000, de 7 de enero, de Enjuiciamiento Civil
LGT:	Ley 58/2003, de 17 de diciembre, General Tributaria
LIRPF:	Ley 35/2006, de 28 de noviembre, del Impuesto sobre la Renta de las Personas Físicas
LJCA:	Ley 29/1998, de 13 de julio, Reguladora de la Jurisdicción Contencioso-Administrativa.
LO:	Ley Orgánica
LOPJ:	Ley Orgánica 6/1985, de 1 de julio, del Poder Judicial.
LOTC:	Ley Orgánica 2/1979, de 3 de octubre, del Tribunal Constitucional.
LPACAP:	Ley 39/2015, de 1 de octubre, del Procedimiento Administrativo Común de las Administraciones Públicas
LRHL:	Ley Reguladora de las Haciendas Locales, aprobada por el RDLeg 2/2004
LRJSP:	Ley 40/2015, de 1 de octubre, de Régimen Jurídico del Sector Público.
NIF:	Número de Identificación Fiscal
NRC:	Número de Referencia Completo
RCA/RCAS:	Recurso/s contencioso-administrativo/s
RD:	Real Decreto
RDLeg:	Real Decreto Legislativo
REA/REAS:	Reclamación/es Económico-Administrativa/s
Resolución de 21-12-2005:	Resolución de 21 de diciembre de 2005 de la Secretaría de Estado de Hacienda y Presupuestos y Presidencia de la Agencia Estatal de Administración Tributaria por la que se dictan criterios de actuación en materia de suspensión de la ejecución de actos impugnados mediante recursos y reclamaciones y relación entre los Tribunales Económico-Administrativos y la Agencia Estatal de Administración Tributaria [BOE 03-01-2006 (*Tol 606675*)].
RG:	Número de registro general de la reclamación o recurso económico-administrativo
RGAT:	Reglamento General de las actuaciones y los procedimientos de gestión e inspección tributaria y de desarrollo de las normas comunes de los procedimientos de aplicación de los tributos, aprobado por el Real Decreto 1065/2007, de 27 de julio
RGR:	Reglamento General de Recaudación, aprobado por el Real Decreto 939/2005, de 29 de julio
RGRVA:	Reglamento general de desarrollo de la Ley 58/2003, de 17 de diciembre, General Tributaria, en materia de revisión en vía administrativa, aprobado por el Real Decreto 520/2005, de 13 de mayo

RGRST: Reglamento general del régimen sancionador tributario, aprobado por el Real Decreto 2063/2004, de 15 de octubre

SAN: Sentencia de la Audiencia Nacional

STS/SSTC: Sentencia/s del Tribunal Constitucional

STS/SSTS: Sentencia/s del Tribunal Supremo.

TC: Tribunal Constitucional

TEA/TEAS: Tribunal/es Económico-Administrativo/s

TEAC: Tribunal Económico-Administrativo Central

TEAL/TEALS: Tribunal/es Económico-Administrativo/s Local/es

TEAR/TEARS: Tribunal/es Económico-Administrativo/s Regional/es

TEARLS: Tribunales Económico-Administrativos Regionales y Locales

TEDH: Tribunal Europeo de Derechos Humanos

TFUE: Tratado de Funcionamiento de la Unión Europea.

TJUE: Tribunal de Justicia de la Unión Europea

Tol: Tirant on Line

TS: Tribunal Supremo

TSJ/TSJS: Tribunal/es Superior/es de Justicia.

INTRODUCCIÓN

Los contribuyentes, en sentido amplio, tenemos que pagar a los organismos públicos numerosas cantidades que en España reciben el nombre de tributos, como establece la Constitución Española de 1978 (CE) y la Ley General Tributaria (LGT)[1]. Los tributos en la actualidad son la principal fuente de los ingresos públicos que sirven para atender a los numerosos gastos públicos (sanidad, educación, etc.).

Los grandes impuestos estatales recaudan cada año cientos de miles de millones de euros y están gestionados por la Agencia Estatal de Administración Tributaria (AEAT), que es un organismo estatal que dicta cada año millones actos. Solo el Impuesto sobre la Renta de las Personas Físicas (IRPF) alcanza aproximadamente 100.000 millones de euros al año y el Impuesto sobre el Valor Añadido (IVA) 90.000 millones de euros al año. Sin embargo, hay muchos otros organismos del Estado, Comunidades Autónomas (CCAA) y Entes Locales (EELL) que exigen también otros tributos con denominaciones muy variadas y dictan actos tributarios.

Como nadie desea pagar no es raro que existan discrepancias sobre si procede o no un tributo o sobre su cuantía concreta y los recursos tributarios o, quizás de forma más precisa, los medios de revisión tributarios, en vía administrativa y judicial, permiten reaccionar contra los actos tributarios de los organismos públicos, aunque también frente a determinadas actuaciones de otros particulares relacionadas con los tributos (retenciones, repercusiones, etc.). Sin embargo, aunque pueden considerarse también medios de revisión en un sentido muy amplio, no voy a exponer la revisión por los obligados tributarios de sus declaraciones, autoliquidaciones y comunicaciones, ni la que puedan realizar los órganos administrativos tributarios a través de los procedimientos de comprobación e inspección, pues no son recursos tributarios.

Los lectores a los que dirijo esta obra son los que dedican gran parte de su tiempo a los temas tributarios. Por ejemplo, asesorando a los contribuyentes, trabajando para organismos públicos, estudiando, enseñando o investigando en Universidades o, incluso, como Jueces y Magistrados resol-

---

[1] Definidos en el artículo 2 de la LGT y clasificados como impuestos, tasas y contribuciones especiales, aunque su regulación detallada se encuentra en múltiples normas y algunos aspectos esenciales deben regularse por ley según el artículo 133 de la CE y el artículo 8 de la LGT.

viendo los recursos contencioso-administrativos (RCAS) que tratan sobre materias tributarias.

Sin embargo, pretendo, sobre todo, dar una visión práctica, destacando cuestiones útiles, en vez de realizar un mero comentario de la normativa, aunque habrá temas en los que no podré profundizar. Por ello, si alguien desea ampliar sus conocimientos sobre algunos aspectos, en la bibliografía enumero diversos libros y comentarios, entre ellos varios en los que he participado como autor de forma individual o colectiva.

También creo que esta obra puede resultar de interés para personas que están menos en contacto con el día a día tributario, pero que necesitan, por alguna razón, tener unos conocimientos sólidos sobre los recursos y otros medios de revisión tributaria. Las normas tributarias tienen especialidades y una lectura rápida puede llevar a conclusiones erróneas, incluso a personas que tengan conocimientos jurídicos. Por ejemplo, algunos expertos en ámbitos administrativos no tributarios (expropiación forzosa, protección de datos, responsabilidad patrimonial, etc.) pueden tener la tendencia a acudir directamente a las normas de la Ley 39/2015, de 1 de octubre, del Procedimiento Administrativo Común de las Administraciones Públicas (LPACAP), en vez de a las específicas de la LGT[2], aunque ello sólo es posible en ocasiones.

Además, trataré de utilizar palabras sencillas y expondré cuestiones que no resultan de una mera lectura de la normativa, aunque sean esenciales en muchas ocasiones. También emplearé términos tributarios (por ejemplo, retenciones, sustituto, etc.) o jurídicos (por ejemplo, legitimación, caducidad, etc.), pero trataré de explicar también lo que significan con otras palabras para que resulte más fácil su comprensión.

En ocasiones usaré algunas palabras en un sentido más amplio y usual, aunque resulte menos preciso desde el punto de vista tributario, con la finalidad de facilitar la exposición. Por ejemplo, en el título de la obra y lo mismo en esta introducción utilizo recursos tributarios para referirme a todos los medios de revisión tributaria en vía administrativa y judicial. También en esta misma introducción menciono a los contribuyentes entendidos en sentido amplio, aunque técnicamente se trataría de los obligados tributarios[3].

---

[2]   Las disposiciones generales del derecho administrativo y los preceptos del derecho común son aplicables con carácter supletorio, según el artículo 7.2 de la LGT, es decir en defecto de regulación específica tributaria.

[3]   El contribuyente estricto está definido en el artículo 36.2 de la LGT y los obligados tributarios, que incluye a los contribuyentes, están definidos y enumerados en el artículo 35.1 y 2 de la LGT.

Pienso en el lector como una persona experta en su materia, pero que puede que desconozca cómo funcionan exactamente algunos medios de revisión tributarios, por ejemplo, los procedimientos especiales de la LGT. Por ello, de la misma manera que cuando acudo a un libro de cocina escrito por un chef renombrado, espero que tenga en cuenta que mis utensilios de cocina y los ingredientes que empleo son distintos de los que tiene en su restaurante, trataré de explicar en esta obra algunos aspectos que pueden facilitar desde el punto de vista práctico el éxito de la revisión tributaria.

En el capítulo primero (recursos y demás medios de revisión tributaria y su regulación) trataré de exponer cuáles son los medios administrativos y judiciales de revisión tributarios a los que dedico la exposición y dónde están regulados.

En el capítulo segundo (cuestiones básicas), trataré de comentar una serie de nociones básicas o esenciales, que son comunes a todos los medios de revisión, aunque adelanto que algunas de ellas no resultarán aplicables a los recursos judiciales. En todo caso, recomiendo leer con especial atención este capítulo y espero que, incluso, resulte de interés para las personas que tienen más conocimientos tributarios.

Por otro lado, no hay que olvidar que el éxito de un recurso o procedimiento de revisión tributario depende, sobre todo, de tener razón en el fondo. Por ejemplo, si he aplicado una exención en el IRPF y la Administración la discute, lo más importante es cumplir los requisitos que dan derecho a dicha exención. Sin embargo, también es muy importante conocer cómo conseguir que el organismo público de la razón al contribuyente o, si no es posible, que lo haga el órgano judicial tras el recurso contencioso-administrativo, aunque en cualquiera de estos casos sólo sea por motivos formales y no de fondo. A la vez, el funcionario de un órgano administrativo quizás pueda evitar que los actos incurran en algunos de estos errores que den la razón por motivos formales.

Los actos tributarios dictados por los organismos públicos contienen obligatoriamente información sobre los recursos que pueden presentar los contribuyentes y también existe numerosa información en Internet. Sin embargo, hay algunos aspectos que resultan esenciales y que, en este libro, como he dicho, trataré de explicar desde un punto de vista práctico. Además, los actos no mencionan los mecanismos especiales o extraordinarios, es decir, los procedimientos especiales de revisión y el recurso extraordinario de revisión.

Sin embargo, para no despertar falsas expectativas, aunque haré una breve exposición de los recursos judiciales que existen en el ámbito tributario en el capítulo sexto, sobre todo al recurso contencioso-administrativo (RCA), pero también otros recursos ante el Tribunal Constitucional (TC), Tribunal Europeo de Derechos Humanos (TEDH) y Tribunal de Justicia de la Unión Europea (TJUE), recomiendo acudir para los mismos a especialistas, pues se trata de recursos muy complejos desde el punto de vista técnico. Por ello, la exposición será básicamente didáctica, para que el lector pueda tener una visión global de todos los recursos posibles, pero no pretendo que la lectura convierta a alguien en experto en los mismos. Además, no son recursos tributarios propiamente dichos, sino aplicables, en general, a más ámbitos jurídicos, incluido el tributario.

Por el contrario, en los capítulos tercero (recurso de reposición), cuarto (reclamación económico-administrativa) y quinto (otros mecanismos de revisión en vía administrativa) pretendo realizar una exposición detallada. Sin embargo, dado el limitado número de páginas de esta obra, sólo citaré una pequeña parte de la doctrina administrativa y jurisprudencia destacada. Además, dedicaré más atención a la revisión de los actos de los organismos tributarios estatales (como la AEAT), que son los que afectan a los tributos más importantes cuantitativamente (como el IRPF o el IVA), de forma que sólo haré una breve referencia final dentro de los diversos capítulos a las especialidades en el ámbito tributario autonómico y local.

Sobre todo, emplearé más espacio para las reclamaciones económico-administrativas (REAS) ante los Tribunales Económico-Administrativos (TEAS) del Estado, que examinaré dentro del capítulo quinto. La primera razón es que son la gran especialidad tributaria frente a los recursos administrativos de la LPACAP[4]. La segunda razón es que son el medio de revisión más complejo, aunque hay que tener en cuenta que realmente incluye diversos tipos de procedimientos y recursos. La tercera razón es que desde hace más de veinte años trabajo en dicho ámbito de la revisión tributaria dentro de los TEAS del Estado.

Finalmente, sólo pretendo facilitar a todas las personas interesadas, cómo enfocar lo mejor posible esta materia de los recursos tributarios, tenien-

---

[4]   La misma permite que algunos ámbitos de revisión administrativa estén regulados en normas específicas. Según la Disposición Adicional Primera la revisión tributaria o la revisión en materia de Seguridad Social y Desempleo. Además, según el artículo 112.2 es posible sustituir el recurso de alzada y el recurso de reposición por otros procedimientos, como pasa en la contratación pública, en que existe un recurso especial en materia de contratación atribuido al Tribunal Administrativo Central de Recursos Contractuales, conforme a los artículos 44 y siguientes de la Ley 9/2017, de 8 de noviembre, de Contratos del Sector Público.

do en cuenta las cuestiones más frecuentes que se plantean en el día a día. Por ello, no voy a realizar un análisis crítico de la regulación, ni tampoco propuestas de mejora, pues ello tiene encaje en otro tipo de obras. Ahora bien, advierto que excepcionalmente daré mi opinión personal sobre algún aspecto, siempre muy breve y sin perder de vista la finalidad práctica de esta obra.

Capítulo Primero
RECURSOS Y DEMÁS MEDIOS DE REVISIÓN TRIBUTARIA Y SU REGULACIÓN

Los medios de revisión tributaria son muy numerosos y su regulación es compleja, porque existen diversas Administraciones tributarias y diferentes tributos y actos tributarios[5].

En este capítulo pretendo exponer cuáles son los medios de revisión tributaria, que también reciben el nombre de "recursos tributarios" o "reclamaciones o recursos tributarios". Además, comentaré brevemente cuál es su regulación, pues no sólo se encuentra en la LGT o en la Ley 29/1998, de 13 de julio, Reguladora de la Jurisdicción Contencioso-Administrativa (LJCA).

La revisión de los actos tributarios, como la de todos los actos administrativos, puede realizarse en vía administrativa (por órganos administrativos) y en vía judicial (por los Tribunales de Justicia). A algunas personas les extraña la existencia de la vía administrativa, es decir, que la Administración tributaria que ha dictado el acto pueda luego revisarlo, sobre todo porque dudan que el órgano revisor pueda ser lo suficientemente imparcial al formar parte de la Administración.

Sin embargo, la Administración sirve con objetividad los intereses generales, como señala claramente la CE (artículo 103.1) y, por ello, el órgano administrativo que dicta un acto tributario o que lo revisa no tiene un interés personal, como sí ocurre con el contribuyente. Esto explica que el funcionario que está al frente de un órgano administrativo cuando dicta o

---

[5] Existen numerosas obras y monografías dedicadas a los medios de revisión tributarios. En la bibliografía se reflejan algunas de ellas. En el ámbito estatal y que traten con amplitud la mayoría estos medios, destaco mi obra RUIZ TOLEDANO, J. I., *El Nuevo Régimen de Revisión Tributaria Comentado*, La Ley, Wolters Kluwer, Madrid 2006. También destaco VARIOS, *Manual de Revisión de Actos en Materia Tributaria. Libro Conmemorativo del 125 aniversario de la creación del Cuerpo de Abogados del Estado*, Ministerio de Justicia, Thomson Aranzadi, Cizur Menor (Navarra), 2007; Finalmente, porque abarca todas las posibilidades de revisión en vía administrativa y judicial, igualmente recomiendo VARIOS, *La revisión de actos en materia tributaria. Directores Pablo Chico de la Cámara y Javier Galán Ruiz*, Lex Nova Thomson Reuters, Cizur Menor (Navarra), junio 2016.

revisa un acto tributario trata de ser lo más objetivo posible[6], pero cuando presenta su declaración de IRPF como contribuyente o cuando interpone un recurso contra un acto que otro órgano tributario ha dictado corrigiendo dicha declaración, pretenderá que su tributación sea la menor posible, porque está pensando en su situación individual. Ello en mi opinión, no es reprochable, sino totalmente razonable, siempre que actúe dentro de la legalidad.

Por otra parte, en España la revisión en vía administrativa es obligatoria antes de acudir a la vía judicial, lo que también extraña a algunas personas, que consideran que es un privilegio para la Administración, aunque otros mantienen que es una garantía para el contribuyente, en cuanto la propia Administración puede anular el acto cuando es incorrecto. En mi opinión, si bien es claro que los Tribunales de Justicia tienen una configuración constitucional y legal que garantiza mayor objetividad e independencia, resulta razonable que la Administración previamente pueda revisar los actos y que ello sea obligatorio. Así, muchos temas pueden solucionarse en vía administrativa, sin sobrecargar a la vía judicial y, en todo caso, si el contribuyente no está de acuerdo, puede luego acudir a la vía judicial. El sistema de recursos administrativos obligatorios antes de la vía judicial no constituye un obstáculo al acceso a la justicia siempre que estén correctamente configurados [la posición del TC se resume, por ejemplo, en la STC 52/2014 (*Tol 4236036*), sobre al acceso a la justicia].

1. RECURSOS Y OTROS MEDIOS TRIBUTARIOS DE REVISIÓN

La revisión tributaria abarca los diversos medios de revisión en vía administrativa (ante órganos administrativos) y la posterior vía judicial (ante órganos judiciales) de los actos dictados por las Administraciones tributarias. En vía administrativa comprende el recurso de reposición, las REAS y los procedimientos especiales de revisión, que están regulados en los diferentes capítulos del título V de la LGT (artículos 213 a 249), aunque para los actos tributarios de las CCAA y EELL existen especialidades. En vía judicial incluye el recurso contencioso-administrativo regulado en la LJCA, pero también otros recursos ante el TC, TEDH y TJUE.

---

[6] Por ello, cuando el funcionario tiene un interés personal en el asunto (por ejemplo, revisa un recurso de su cónyuge), debe abstenerse de intervenir, como establece el artículo 23 de la LRJSP.

Una vez que un acto tributario ha sido confirmado por una sentencia judicial firme no puede revisarse en vía administrativa (artículo 213.3 de la LGT), ni siquiera mediante los procedimientos especiales, porque los órganos administrativos están obligados a cumplir lo dispuesto en las sentencias firmes.

Además, la revisión tributaria también incluye el examen de las actuaciones tributarias realizadas por otros particulares (por ejemplo, retenciones por el IRPF o repercusiones del IVA), pues es posible impugnarlas ante los TEAS.

Sin embargo, los recursos y demás medios de revisión tributaria que examino en este libro no incluyen otros mecanismos que, en un sentido amplísimo, algunas personas podrían entender que también están relacionados. Me refiero a la revisión de sus propias declaraciones, autoliquidaciones o comunicaciones por los obligados tributarios, que en algunos casos realiza la Administración (por ejemplo, el procedimiento de rectificación de autoliquidaciones), pero también a las quejas y otros mecanismos que pueden evitar que sea necesaria la revisión, como la información y asistencia tributaria y la planificación fiscal. De todas maneras, haré una brevísima mención a todos ellos en un epígrafe específico de este capítulo.

Tampoco la Administración cuando comprueba las declaraciones, autoliquidaciones o comunicaciones *"revisa"* propiamente. En realidad, va más allá y, por ello, utiliza procedimientos de comprobación (verificación de datos, comprobación limitada, comprobación de valores e inspección) que tienen un alcance más extenso que la mera revisión y, por ello, no los examinaré en esta obra.

1.1. *La revisión de actos tributarios de las diversas Administraciones tributarias*

Los actos tributarios proceden de numerosos organismos públicos del Estado, CCAA y EELL y, por ello, la revisión tributaria depende de quien dicte el acto, aunque también en ocasiones varía según el tributo.

No existe un sistema único, pues las CCAA y EELL pueden establecer y exigir tributos de acuerdo con la Constitución y las leyes (artículo 133.2 de la CE) y en algunos casos tienen autonomía que afecta también a la revisión. Otras veces es la regulación estatal la que establece especialidades. Por ejemplo, en los EELL es una ley estatal la que diferencia, para los medios de revisión, entre municipios de gran población y el resto.

Cada Comunidad Autónoma y Ente Local tiene sus tributos, si bien con las limitaciones establecidas en la CE y las Leyes, con regulación en normas propias de las CCCA (leyes autonómicas y su desarrollo reglamentario) y de los EELL (por ejemplo, en los Ayuntamientos mediante las "Ordenanzas" municipales).

En la práctica, cada acto tributario expresa el órgano administrativo que lo dicta y, cuando son recurribles, debe informar sobre los recursos, el órgano ante el que hay que interponerlos y el plazo[7], lo que facilita notablemente la labor al contribuyente, pues casi siempre la información es exacta.

Los contribuyentes pueden confundirse en ocasiones porque hay órganos con nombre muy similar. Por ejemplo, la Agencia Estatal de Administración Tributaria (AEAT) es el organismo estatal que gestiona los grandes impuestos estatales, pero algunas CCAA y EELL a veces utilizan para sus órganos también la denominación *"Agencia Tributaria"*. Lo mismo ocurre con los órganos administrativos ante los que deben interponerse los recursos, porque los Tribunales Económico-Administrativos (TEAS) son los órganos estatales que revisan en vía económico-administrativa, pero las CCAA y EELL en ocasiones emplean la expresión *"Tribunal Económico-Administrativo"* en sus órganos de revisión.

Por otro lado, el órgano de la Administración tributaria que revisa un acto tributario, a su vez dicta un acto de revisión, que es otro acto administrativo también de naturaleza tributaria. Por ello, igualmente puede revisarse en vía administrativa y, en su caso, judicial. Es similar a lo que ocurre con las matrioskas o muñecas rusas que incluyen dentro otras muñecas más pequeñas, pues el último acto de revisión administrativo es el que confirma, anula o corrige los previos actos y es el recurrible en vía judicial.

Lo más seguro y que también resulta más fácil, es copiar literalmente en el recurso la denominación del órgano que dictó el acto (que viene expresado normalmente al final junto a la firma o en el encabezamiento) y del órgano ante el que debe interponerse el recurso (que está contenida en la información sobre recursos del acto).

En todo caso, voy a exponer brevemente las posibilidades de revisión tributaria en vía administrativa diferenciando si se trata de actos dictados

---

[7]   En defecto de regulación específica tributaria (por ejemplo, el artículo 102.2.d) de la LGT respecto a las liquidaciones tributarias), el artículo 40.2 de la LPACAP, al regular la notificación de los actos, obliga que todo acto indique si pone fin a la vía administrativa, la expresión de los recursos que procedan, en su caso en vía administrativa y judicial, el órgano ante al que hubieran de presentarse y el plazo para interponerlos.

por órganos estatales, de las CCAA o de los EELL. Contra los actos dicta-dos por los órganos administrativos de revisión puede interponerse el RCA y otros recursos judiciales que desarrollo brevemente en el capítulo sexto.

1.1.1. Actos tributarios dictados por órganos estatales

En vía administrativa pueden revisarse (artículo 213.1 de la LGT) me-diante el recurso de reposición, la reclamación económico-administrativa (REA) y los procedimientos especiales de revisión.

El recurso de reposición y la REA están regulados en la LGT. Aunque di-cha LGT no utiliza estas expresiones, son recursos *"ordinarios"* o *"norma-les"* porque pueden presentarse por cualquier motivo por el contribuyente, si bien en un plazo limitado (1 mes) desde la notificación del acto. Si pasa el plazo sin recurso, el acto pasa a ser *"firme y consentido"*[8].

El recurso de reposición es previo a la vía económico-administrativa y potestativo. Es decir, no es obligatorio, de forma que puede presentarse o no por el contribuyente y ello no impide interponer la REA. La exposición detallada la realizo en el capítulo tercero de esta obra.

La REA comprende diversas reclamaciones y recursos y por ello la LGT menciona las reclamaciones económico-administrativas (REAS). La REA es obligatoria antes de acudir a la vía judicial. Es decir, si el contribuyente quiere recurrir a la vía judicial debe interponer previamente la REA. Los Tribunales Económico-Administrativos (TEAS) del Estado son el Tribunal Económico-Administrativo Central (TEAC) y los Tribunales Económico-Administrativos Regionales y Locales (TEARLS). La exposición detallada la realizo en el capítulo cuarto de esta obra.

Además, de los *"recursos ordinarios"*, la LGT contempla unos procedi-mientos especiales de revisión y el recurso extraordinario de revisión, pero las causas o circunstancias son limitadas y, en algunos casos, también exis-ten plazos, aunque no tan breves como el de un mes.

---

[8]   Los *"actos firmes y consentidos"* son los que no se recurren en plazo y, por ello, pasan a ser inatacables mediante los recursos ordinarios. Esto no impide que pueda acudirse para su revisión a los procedimientos especiales o al recurso extraordinario de revisión.

1.1.2. Actos tributarios dictados por órganos de las CCAA

Como la LGT es aplicable a las Administraciones tributarias de las CCAA con el alcance previsto en la CE, sin perjuicio de las leyes que aprueban el Convenio con Navarra y el Concierto con los Territorios Históricos del País Vasco, hay que distinguir para la revisión administrativa entre el régimen foral (Navarra y el País Vasco) y el régimen común (las restantes CCAA y también las Ciudades con Estatuto de Autonomía, es decir, Ceuta y Melilla[9]).

a) Régimen foral

El régimen foral existe en las CCAA de Navarra y el País Vasco.

Los tributos en la Comunidad Autónoma de Navarra, sea propios o convenidos, se revisan en vía administrativa mediante el recurso de reposición, la reclamación económico-administrativa (REA) y los procedimientos especiales de revisión, de forma parecida a la estatal, pero con regulación específica[10]. La revisión en vía económico-administrativa es realizada por Tribunal Económico-Administrativo Foral de Navarra.

Los tributos de los Territorios Históricos del País Vasco corresponden a las Diputaciones Forales y el régimen de revisión en vía administrativa es también el recurso de reposición, la reclamación económico-administrativa (REA) y los procedimientos especiales de revisión, de forma parecida a la estatal, pero con regulación específica[11] y encomendados a órganos propios.

---

[9]   Estas dos ciudades participan de la financiación autonómica, de conformidad con sus Estatutos de Autonomía y lo establecido en la Disposición Adicional Primera de la Ley 22/2009, pero también del régimen de financiación de las Haciendas Locales. Además, disponen de un régimen de fiscalidad indirecta especial, caracterizado, entre otros, porque en su territorio no se aplica el IVA, sino el Impuesto sobre la Producción, los Servicios y la Importación.

[10] Artículo 4 del Convenio Económico, aprobado por la Ley 28/1990. La Comunidad de Navarra ha dictado normas específicas que regulan la revisión en los artículos 140 y siguientes de Ley Foral 13/2000 Tributaria y en el Decreto Foral 85/2018. Sin embargo, la revisión corresponde al Estado en los derechos de importación y en los gravámenes a la importación en los IIEE y en el IVA.

[11] Artículo 1.Dos del Concierto Económico con la Comunidad Autónoma del País Vasco, aprobado por la ley 12/2002. Las tres Diputaciones Forales ha dictado normas específicas que regulan la revisión en las Leyes Generales Tributarias y en los Decretos Forales (DF Gipuzkoa 41/2006; DF 2/2007 y 65/2008 Araba; DF Bizkaia 228/2005). Sin embargo, como ocurre con Navarra, la revisión corresponde al Estado en los derechos de importación y en los gravámenes a la importación en los IIEE y en el IVA.

La revisión en vía económico-administrativa es realizada por los órganos económico-administrativos de las tres Diputaciones.

b) Régimen común

En las demás CCAA distintas a Navarra y el País Vasco[12], así como en Ceuta y Melilla, la revisión en vía administrativa depende del tipo de tributo:

1º En los tributos propios de las CCAA[13] la revisión corresponde a las propias CCAA, mediante el recurso de reposición, la reclamación económico-administrativa (REA) y los procedimientos especiales de revisión, con regulación muy similar a la estatal, aunque los órganos económico-administrativos autonómicos tienen denominaciones y regulación específica. En el caso de los recargos establecidos sobre tributos del Estado corresponde la revisión a los TEAS del Estado.

2º En los tributos cedidos por el Estado que sean el Impuesto sobre el Patrimonio (IP), Impuesto sobre Sucesiones y Donaciones (ISD), Impuesto sobre Transmisiones Patrimoniales y Actos Jurídicos Documentados (ITPAJD, tributos sobre el juego, el Impuesto Especial sobre Determinados Medios de Transporte (IEDMT) y el Impuesto sobre las Ventas Minoristas de determinados Hidrocarburos (IVMDH)[14], hay que distinguir:

– El recurso de reposición y los procedimientos especiales de revisión corresponde a las CCAA.

– La REA corresponde a los TEAS del Estado, pues la posibilidad de que fueran revisados por órganos económico-administrativos propios no ha llegado a implantarse en la práctica[15].

---

[12] Dentro del régimen común, la Comunidad Autónoma de Canarias posee un régimen económico y fiscal especial por razones históricas y geográficas, que tiene en cuenta las disposiciones de la Unión Europea sobre regiones ultraperiféricas. Está regulado por la Ley 19/1994 y la Disposición Adicional Segunda de la Ley 22/2009.

[13] Cada Comunidad tiene sus tributos específicos. Por ejemplo, la de Andalucía ha regulado diversos impuestos ecológicos, el Impuesto sobre los Depósitos de Clientes en las Entidades de Crédito, etc.

[14] Artículo 54.1 de la Ley 22/2009.

[15] El artículo 59.1 de la Ley 22/2009 permite que las CCAA y las Ciudades con Estatuto de Autonomía (Ceuta y Melilla) asuman las competencias para la revisión de los actos de los tributos cedidos del artículo 54.1 de la misma Ley, incluidas en vía económico-administrativa, pero, aunque han pasado bastantes años, ninguna ha hecho uso de esta posibilidad.

1.1.3. Actos tributarios dictados por órganos de los EELL

Aunque la LGT es aplicable a las Administraciones tributarias de los EELL, con el alcance previsto en la CE, depende de si se trata o no de municipios de gran población[16].

Además, hay actos relacionados con algunos tributos locales que son dictados por órganos estatales y, por ello, la revisión administrativa es la misma que la estatal. Por ejemplo, actos dictados por los órganos del Catastro (Dirección General del Catastro y Gerencias Territoriales).

a) Municipios de gran población

En los mismos existe un órgano para la resolución de las REAS (artículo 137 de la LBRL), por lo que la revisión tributaria es similar a la del Estado:

- Recurso de reposición (artículo 14.2 de la LRHL), que es potestativo (es decir, no obligatorio), ya que existe REA y la regulación es casi idéntica al recurso reposición de la LGT.
- REA ante el órgano municipal de resolución de REAS. La denominación de estos órganos es muy variada y también su normativa reguladora, que es aprobada por cada Municipio de gran población.
- Procedimientos especiales de revisión, que son los mismos de la LGT.

b) Otros EELL

- Recurso de reposición (artículo 14.2 de la LRHL), que es preceptivo (es decir, obligatorio antes de interponer recurso contencioso-administrativo), ya que no existe REA. En lo demás, la regulación es similar al recurso de reposición de la LGT.
- Procedimientos especiales de revisión, que son los mismos de la LGT.

---

[16] Artículo 121 de la LBRL Son los de población superior a 250.000 habitantes, pero también otros que no alcanzan dicha población y tengan determinadas características (capitales de provincia, etc.)

1.2. La revisión de actuaciones de otros particulares, como retenciones o repercusiones

La revisión tributaria existe para los actos dictados por las Administraciones tributarias, pero también para las actuaciones de particulares exigidas por la normativa tributaria y referidas a personas distintas (otros particulares).

Los ejemplos más conocidos son la retención del IRPF realizada por el empresario al pagar el salario a su trabajador o la repercusión del IVA realizada por el vendedor al comprador. En ambos casos, la Administración no ha dictado un acto, sino que es un particular (el retenedor empresario en la retención o el repercutidor vendedor en la repercusión) el que cumple una obligación tributaria y retiene el IRPF o repercute el IVA, afectando a otro particular (el retenido o repercutido). Por ello, la LGT utiliza la expresión de obligaciones entre particulares resultantes del tributo (artículo 24) y no existe un acto administrativo, sino una "actuación" de un particular.

No hay que confundir estas actuaciones entre particulares con que dichos particulares también tengan sus correspondientes obligaciones con la Administración tributaria. En el ejemplo citado de la retención por el IRPF por salarios que el empresario paga al trabajador, el empresario debe presentar la declaración de retenciones practicadas e ingresarlas (modelo 111) y el trabajador debe realizar su declaración de IRPF (modelo 100), siempre que esté obligado. La AEAT puede comprobar si ambos han cumplido sus obligaciones y puede dictar un acto administrativo, contra el que existen los medios de revisión de los actos tributarios.

Los particulares pueden corregir las actuaciones si detectan un error, que es lo más frecuente en la práctica, sin que ello constituya un recurso de reposición, que está únicamente contemplado en los actos administrativos, ni una revisión tributaria propiamente dicha, puesto que no existe acto administrativo tributario.

Por ejemplo, si el comprador cree que el IVA repercutido que consta en la factura emitida por el vendedor es erróneo (por ejemplo, porque el tipo es incorrecto) puede comunicarlo al vendedor, que si está de acuerdo corregirá la factura y el IVA repercutido. Sin embargo, si no se ponen de acuerdo entra en juego la revisión tributaria de las actuaciones en particulares, mediante una REA. Una vez resuelta la misma existe un acto administrativo (la resolución del TEA), que es recurrible en vía administrativa y judicial.

1.2.1. Repercutir y soportar la repercusión

El repercutido puede interponer una REA, siendo el caso del IVA el más frecuente, pero también existe en otros tributos, como el Impuesto sobre Primas de Seguros (IPS).

1.2.2. Practicar y soportar retenciones e ingresos a cuenta

El retenido (así como el obligado a soportar ingresos a cuenta) puede interponer una REA, siendo el caso del IRPF el más frecuente para los rendimientos del trabajo, pero también en muchos otros rendimientos. Las retenciones e ingresos a cuenta también existen en otros tributos, como el Impuesto sobre Sociedades (IS) o el Impuesto sobre la Renta de No Residentes (IRNR).

1.2.3. Expedir, entregar y rectificar facturas por empresarios y profesionales

Los empresarios o profesionales tienen la obligación de expedir, entregar y rectificar facturas, con una extraordinaria importancia práctica.

La factura es un documento privado que tiene gran trascendencia mercantil, aunque la regulación detallada fue realizada en el ámbito tributario con la implantación del IVA[17]. Desde el punto de vista tributario es el medio de justificación de gastos deducibles y deducciones en determinadas operaciones y, sin perjuicio de preceptos específicos en las normas de los tributos, está regulada con detalle en el Reglamento por el que se regulan las obligaciones de facturación (Real Decreto 1619/2012).

1.2.4. Relaciones entre el sustituto y el contribuyente

El sustituto es un tipo de obligado tributario (artículo 36.3 de la LGT) que actúa en el lugar del contribuyente. Aunque es mucho menos habitual que en otras épocas, debido a la generalización de las figuras de retención, ingreso a cuenta y repercusión, sigue teniendo trascendencia en algunos ámbitos tributarios.

---

[17]   En 1985 en la Disposición Final 7ª de la Ley 10/1985, desarrollándose en el Real Decreto 2402/1985, por el que se reguló el deber de expedir y entregar facturas que incumbe a empresarios y profesionales.

1.3. Mecanismos que no constituyen medios de revisión tributaria

A continuación, comento de manera muy breve algunos mecanismos que no son realmente recursos o medios de revisión tributarios, aunque puedan tener interés para la revisión o, incluso, para evitar que resulte necesario acudir a dicha revisión.

1.3.1. La modificación de declaraciones, autoliquidaciones y comunicaciones por los obligados

El contribuyente u obligado tributario puede modificar por sí mismo o acudiendo a la Administración sus declaraciones, autoliquidaciones y comunicaciones, que no son actos administrativos. Es decir, no son dictados por los órganos administrativos en ejercicio de sus potestades[18], sino realizados por los propios contribuyentes u obligados. Por ello, no serían recursos o medios de revisión tributario en el sentido que utilizo en este libro y no suelen comentarse en obras dedicadas recursos y demás medios de revisión tributaria, pero si en los dedicados, en general, a los procedimientos tributarios[19].

Como los datos y otros elementos de hecho incluidos por los obligados en sus declaraciones, autoliquidaciones, comunicaciones y demás documentos son considerados ciertos para dichos obligados y sólo pueden rectificarlos mediante prueba en contrario (artículo 108.4 de la LGT) ello implica que su corrección o modificación por el obligado no siempre resulte fácil, lo que llama la atención, sobre todo, a los obligados con menores conocimientos tributarios[20].

---

[18]   La LGT regula actos administrativos tributarios (el ejemplo típico es la "liquidación tributaria" del artículo 101 de la LGT), pero la LPACAP en su Título III (artículos 34 a 52) los regula con carácter general en el ámbito administrativo, aunque curiosamente no refleje un concepto.

[19]   Entre otros, VARIOS, Memento Procedimientos tributarios 2022-2023, Francis Lefebvre, Madrid 2021. También en obras dedicadas al análisis de la gestión tributaria. Por ejemplo, HUESCA BOADILLA, R., *Actuaciones y procedimientos de gestión tributaria*, Sepín, Madrid, 2012.

[20]   Por ejemplo, el contribuyente que declara un ingreso de 1.000 euros en su autoliquidación por IRPF y no tiene que aportar ninguna prueba, se extraña, cuando se ha equivocado porque eran 900 euros, que la AEAT no le deje modificar la autoliquidación y deba aportar prueba de que el ingreso es de esta última cantidad. Dedico un comentario detallado en mi obra RUIZ TOLEDANO, J. I., *La prueba tributaria según la doctrina administrativa y la jurisprudencia*, Thomson Reuters Aranzadi, 2021, págs. 115 a 125.

a) Modificación de declaraciones o comunicaciones:

La declaración tributaria (artículo 119 de la LGT) es un documento presentado a la Administración tributaria en el que el obligado reconoce un hecho relevante para la aplicación de los tributos. Cuando la presenta el propio contribuyente suele llevar a que la Administración inicia un procedimiento que termine con una liquidación (artículos 128 a 130 de la LGT), pero también puede suponer la iniciación de un procedimiento de devolución (artículo 124 de la LGT), mientras si la declaración contiene datos de otras personas con la misma se cumple la obligación tributaria de presentar dicha declaración.

La comunicación de datos (artículo 121 de la LGT) es un tipo de declaración presentada por el propio contribuyente para que la Administración inicie un procedimiento de devolución (artículo 126 de la LGT).

La modificación de las declaraciones y comunicaciones por el obligado es realizada (artículo 122 de la LGT) mediante las declaraciones y comunicaciones complementarias (modifica parcialmente la anterior) o sustitutivas (sustituye totalmente la anterior).

b) Modificación de autoliquidaciones

Las autoliquidaciones (artículo 120 de la LGT) son un tipo de declaraciones en que el obligado, además de declarar datos, realiza las operaciones de calificación y cuantificación necesarias para determinar la deuda tributaria, con un resultado a ingresar o a devolver o compensar.

Es parecida a la liquidación tributaria (acto tributario dictado por la Administración), pero con la gran diferencia de que al ser realizada por el obligado no constituye un acto administrativo y, por tanto, dicho obligado no puede acudir a los recursos y medios de revisión tributarios.

La modificación de una autoliquidación depende, sobre todo, de si el resultado desde el punto de vista cuantitativo favorece a la Administración o al contribuyente.

- Si favorece a la Administración, el contribuyente puede hacerlo por sí mismo mediante una autoliquidación complementaria (artículo 122.2 de la LGT).

- Si favorece al contribuyente, éste no puede hacerlo por sí mismo, sino que tiene pedir que lo realice la Administración, solicitando la rectificación (artículo 120.3 de la LGT) y la Administración inicia un procedimiento en que suele exigir pruebas. En este caso, la solicitud puede abarcar a cualquier elemento de la autoliquidación, pero sólo antes de que la Administración haya dictado una liquidación. No obstante lo anterior, cuando se ha dictado una liquidación puede pedirse la rectificación por una consideración o motivo distinto, lo que no siempre es fácil de delimitar en la práctica. El procedimiento está desarrollado con detalle (artículos 126 a 129 del RGAT) y termina con un acto administrativo que, como cualquier otro, es susceptible de los medios de revisión tributarios. Por tanto, aunque la solicitud de rectificación de autoliquidación no es un recurso tributario, el acto con el que finaliza el procedimiento iniciado si puede ser objeto de dicho recurso.

1.3.2. Las quejas al Defensor del Pueblo y al "Defensor del Contribuyente"

Los contribuyentes pueden presentar quejas ante el Defensor del Pueblo y el "*Defensor del Contribuyente*", pero no son medios de revisión tributaria, aunque pueda tener gran relevancia en algunos casos y, como consecuencia, pueda producirse una revisión.

El Defensor del Pueblo es un órgano constitucional (artículo 54 de la CE y LO 3/1981) encargado de defender los derechos fundamentales y las libertades públicas de los ciudadanos mediante la supervisión de la actividad de las Administraciones Públicas españolas. Los ciudadanos pueden presentar quejas sobre todo tipo de materias, no sólo tributarias y, como consecuencia de las quejas que interponen los contribuyentes, los órganos tributarios deben informar al Defensor del Pueblo. El Defensor del Pueblo no es competente para modificar o anular los actos, pero puede sugerir modificaciones de los criterios utilizados, proponer modificaciones normativas y también formular advertencias y recomendaciones.

El "Defensor del Contribuyente" tiene competencias lógicamente más limitadas y es una figura creada en 1996 en la Administración tributaria del Estado y que existe también en algunas CCAA y EELL.

En la Administración del Estado es un órgano colegiado con el nombre de Consejo para la Defensa del Contribuyente (artículo 34.2 de la LGT y RD 1676/2009) ante el que pueden presentarse quejas y sugerencias por los contribuyentes sobre la AEAT, los TEAS y otros órganos de la Secretaría de Estado de Hacienda del Ministerio de Hacienda sobre los procedimientos tributarios, las tardanzas o desatenciones o cualquier otro tipo de actuación en el funcionamiento de dichos órganos[21].

Lo que más sorprende a algunas personas es que el Consejo no responde normalmente a la queja, sino que lo hace el órgano o servicio que provocó la queja. Sin embargo, dicho Consejo contesta cuando el contribuyente muestra su disconformidad con la previa respuesta del órgano o cuando considera que concurren circunstancias excepcionales. La mayoría de los contribuyentes, sin embargo, no presentan disconformidad, lo que viene a implicar en la práctica que están de acuerdo con la respuesta.

Como las quejas no son recursos administrativos, pueden presentarse con independencia de cualquier recurso y no paralizan o interrumpen los plazos de recurso. Sin embargo, la presentación de la queja puede solucionar algunos problemas del contribuyente (por ejemplo, aunque no resulte frecuente, puede ocurrir que el órgano que dictó el acto lo anule mediante un procedimiento especial antes de que se resuelva el recurso). También sirven para que el Consejo pueda realizar propuestas de mejora que afectan a todos los contribuyentes o para que los propios órganos tributarios realicen mejoras.

1.3.3. La planificación fiscal como instrumento para evitar la revisión tributaria

La planificación fiscal (también denominada "economía de opción") supone que el contribuyente u obligado puede minorar su obligación tributaria de forma legal. Esta figura no debe confundirse con la simulación (artículo 16 de la LGT), el conflicto en la aplicación de la norma (artículo 15 de la LGT) y la calificación (artículo 13 de la LGT), que son mecanismos que permiten a la Administración reaccionar contra conductas de elusión fiscal, es decir, que evitan incorrectamente una obligación tributaria, aunque aparentemente están bien.

Por ello, la planificación fiscal consiste en elegir una posibilidad que resulta ventajosa para el obligado tributario, en cuanto elimina o minora la obligación tributaria, en vez de otra que conlleva una obligación más gravosa. Los obligados, con carácter previo a la realización de un acto, negocio,

---

[21]   Un comentario general se encuentra en VARIOS, *Memento Procedimientos* tributarios 2022-2023, ob. cit., págs. 205 a 2011. Para una exposición más detallada y reciente cabe remitir a PARRONDO AYMERICH, J., *El Consejo para la Defensa del Contribuyente*, Tirant lo Blanch, Valencia, 2021.

contrato, etc. que tenga relevancia tributaria, deberían realizar un análisis de posibles alternativas.

Por ejemplo, el contribuyente que tiene una vivienda y quiere dejársela a su hijo para que la disfrute puede hacerlo de diversas maneras (vendiendo, donando, arrendando, dejando que la utilice en "precario", etc.), todas ellas con diferentes consecuencias fiscales. Por supuesto, la decisión no solo depende de la tributación, sino que muchas veces son más importantes otros aspectos (si el hijo no tiene dinero para comprar la vivienda y una entidad bancaria no le da un préstamo no puede comprar la vivienda).

Es una materia de gran importancia práctica, pero a la que suele dedicarse poca atención en obras tributarias[22]. No constituye realmente un medio de revisión tributario, pero cuando el contribuyente planifica correctamente puede evitar problemas en el futuro y que no sean precisos los medios de revisión o, al menos, garantizar su éxito.

1.3.4. Los mecanismos de información y asistencia

El contribuyente u obligado puede acudir a los mecanismos de información y asistencia que proporcionan las Administraciones tributarias, consiguiendo mayor seguridad jurídica y evitando, en algunos casos, que dichas Administraciones dicten en el futuro actos contrarios a sus actuaciones, declaraciones, autoliquidaciones y comunicaciones. Esto puede estar relacionado con la planificación fiscal expuesta o, simplemente, también puede solicitarse información y asistencia en relación con los recursos y demás medios de revisión, que puede ayudar a evitar errores en la revisión tributaria.

Los mecanismos de información y asistencia de la LGT (artículo 85.2, desarrollados en los artículos 86 a 91) son los siguientes[23]:

a) Publicación de textos actualizados de las normas tributarias, así como de la doctrina administrativa de mayor trascendencia.

---

[22] Un comentario general se encuentra en VARIOS, *Memento Procedimientos tributarios 2022-2023*, ob. cit., págs. 54 a 57. Para una exposición detallada cabe remitir a DOMÍNGUEZ BARRERO, F., *Planificación fiscal personal y en la empresa*, Thomson Reuters Aranzadi, Cizur Menor (Navarra), 2017.

[23] No suelen existir monografías dedicadas específicamente a la información y asistencia, aunque sí a alguna de sus modalidades, como las consultas tributarias. Sin embargo, con carácter general se comentan en obras dedicadas a los procedimientos. Por ejemplo, VARIOS, *Memento Procedimientos tributarios 2022-2023*, ob. cit., págs. 333 a 346.

b) Comunicaciones y actuaciones de información efectuadas por los servicios destinados a tal efecto en los órganos de la Administración Tributaria.

c) Contestaciones a consultas escritas.

d) Actuaciones previas de valoración.

e) Asistencia a los obligados en la realización de declaraciones, autoliquidaciones y comunicaciones tributarias.

La ventaja de acudir a la información y asistencia administrativa es que el contribuyente conoce previamente la posición de la Administración, que es especialmente valiosa cuando vincula a la misma, como en las contestaciones a las consultas tributarias escritas (artículo 89.1 de la LGT) o en la información sobre el valor a efectos fiscales de los bienes inmuebles que vayan a ser objeto de adquisición o transmisión (artículo 90.2 de la LGT), aunque no vincule al contribuyente. La desventaja es que para conseguir el efecto vinculante hay que solicitar la información con carácter previo y una razonable antelación y existen unos requisitos a cumplir. También puede ocurrir que la contestación no sea todo lo clara que el contribuyente desearía[24].

En algunos casos puede que la Administración conteste con retraso frente al plazo previsto (en las consultas tributarias escritas es de 6 meses), lo que provoca que el contribuyente tenga que declarar o autoliquidar sin conocer la información solicitada. En este caso, si la Administración dicta un acto posterior corrigiendo al contribuyente en el mismo sentido que la información proporcionada con retraso, no debería imponerse una sanción tributaria, pero si lo hiciera es casi seguro que si el contribuyente recurriera sería anulada. Salvo casos excepcionales, es difícil entender que el contribuyente es culpable cuando pretendió obtener información de la Administración y tuvo que declarar o autoliquidar como entendió conveniente porque no le habían contestado en el plazo previsto.

Cuando la información vinculante es proporcionada antes de la declaración o autoliquidación, puede que el contribuyente no esté de acuerdo con la misma, por lo que tiene el dilema de seguirla o no. Cuando la sigue, dicho contribuyente está seguro frente a una comprobación posterior de la Administración, mientras que si no la sigue, tiene el riesgo de que la

---

[24]   La configuración de las consultas tributarias en la LGT provoca que la contestación no pueda entrar en aspectos de prueba, que en muchos casos son tan importantes para el contribuyente como los aspectos de interpretación jurídica de la normativa.

Administración realice una comprobación posterior y dicte un acto tributario conforme a la información vinculante, incluso con una sanción tributaria (aunque el contribuyente tratará de argumentar que está amparado en una interpretación razonable de la norma), lo que obligará en la mayoría de los casos a recurrir en vía administrativa o en vía judicial.

La información y asistencia no vinculante tiene diversas modalidades y su ventaja es que es mucho más rápida de obtener por el contribuyente, pero presenta la desventaja de la falta de vinculación y, por ello, la Administración puede dictar un acto posterior separándose de la misma. Algunos contribuyentes consideran sorprendente que la Administración no siga lo que ha informado antes por teléfono y, sobre todo, modifique una autoliquidación cuando ha sido realizada por un funcionario que asiste al contribuyente.

Sin embargo, en la información telefónica difícilmente el contribuyente podrá probar la contestación recibida. Además, puede que quien contesta no ha entendido bien la pregunta, quien escucha no comprenda bien la respuesta o, incluso, pueden existir respuestas diferentes porque hay muchas personas atendiendo telefónicamente. La rapidez es difícilmente compatible con la seguridad y, por ello, las contestaciones a consultas tributarias escritas tienen mayor seguridad, pero también tardan más.

En la autoliquidación realizada por un funcionario que asiste al contribuyente, pueden existir dificultades de comprensión entre ambas partes, pero lo más frecuente en que, sin mala intención, el funcionario no haya preguntado algo o el contribuyente no lo haya explicado, de manera que posteriormente la Administración obtenga datos que lleven a comprobar la autoliquidación a través del correspondiente procedimiento. Como la autoliquidación no es un acto administrativo, siempre la realiza el contribuyente, que en último término es responsable de la misma, aunque tenga la asistencia de algún funcionario o de una aplicación informática.

2. LA REGULACIÓN EN LA LGT Y OTRAS NORMAS

En el epígrafe anterior, al exponer los diversos mecanismos de revisión, he mencionado algunos aspectos de la regulación de la revisión tributaria, en especial de la revisión en vía administrativa y judicial de actos dictados por las Administraciones tributarias.

La revisión de actos tributarios en vía administrativa está regulada, con carácter general, en el título V de la LGT y desarrollada en el RGRVA, aunque existen normas especiales para las CCAA y EELL.

En la práctica los medios de revisión dependen de quien ha dictado el acto. Por ejemplo, si es un órgano integrado en la AEAT el acto tributario puede revisarse conforme a lo dispuesto en la LGT y el RGRVA. Como he destacado, los actos recurribles contienen información sobre los recursos, que suele ser correcta, pero no expresa los procedimientos especiales de revisión.

En materia tributaria, como regla, no hay que acudir a la regulación de la LPACAP (ni de la LRJSP) y, sobre todo, no hay que tener en cuenta lo que establece sobre la revisión de oficio y los recursos. Esto puede confundir no sólo a personas con escasos conocimientos jurídicos, sino también a algunas personas con dichos conocimientos en ámbitos no tributarios. La razón es que existen normas específicas tributarias en la LGT que son muy diferentes. Por ejemplo, en vez del recurso de alzada ante el superior jerárquico de los artículos 121 y 122 la LPACAP, la LGT regula las REAS ante los TEAS en los artículos 228 y siguientes). También puede ocurrir que tengan el mismo nombre, pero la regulación sea distinta. Por ejemplo, el recurso extraordinario de revisión de los artículos 125 y 126 de la LPACAP incluye como circunstancia el error de hecho que resulte de los propios documentos incorporados al expediente y resuelve el mismo órgano que dictó el acto, mientras que en el recurso del mismo nombre del artículo 244 de la LGT no está contemplada dicha circunstancia y resuelve el recurso el TEAC, siendo el artículo 220 de la LGT el que regula la rectificación de errores materiales, de hecho o aritméticos por el mismo órgano que dictó el acto.

Por ello, a continuación, comentaré brevemente primero las normas específicas de revisión de la LGT y el RGRVA, segundo las normas comunes de la LGT aplicables a la revisión tributaria y tercero, la aplicación supletoria (en defecto de regulación en la LGT) de la LPACAP y la LRJSP.

Finalmente, para evitar confusiones, destaco que la revisión de actos tributarios en vía judicial no está regulada en la LGT, sino básicamente en la LJCA.

2.1. Las normas específicas de revisión de la LGT y el RGRVA

La revisión administrativa de actos tributarios, sin perjuicio de las especialidades para las CCAA y EELL, está regulada en el título V de la LGT (artículos 213 a 249) y en el RGRVA.

El recurso de reposición, las REAS y los procedimientos especiales están regulados de manera extensa en la LGT, sin perjuicio de que algunos aspectos se regulen para todas ellas (el contenido de la solicitud o escrito de iniciación con la subsanación de sus defectos y la motivación de los actos administrativos de revisión), como comento en el capítulo segundo de esta obra dedicado a cuestiones básicas.

En la revisión tributaria en vía administrativa por las CCAA y EELL, sin perjuicio de regulación específica, hay que tener en cuenta que la LGT establece los principios y normas jurídicas generales y es de aplicación a todos las Administraciones Públicas (artículo 1.1 de la LGT). Por ello, en lo no regulado por otras normas puede acudirse a la LGT, pero el problema práctico es que no está claro dentro del contenido de la LGT lo que son principios y normas jurídicas generales.

2.2. Las normas comunes de la LGT aplicables a la revisión

La LGT para evitar repeticiones en el título V dedicado a la revisión administrativa remite (artículo 214 de la LGT) a normas contenidas en otros títulos para la capacidad y representación, prueba, notificaciones (aunque existen normas específicas para las REAS) y de cómputo de los plazos de resolución. Estas normas también son aplicables a la revisión de actuaciones entre particulares realizadas mediante REAS.

2.2.1. Remisiones expresas a otros preceptos de la LGT

a) Capacidad y representación

Las normas generales de la LGT (artículos 44 a 47 de la LGT) son aplicables a la capacidad y representación en la revisión en vía administrativa, sin perjuicio de las especialidades de las REAS (artículos 232 y 234.2 de la LGT).

La capacidad (capacidad jurídica) permite tener derechos y obligaciones desde el punto de vista jurídico y corresponde a cualquier persona desde el momento de su nacimiento con vida (persona física) o desde su constitución (personas jurídicas y entes sin personalidad jurídica). Distinto es el ejercicio de dicha capacidad, pues los menores de edad y personas con discapacidad tienen en cuanto esté reconocida por las normas. Por ejemplo, un bebé de escasos meses tiene capacidad jurídica para ser propietario de bienes (incluso una auténtica fortuna si una abuela millonaria fallecida lo tuvo en cuenta en su testamento), pero no puede tomar decisiones de compra o venta de dichos bienes, que corresponden a sus representantes (normalmente sus progenitores, sin perjuicio de que puedan tener que intervenir otras personas en caso de conflicto de intereses).

La LGT no regula la capacidad en general, que corresponde a todas las personas según establezca cada ámbito jurídico (civil, mercantil, administrativo, etc.), pero reconoce la capacidad de obrar (artículo 44 de la LGT) de los menores o discapacitados[25] en las relaciones tributarias cuyo ejercicio tengan permitido sin asistencia, de forma similar a lo que establece la LPACAP (artículo 3). Por ejemplo, una niña de 8 años puede comprar un helado y, al hacerlo, está pagando el IVA soportado incluido en el precio.

En los procedimientos de revisión el contribuyente u obligado puede actuar por sí mismo o por medio de un representante, pero el examen más detallado de la representación lo realizo en el capítulo segundo de esta obra.

b) Prueba

Las normas generales de la LGT (artículos 105 a 108 de la LGT) son aplicables a la prueba en la revisión en vía administrativa, sin perjuicio de las especialidades de las REAS (artículo 236.4 de la LGT), como expongo con más detalle en el capítulo segundo al examinar la búsqueda de pruebas. Adelanto que las normas sobre prueba de la LPACAP no tienen prácticamente aplicación al ámbito tributario.

c) Notificaciones

Las normas generales de la LGT (artículos 109 a 112 de la LGT) son aplicables a las notificaciones en la revisión en vía administrativa, sin perjuicio de las especialidades de las REAS (artículo 234.4 de la LGT), como expongo con más detalle en el capítulo segundo al exponer los plazos para recurrir y, en concreto, qué se puede hacer si se ha pasado el plazo. También

---

[25]   La LGT menciona "incapacitados", pero en la actualidad es empleada normalmente la expresión discapacidad. La Convención de Nueva York de 13-12-2006 sobre los derechos de las personas con discapacidad establece que tienen capacidad en igualdad de condiciones con las demás personas en todos los aspectos de la vida y, como consecuencia, en España la Ley 8/2021 ha modificado varias normas, entre ellas el Código Civil (CC), desapareciendo las situaciones de incapacitación judicial y eliminando del ámbito de la discapacidad la patria potestad prorrogada rehabilitada y la prodigalidad.

comento de forma breve en dicho capítulo la regulación de las notificaciones. Adelanto que las normas sobre notificaciones de la LPACAP son aplicables en gran medida al ámbito tributario y la LGT remite a las mismas de forma expresa.

d) Cómputo de los plazos de resolución

La LGT efectúa una remisión (artículo 214.3 de la LGT) a la norma de la LGT (artículo 104.2) a efectos de entender cumplida la obligación de notificar dentro del plazo máximo de duración del procedimiento.

El plazo de duración (que normalmente es un plazo máximo para resolver y notificar) es cumplido por la Administración cuando ha realizado un intento de notificación que contenga el texto íntegro de la resolución.

Esta norma, que está pensada para casos en que pueda resultar difícil para la Administración realizar la notificación, lo que hace es impedir que el órgano administrativo supere el plazo de duración cuando ha logrado realizar un intento correcto de notificación con el texto completo del acto dentro del plazo, aunque la notificación efectiva pueda realizarse después. Ello puede tener consecuencias prácticas importantes, por ejemplo, impedir la prescripción en el caso concreto.

En los obligados a recibir notificaciones electrónicas (y los acogidos voluntariamente) se cumple cuando la notificación se pone a disposición en la sede electrónica de la Administración electrónica o en la dirección electrónica habilitada (DEH).

Los períodos de interrupción justificada que se especifiquen reglamentariamente y las dilaciones en el procedimiento por causa no imputable a la Administración tributaria no se incluirán en el cómputo del plazo de resolución.

2.2.2. Casos en que no existe una remisión expresa a otros preceptos de la LGT

La regulación de otros aspectos de la LGT también es aplicable a la revisión tributaria en vía administrativa, aunque en la normativa no haya una remisión expresa, pues la LGT incluye los principios y normas jurídicas generales. Sin embargo, hay que tener especial cuidado, pues precisamente la falta de dicha remisión expresa hace que resulte difícil y, en algunos casos, sólo puede tenerse en cuenta con matizaciones.

A continuación, enumero los casos más claros, sin profundizar, aunque advierto que no siempre resultan aplicables de manera completa:

a) Las disposiciones generales del ordenamiento tributario

El título I de la LGT (artículos 1 a 16), al regular las disposiciones generales, debe tenerse en cuenta en su conjunto. Desde el punto de vista práctico, destaco dos puntos:

- Los principios de aplicación del sistema tributario (artículo 3.2 de la LGT), es decir, los principios de proporcionalidad, eficacia y limitación de costes indirectos derivados del cumplimiento de las obligaciones formales y el respeto a los derechos y garantías de los obligados tributarios.

- El carácter supletorio de las disposiciones generales del derecho administrativo y los preceptos del derecho común (artículo 7.2 de la LGT)

b) Los tributos

El título II de la LGT (artículos 17 a 82), al regular los tributos, debe también tenerse en cuenta en su conjunto, aunque advierto que regula dichos tributos en general, más que la revisión en vía administrativa de actos y actuaciones relacionados con ellos.

Desde el punto de vista práctico, destaco los siguientes puntos:

- Los derechos y garantías de los obligados tributarios (artículo 34), que puedan también considerarse que están relacionados con los órganos administrativos de revisión, que se reflejan en diversas letras del artículo 34.1 de la LGT, como los de las letras a), b), c), f), i), j), k), p), r) o s). El Consejo para la Defensa del Contribuyente (artículo 34.2 de la LGT) atenderá quejas y sugerencias relacionadas con el funcionamiento de los órganos de revisión que pertenezcan a la Secretaría de Estado de Hacienda del Ministerio de Hacienda.

- El domicilio fiscal (artículo 48 de la LGT) como lugar de localización del obligado tributario, sin perjuicio de que en los procedimientos de revisión tenga especial importancia el domicilio designado por el propio contribuyente a efectos de notificaciones.

- La prescripción (artículos 66 a 70 de la LGT), sobre todo dado que la interrupción de los plazos de prescripción de los derechos (artículo 68 de la LGT) se produce por la interposición de recursos y reclamaciones.

2.3. *La aplicación supletoria de la LPACAP y la LRJSP*

El carácter supletorio de las disposiciones generales del derecho administrativo y los preceptos del derecho común está previsto en la propia LGT (artículo 7.2) y, por ello, la LPACAP y la LRJSP son aplicables sin ninguna duda al ámbito tributario, lo que terminó con las polémicas que en su momento consideraban que no eran aplicables las disposiciones generales del derecho administrativo, en especial la Ley 30/1992.

La LGT (de 2003) aproximó algunos aspectos[26] y la posterior LPACAP (de 2015) se ha visto influida por la LGT, de forma que ambas cada vez están más cercanas, aunque lógicamente la LGT tiene importantes especialidades relacionadas con los tributos.

Aclarado lo anterior, lo importante es que la LPACAP y la LRJSP son aplicables sólo cuando no existe regulación específica diferente en la LGT u otras normas tributarias (que es lo que significa el carácter supletorio). Por eso, uno de los errores más frecuentes de las personas que no son expertas en el ámbito tributario es basarse en preceptos (es decir, artículos) de la LPACAP y la LRJSP que no son aplicables porque la LGT tiene una regulación distinta.

Por ejemplo, los artículos 125 y 126 de la LPACAP no son aplicables al ámbito tributario porque existe un regulación específica y completa en el artículo 244 de la LGT, como comentaré al examinar el recurso extraordinario de revisión.

El problema práctico es que a veces surgen dudas sobre la aplicación supletoria de algunos artículos de la LPACAP y la LRJSP. La doctrina administrativa y jurisprudencia han ido aclarando determinados aspectos, pero quedan otros sin resolver y los manuales o los autores no suelen dedicar demasiada atención[27], a pesar de su importancia práctica.

---

[26] Como dice la exposición de motivos de la LGT, supone una importante aproximación a las normas generales del derecho administrativo, con el consiguiente incremento de la seguridad jurídica en la regulación de los procedimientos tributarios.

[27] Son raros los análisis dedicados a esta materia, incluso en revistas especializadas. Por ejemplo, HUESCA BOADILLA, R. "Los actos administrativos y el procedimiento administrativo común en la nueva Ley 39/2015, de 1 de octubre, del Procedimiento administrativo común de las Administraciones Públicas", BIT Plus, Boletín Informativo

En los diversos capítulos de esta obra haré mención a varios aspectos que entiendo aplicables, sobre todo de la LPACAP, pero a continuación destaco algunos puntos que creo que tienen interés práctico, aunque sin profundizar en los mismos y teniendo en cuenta que no siempre resultan aplicables de manera completa. Además, en cuanto a la revisión existen reglas específicas en la LGT, sobre todo en la vía económico-administrativa.

El título I (De los interesados en el procedimiento) tiene muchos preceptos aplicables en el ámbito tributario, en especial lo relacionado con los medios electrónicos, sin perjuicio de algunas especialidades tributarias.

El título II (De la actividad de las Administraciones Públicas) es aplicable en menor medida, pues en algunos casos existen normas específicas tributarias. Por ejemplo, el artículo 13 (derechos de las personas en sus relaciones con las Administraciones Públicas) sería aplicable, sin perjuicio de que la LGT contempla en su artículo 34 los derechos y garantías de los contribuyentes, que son aplicables a la revisión tributaria en defecto de norma específica. Lo mismo ocurre con los artículos 14 a 20 dedicados a los derechos y obligación de relacionarse electrónicamente con las Administraciones Públicas, lengua de los procedimientos, etc. Los artículos 21 a 25 dedicados a la obligación de resolver, silencio, etc. sólo deben aplicarse en defecto de las reglas específicas contempladas en la normativa tributaria, que son bastante completas y, a veces, bastante diferentes, sobre todo en la regulación de la revisión tributaria. Por el contrario, los artículos 30 (cómputo de plazos) y 31 (cómputo de plazos en los registros) parecen aplicables íntegramente, pero los artículos 32 (ampliación) o 33 (tramitación de urgencia) deben aplicarse sólo en determinados casos.

El título III (de los actos administrativos) es aplicable en general. Por ejemplo, la regulación de las notificaciones a las que remite el artículo 109 de la LGT, sin perjuicio de las especialidades tributarias de los artículos 110 a 112 de la LGT. Lo mismo la nulidad y anulabilidad, si bien en relación con la nulidad el artículo 217 de la LGT copia los mismos casos del artículo 47.1 de la LPACAP.

El título IV (de las disposiciones sobre el procedimiento administrativo común) es aplicable sólo cuando no exista norma tributaria específica. La propia disposición adicional primera de la LPACAP excepciona las actuaciones y procedimientos de aplicación de los tributos en materia tributaria

---

Tributario Registradores de España, nº 194, págs. 16 a 25; ALARCÓN GARCÍA, E., "La nueva ley de procedimiento administrativo en el ámbito tributario", Crónica Tributaria, nº 171/2019, págs. 7 a 36.

y aduanera y, por ejemplo, la LGT regula con detalle muchos aspectos y da normas concretas en numerosos procedimientos tributarios. Además, existe regulación específica en otras normas tributarias.

El título V (de la revisión de actos administrativos) casi no resulta aplicable al ámbito tributario, dado que existen normas específicas y la citada disposición adicional primera de la LPACAP excepciona también la revisión en vía administrativa tributaria. Sólo puede aplicarse algún aspecto concreto de forma supletoria. Por ejemplo, que el error o ausencia de calificación del recurso por parte del recurrente no será obstáculo para su tramitación, siempre que se deduzca su verdadero carácter (artículo 115.2) o que los vicios y defectos que hagan anulable un acto no podrán ser alegados por quienes lo hubiera causado (artículo 115.3).

Por otro lado, la LRJSP básicamente establece el régimen jurídico de las Administraciones Públicas, por lo que está dirigida a los órganos administrativos, incluidos los tributarios. También resultan aplicables diversos aspectos. Por ejemplo, tiene interés práctico para los contribuyentes la regulación de la abstención y recusación (artículos 23 y 24), pues permiten que un contribuyente rechace a una persona en un procedimiento concreto cuando concurra una de las causas previstas legalmente (por ejemplo, tener amistad íntima o enemistad manifiesta con dicho contribuyente).

Para terminar, también tienen carácter supletorio los preceptos del derecho común, que son la regulación civil (básicamente el CC). Por ejemplo, los artículos del título preliminar del CC como ocurre con el artículo 6.1 cuando establece que la ignorancia de las leyes no excusa de su cumplimiento.

Capítulo Segundo
CUESTIONES BÁSICAS

Los contribuyentes y demás obligados tributarios para poder conseguir una adecuada revisión tributaria deben ser conscientes de algunas cuestiones básicas, que suelen darse por sabidas, pero que, cuando no se tienen en cuenta al iniciar un procedimiento de revisión, puede conducir a errores que dificulten el éxito de dicho procedimiento. Sobre todo, las mismas están relacionadas con la revisión en vía administrativa, pues la revisión en vía judicial tiene especialidades importantes.

1. ANTES DE RECURRIR

Hay algunos aspectos que el contribuyente debería valorar por su importancia desde el punto de vista práctico. Además de los que paso a exponer, destacan los plazos para recurrir, pero dada su gran trascendencia he preferido comentarlos luego de forma separada.

1.1. *El examen del expediente administrativo*

El contribuyente u obligado normalmente pretende la revisión de un acto tributario y, como dicho acto forma parte de un expediente administrativo, es importante advertir que el examen del mencionado expediente puede tener gran relevancia para el contribuyente, sobre todo para apoyar mejor sus argumentos, pero también para poder detectar los defectos que existen en el procedimiento que terminó con el acto.

1.1.1. El expediente administrativo

La LGT y las demás normas tributarias mencionan el expediente administrativo en numerosas ocasiones, pero no lo definen, ni tampoco lo regulan, por lo que hay que acudir a la LPACAP (artículo 70), que es aplicable con carácter supletorio.

El expediente administrativo es el conjunto ordenado de documentos y actuaciones que sirven de antecedente y fundamento al acto administrativo. Tendrá formato electrónico y está formado por la agregación ordenada de documentos, pruebas, dictámenes, informes, acuerdos, notificaciones y demás diligencias y un índice ordenado de todos ellos.

Realmente el expediente administrativo durante el desarrollo de un procedimiento tributario está formándose y, aunque puede hablarse de expediente administrativo, sólo incorpora los documentos y actuaciones hasta un determinado momento (por ejemplo, el trámite de audiencia o de alegaciones). Por ello el expediente completo sólo existe tras dictarse el acto con el que termina el procedimiento y su notificación y, en su caso, la ejecución. Según la LPACAP debe ir foliado, autentificado y acompañado de un índice.

La AEAT desde hace años, incluso antes de la LPACAP, elabora expedientes electrónicos de los actos que dicta y que incluyen los documentos que reflejan los diversos trámites del procedimiento, los documentos y pruebas conseguidos por la Administración y los escritos y documentos y pruebas presentados por el contribuyente.

Cada Administración tributaria configura sus expedientes electrónicos, cumpliendo lo exigido por la LPACAP y, en su caso, el Esquema Nacional de Interoperabilidad y las correspondientes normas técnicas que permiten enviar y recibir los expedientes electrónicos entre diversos órganos administrativos, así como en su caso el Esquema Nacional de Seguridad para garantizar la seguridad de los medios o soportes en que se guarden.

En el caso de la AEAT el expediente electrónico está formado por archivos[28] y cada uno contiene un documento (acuerdo de inicio, notificación de dicho acuerdo, propuesta, etc.) que se ordenan en carpetas y subcarpetas. La AEAT no incluye en un único archivo todos los documentos numerados y ordenados lo que, a mi juicio, hace que el expediente sea más manejable. Sin embargo, esto provoca que tenga más importancia que el nombre del archivo dado por la AEAT identifique bien su contenido y que estén bien ordenados dentro de carpetas y subcarpetas. Hay veces en que el orden podría ser mejor o el nombre del archivo no figura o puede confundir, pero no parece que ello pueda considerarse un defecto de forma que produzca indefensión, sino que sólo suele provocar que el examen del expediente electrónico cueste más trabajo. El expediente electrónico tiene un índice, precisamente en un archivo con este nombre y que suele ser el primero perfectamente identificado y enumera todos los archivos que lo forman, ordenados en carpetas y subcarpetas[29].

---

[28] En diferentes formatos electrónicos, aunque la mayoría suelen tener formato PDF.
[29] El índice refleja para cada archivo, el nombre, número y un código (HASH) cumpliendo lo establecido en la normativa, pues la autenticación del índice garantiza la integridad

El problema práctico más relevante es qué debe formar parte del expediente administrativo electrónico. En principio, deben incluirse todos los documentos y demás elementos que ha tenido en cuenta el órgano administrativo durante el procedimiento hasta dictar el acto, incluyendo todos los que ha aportado el contribuyente u obligado. Sin embargo, serían los que exija el procedimiento concreto que dio lugar al acto impugnado y no cualquiera utilizado por la Administración o el contribuyente.

Con un par de ejemplos, puede comprenderse más fácilmente. Si el contribuyente pide una ampliación del plazo mediante un email y el órgano administrativo contesta concediendo la ampliación también mediante email, con independencia de que el mecanismo utilizado sea poco conveniente y jurídicamente inseguro para ambas partes[30], parece que la copia de los emails debería formar parte del expediente administrativo. Sin embargo, si el órgano administrativo tiene una duda sobre una palabra que va a utilizar al redactar el acto y consulta la versión electrónica del diccionario de la Real Academia Española de la lengua no parece que dicha consulta deba formar parte del expediente administrativo.

Por ello, la LPACAP (artículo 70.4) establece que no forma parte del mismo la información que tenga carácter auxiliar o de apoyo, como la contenida en aplicaciones, ficheros y bases de datos informáticas, borradores, opiniones, resúmenes, comunicaciones e informes internos o entre órganos o entidades administrativas, así como los juicios de valor emitidos por las Administraciones Públicas, salvo que se trate de informes, preceptivos o facultativos, solicitados antes de la resolución administrativa que ponga fin al procedimiento.

Por otro lado, el acto impugnado puede tener su origen en otro previo, pero no siempre debe incluirse en el expediente administrativo del acto impugnado los correspondientes al previo acto, pero la casuística es variada. Por ejemplo, el expediente administrativo relativo a una diligencia de embargo no incluye los correspondientes a las liquidaciones objeto de apremio, sin perjuicio de que el TEA correspondiente pueda requerir su aportación en cualquier momento [TEAC 18-01-2022 RG 6616-2020 (*Tol 8882293*)].

---

e inmutabilidad del expediente electrónico.

[30]   El email o correo electrónico es muy cómodo de utilizar, pero plantea problemas de seguridad, confidencialidad, etc., salvo que esté firmado y encriptado. Por ello, es más seguro para el contribuyente realizar una petición de ampliación de plazo a través de un registro electrónico y también más seguro para el órgano administrativo notificar el acuerdo por el que concede la ampliación del plazo.

1.1.2. El análisis del expediente administrativo

El contribuyente u obligado puede considerar importante el examen o análisis del expediente administrativo, dado que incluye los elementos tenidos en cuenta durante el procedimiento que terminó con el acto impugnado

a) Cuándo puede pedirse el examen del expediente administrativo

El expediente administrativo está elaborándose durante el procedimiento, aunque el contribuyente puede acceder al mismo (artículo 96.1 del RGAT) durante el trámite de audiencia (o el de alegaciones después de la propuesta en los procedimientos que sustituye al trámite de audiencia), a pesar de que todavía no esté completo. En este momento dicho contribuyente puede solicitar copia a su costa de los documentos que forman parte del expediente, sin perjuicio de que pueda pedir copia en cualquier momento en el procedimiento de apremio [artículo 34.1.s) de la LGT].

Sin embargo, a efectos de revisión, que es lo que interesa en esta obra, el contribuyente puede pedir el examen del expediente administrativo a partir del momento en que terminó el procedimiento administrativo con el acto que lo finaliza, pues es cuando debería estar completo, en especial tras incluir la notificación y, en su caso, la ejecución.

La normativa tributaria no lo expresa de forma clara con carácter general, aunque existan menciones para algunos casos (recurso de reposición o REA tramitada por el procedimiento abreviado), pero también resulta de la regulación del acceso a los archivos y registros (artículos 99.5 de la LGT y 94 del RGAT).

Como no hay duda de que el contribuyente u obligado que ha recibido la notificación de un acto tributario puede solicitar el examen del expediente antes de presentar el escrito por el que se inicia el procedimiento de revisión de dicho acto, hay diversos aspectos prácticos que entiendo son interesantes:

– El examen del expediente en el recurso de reposición (artículo 223.2 de la LGT) y en la REA que deba tramitarse por el procedimiento abreviado (artículo 246.1 de la LGT) debe permitirse por el órgano administrativo durante el plazo de interposición, que es un mes desde la notificación. En la reclamación que se tramita por el procedimiento general (artículo 236.1 de la LGT) está previsto que si el reclamante pide la puesta de manifiesto es el TEA el que debe realizarla y no el órgano que ha dictado el acto. En otros procedimientos de revisión con un plazo diferente para iniciar también debería solicitarse dentro del plazo de iniciación de dichos procedimientos.

— La solicitud de examen del expediente por el contribuyente debería realizarse cuanto antes, pues si se espera es fácil que transcurra el plazo para presentar el recurso.

— La forma de solicitar el examen del expediente depende del órgano administrativo y del acto y también del medio de revisión. Por ello, en caso de duda, conviene consultar la información en Internet o preguntar telefónicamente para evitar sorpresas. Muchos órganos administrativos tienen sistemas de *"cita previa"* que permiten fijar un día y hora concreta para presentarse donde está situado el órgano administrativo para el examen del expediente, lo que ha sido muy relevante en la situación de pandemia por el COVID, aunque a veces han existido dificultades prácticas. También es posible, en algunos casos, acceder al expediente o algunos documentos en la sede electrónica, con la identificación correspondiente.

— El órgano administrativo debe tener el expediente para que el contribuyente pueda examinarlo, pero si ello no ocurriera tiene que tomar las medidas oportunas para que esté a disposición de dicho contribuyente. Puede suceder que el contribuyente haya recibido la notificación del acto a través de correo certificado y cuando solicita examinar el expediente el justificante de dicha notificación todavía no lo tiene el órgano administrativo. Sin embargo, esto no supone, a mi juicio, un defecto del expediente, pues el órgano administrativo sólo puede proporcionar el expediente que tenga en el momento del examen, aunque luego cuando reciba el justificante lo incorpore y complete el expediente.

— Los expedientes electrónicos deben examinarse en formato electrónico, sin que puedan pedirse en papel. El órgano administrativo en algunos casos pone a disposición del contribuyente un ordenador o un terminal electrónico en el lugar donde está dicho órgano para examinar el expediente, pero lo más frecuente es que pueda conseguir una copia de dicho expediente electrónico[31].

---

[31] Es el caso de los TEAS que permiten a la persona debidamente identificada llevarse una copia del expediente electrónico del acto impugnado en la puesta de manifiesto del artículo 236.1 de la LGT, si bien a su *"costa"*, como establece el artículo 34.1.s) de la LGT. Basta que dicha persona lleve un pendrive o memoria USB para que el personal de los TEAS copie el expediente electrónico.

– Si el contribuyente no ha podido examinar el expediente administrativo por alguna razón achacable al órgano administrativo, lo que debe hacer es presentar en plazo el recurso o escrito de inicio del procedimiento de revisión, explicando los problemas que provoca la falta de examen del expediente. Sin embargo, conviene acompañar pruebas para que el órgano que revisa pueda tener en cuenta esta alegación respecto a que no ha podido examinar el expediente. Por ejemplo, si el contribuyente ha llamado una vez al teléfono de información del órgano que dictó el acto y estaba comunicando, una simple mención de que llamó por teléfono y no le atendieron no parece que resulte suficiente a efectos probatorios.

b) En qué casos conviene pedir el examen del expediente administrativo

El contribuyente puede o no pedir el examen del expediente antes de iniciar la revisión, por lo que voy a analizar de forma breve algunos supuestos en que sería recomendable, aunque depende mucho de las circunstancias concretas.

– El contribuyente que no tenga a su disposición los documentos esenciales del expediente debería solicitar el examen del mismo para verlos[32] y argumentar más fácilmente. En ocasiones el contribuyente tiene la posibilidad de examinar posteriormente el expediente en el procedimiento de revisión, pero personalmente también aconsejaría pedir el examen antes.

– En los actos que finalizan procedimientos complicados como el procedimiento de inspección, en los que suelen surgir más dudas o dificultades procedimentales, parece razonable solicitar el examen del expediente. Un análisis completo de dicho expediente puede poner de relieve defectos que antes no se habían detectado o también puede ocurrir que el órgano administrativo haya cometido errores en la configuración del expediente que puedan tener consecuencias favorables para el contribuyente. Sin embargo, si el contribuyente en un procedimiento inspector obtuvo una copia del expediente después del acta

---

[32] Cabe recordar que si el contribuyente tiene el CSV del documento puede acudir a la sede electrónica correspondiente y obtener una copia de dicho documento sin necesidad de solicitar el examen del expediente. También en las sedes electrónicas de algunos órganos (por ejemplo, en la AEAT) existe información sobre los procedimientos que afectan al contribuyente y que pueden consultarse.

de inspección, sólo faltarían normalmente las alegaciones y pruebas aportadas por el contribuyente (de las que tendrá copia) y el acuerdo de liquidación (del que también tiene copia el contribuyente) y no haría faltar pedir el examen del expediente.

— El contribuyente que cambia de asesor fiscal con ocasión del recurso puede tener interés en solicitar el examen del expediente. Por ejemplo, el caso de un contribuyente que acudió a un asesor durante el procedimiento, pero no quedó contento. Como dicho asesor tiene la documentación y al recibir el acto acude a otro que le da más confianza, puede autorizar al nuevo asesor para el examen del expediente para que pueda evaluar mejor el caso y facilitar el planteamiento de la revisión.

— Hay ocasiones en que uno de los puntos de la discusión en la revisión es precisamente si el expediente administrativo está completo y ello difícilmente puede alegarse con seguridad si no se ha examinado el expediente.

c) Consecuencias de que el expediente administrativo no esté completo

Si el contribuyente al examinar el expediente detecta que faltan documentos o elementos puede pedir que se complete al propio órgano que dictó el acto (no está previsto expresamente, pero parece que nada lo impide) o al TEA si se trata de una REA (artículo 55 del RGRVA), pero también puede limitarse a alegar la falta para tratar de conseguir que el acto se anule.

No es fácil que los defectos del expediente administrativo tengan suficiente trascendencia para anular el acto, aunque depende del caso. Si faltan documentos sería, en principio, un defecto formal y sólo determinaría la anulabilidad cuando el acto careciera de los requisitos formales indispensables para alcanzar su fin o cuando diera lugar a la indefensión de los interesados (artículo 48.2 de la LPACAP que tiene carácter supletorio).

En la práctica, la trascendencia varía, sobre todo, dependiendo del órgano que revisa el acto. Si es el mismo órgano que lo dictó, como en el recurso de reposición, probablemente dicho órgano considere que cualquier defecto es poco relevante y, además, puede completar el expediente precisamente atendiendo a lo alegado. Si es otro órgano distinto, como ocurre en la REA, en que resuelve un TEA, la relevancia puede ser distinta.

Por otro lado, cuando un acto deriva de otro anterior es discutible hasta qué punto dentro del expediente administrativo del acto derivado debe estar completo el expediente administrativo del acto previo. Por ejemplo, cuando el acuerdo de imposición de sanción tributaria proceda de la infracción por dejar de ingresar una deuda tributaria derivada de una autoliquidación (artículo 191 de la LGT) normalmente la deuda tributaria se habrá determinado en un previo procedimiento que termina con una liquidación. En la práctica, la AEAT para evitar problemas suele incluir los documentos del expediente administrativo de la liquidación dentro del expediente administrativo del acuerdo de imposición de sanción.

1.2. La búsqueda de pruebas

Los actos tributarios implican que el órgano tributario ha obtenido pruebas o que el contribuyente no ha aportado pruebas suficientes que apoyen su posición. Por ello, la revisión de los actos tributarios muchas veces implica volver a valorar las pruebas y permite, además, que el contribuyente busque y aporte más pruebas que avalen su situación.

Las pruebas no son criterios jurídicos, sino elementos que acreditan algún aspecto de la realidad con trascendencia tributaria. Por ejemplo, el matrimonio de un contribuyente tiene relevancia en el IRPF para la tributación conjunta y puede demostrarse de muchas maneras, si lo solicita el órgano tributario en una comprobación. Así, mediante la aportación del video de la boda y declaraciones de los asistentes, pero es mucho más fácil y la prueba es más contundente desde el punto de vista jurídico con el Libro de Familia o, en su defecto, el correspondiente certificado del Registro Civil.

1.2.1. La prueba tributaria

El contribuyente u obligado cuando presenta autoliquidaciones, declaraciones o comunicaciones no suele acompañar pruebas de los datos incluidos en las mismas, pues las normas rara vez lo exigen. Ahora bien, los datos y otros elementos de hecho incluidos por los obligados son considerados ciertos para los mismos y sólo pueden rectificarlos mediante prueba en contrario (artículo 108.4 de la LGT).

Sin embargo, los órganos administrativos al comprobar posteriormente piden al contribuyente las pruebas correspondientes y, además, consiguen pruebas (por ejemplo, las que derivan de la declaración o autoliquidación de otro contribuyente distinto). Si el contribuyente en la comprobación aporta pruebas suficientes el órgano administrativo acepta que declaró o autoliquidó correctamente, pero en caso contrario dicta un acto administrativo (por ejemplo, una liquidación) con la determinación que considera correcta de la obligación tributaria comprobada.

Por tanto, los procedimientos tributarios, en especial los de comprobación (verificación de datos, comprobación limitada, comprobación de valores e inspección), tratan muchas veces sobre las pruebas aportadas o no por el contribuyente y, en su caso, las obtenidas por el órgano administrativo. Por ejemplo, si el contribuyente en los rendimientos del capital inmobiliario en el IRPF por el alquiler de un piso deduce gastos el órgano administrativo que inicia un procedimiento de comprobación puede solicitar la prueba (es decir, los justificantes de dichos gastos) y si el contribuyente no lo hace no admite dichos gastos.

Las pruebas son valoradas en el procedimiento de aplicación o sancionador por el órgano administrativo que dictó el acto y es frecuente que el contribuyente no esté de acuerdo con dicha valoración.

Las cuestiones de prueba son muy importantes, aunque suele dedicarse menos atención de la que merecen[33], pero los aspectos fundamentales que hay que tener en cuenta son la carga de la prueba y los medios de prueba y su valoración.

La carga de la prueba (artículo 105 de la LGT) determina a quien corresponde probar. Los hechos (en sentido amplio) deben probarse por quien quiere hacerlos valer (en el ejemplo citado, los gastos por el contribuyente). También el órgano administrativo en la comprobación debe probar (por ejemplo, si considera que los ingresos por alquiler son mayores que los declarados debería probarlo). Así, los órganos administrativos deben probar el hecho imponible y demás presupuestos de hecho de las obligaciones tributarias, la medida de la base imponible o la cuantificación de la deuda u obligación y que corresponde al contribuyente u obligado, mientras este último debe probar los hechos que implican una exención, reducción o cualquier otro beneficio fiscal o que no nazcan o se extinguen las obligaciones tributarias [entre otras, SSTS de 07-10-2010 recurso 4948/2005 (*Tol 1994235*) y 30-04-2015 recurso 428/2013 (*Tol 4918313*)].

Sin embargo, la carga de la prueba viene matizada por los principios de "disponibilidad y facilidad probatoria" [entre otras, STS de 13-06-2005 recurso 7096/2000 (*Tol 698081*)], de modo que la prueba corresponde a

---

[33]   Existen monografías dedicadas específicamente a la prueba tributaria, por ejemplo, mi reciente libro RUIZ TOLEDANO, J. I., ob. cit. (*La prueba...*). Además, se comentan dentro de obras dedicadas a los procedimientos. Por ejemplo, VARIOS, *Memento Procedimientos tributarios 2022-2023*, ob. cit., págs. 466 a 482.

quien está más cerca de los medios de prueba. Por ejemplo, si un contribuyente trata de demostrar que su residencia fiscal está en Perú en una comprobación iniciada por un órgano de la AEAT que considera que dicha residencia está en España, el contribuyente tiene más facilidad y disponibilidad para obtener pruebas en Perú que apoyen la residencia en dicho país, de manera que si dicho contribuyente aporta mínimas pruebas y no son concluyentes debe tenerse en cuenta que tenía más facilidad para obtener pruebas en Perú.

Los medios de prueba y su valoración son los comunes en el ámbito jurídico, pues la LGT (en el artículo 106.1) remite al Código Civil (CC) y la Ley de Enjuiciamiento Civil (LEC). En la valoración destaca el principio de libre valoración (quien valora la prueba lo hace de forma libre, es decir según sus criterios, salvo que una norma establezca que deben valorarse de alguna forma) y el de valoración conjunta (cuando existen varias pruebas deben valorarse todas ellas de forma conjunta). En la práctica, la mayoría de las pruebas en el ámbito tributario son documentales (documentos públicos o privados) y escasas veces existen pruebas periciales (dictamen de peritos), aunque hay especialidades sobre medios de prueba y valoración en las normas tributarias[34].

1.2.2. La búsqueda y aportación de pruebas en la revisión

El contribuyente antes de presentar el escrito con el que pretende la revisión del acto debería valorar las pruebas que el órgano administrativo tuvo en cuenta, al objeto de buscar y, en su caso, aportar más pruebas en la revisión que apoyen su posición.

a) El carácter complementario de la prueba en la revisión

El órgano que revisa el acto normalmente vuelve a examinar las pruebas del procedimiento que dio lugar al mismo (aportadas por el contribuyente y también en algunos casos por el órgano que dictó el acto) para determinar si las conclusiones sobre las pruebas realizadas por el órgano que dictó el acto fueron correctas.

---

[34] Por ejemplo, la propia LGT regula, entre otras, la incorporación de pruebas e informaciones en el marco de la asistencia mutua (artículo 106.2), las facturas como medios de justificación de gastos deducibles (artículo 106.4) o las diligencias (artículo 107).

Por ello, la prueba en la revisión tiene carácter complementario o accesorio de la que se produce en el previo procedimiento que terminó con el acto que se revisa (es decir en un procedimiento de aplicación de los tributos o de imposición de sanciones).

De esta manera, el momento ideal para aportar pruebas (tanto por el contribuyente, como por la Administración) ha sido el previo procedimiento de aplicación o sancionador que dio lugar al acto impugnado, pero ello no impide que en la revisión se aporten más pruebas.

Además, existen procedimientos de revisión en que un órgano administrativo revisa el resultado de un anterior procedimiento de revisión. El ejemplo, típico es la REA interpuesta contra un acuerdo que desestima un recurso de reposición. En estos casos, el carácter complementario de la prueba en el segundo (o tercero, etc.) procedimiento de revisión es más relevante, pues revisa un previo procedimiento de revisión en el que puede haber existido prueba también con carácter complementario.

b) Búsqueda de pruebas

Las pruebas o elementos que el contribuyente puede buscar pueden ser muy variadas, pero conviene evaluar las razones por las que el órgano administrativo no consideró suficientes las previamente presentadas. En el ejemplo antes citado de la residencia en Perú, si las pruebas aportadas por el contribuyente sólo eran declaraciones de familiares que la Administración entendió insuficientes, quizás pueda buscar los billetes de avión del viaje de ida y vuelta a Perú desde España u otros justificantes que acrediten la residencia en Perú determinados días (una multa de tráfico impuesta al contribuyente, un certificado médico de una operación en un hospital de Lima, etc.).

Precisamente el procedimiento de revisión resulta especialmente adecuado para aportar las pruebas que tardaron tiempo en conseguirse y no pudieron presentarse en el previo procedimiento en que se dictó el acto impugnado, sobre todo cuando el mismo fue de corta duración. Por ejemplo, una comprobación limitada tiene un plazo máximo de 6 meses, pero puede tardar menos tiempo y el contribuyente que pide una certificación a un organismo español o de otro país puede que no la consiga antes de terminar el procedimiento. Sin embargo, dicha certificación puede aportarse en la revisión, sin perjuicio de que probablemente resulta aconsejable que en el procedimiento de comprobación limitada aporte algún justificante de que ha solicitado el certificado (por ejemplo, la petición por registro al organismo español de dicho certificado).

Las pruebas en el procedimiento de revisión deberían aportarse, en principio, con el escrito de iniciación y el plazo depende de cada procedimiento. En la mayoría de los casos es un período corto, como en el recurso de reposición de la LGT o de la LRHL o la REA ante los TEAS, que es sólo un mes desde la notificación del acto. Este mes a veces es un poco escaso para la búsqueda de pruebas. Sin embargo, nada impide que el contribuyente, mientras no reciba la notificación del acuerdo o resolución que finaliza la revisión, pueda aportar pruebas complementarias, pero cuando el plazo para resolver y notificar es corto, como el de un mes en el recurso de reposición, no es fácil aportar las pruebas a tiempo o que el órgano las reciba antes de resolver.

En algunos procedimientos está regulada de forma expresa la posibilidad de aportar pruebas en algún momento dentro del propio procedimiento de revisión, lo que concede más tiempo. Por ejemplo, en el procedimiento de revisión de actos nulos de pleno derecho (artículo 5.3 del RGRVA) o en la REA que se tramita por el procedimiento general cuando el reclamante solicita la puesta de manifiesto del expediente (artículo 236.1 de la LGT). Ello no impide que se presenten pruebas con el escrito de iniciación, lo que es recomendable para evitar dificultades.

Los contribuyentes algunas veces, en vez de aportar pruebas, piden al órgano de revisión que las consiga solicitando que dicho órgano, por ejemplo, las obtenga de otros órganos, pero esto es poco recomendable. El órgano de revisión no está obligado a buscar pruebas que beneficien al contribuyente u obligado, ni tampoco a la Administración, sino sólo a valorar las pruebas aportadas. Ahora bien, cuestión distinta es que el contribuyente no haya aportado documentos previamente presentados por él mismo y que estaban en poder de la Administración actuante lo que permite la LGT [artículo 34.1. h)].

c) *Pruebas que pueden aportarse en la revisión*

En un procedimiento de revisión pueden aportarse cualquier tipo de pruebas, incluso aunque las mismas hubieran podido presentarse en el previo procedimiento que se revisa y el contribuyente no lo hiciera[35], como ha aclarado la jurisprudencia.

---

[35] Como regla general, pues pueden existir limitaciones en determinados procedimientos. Así, en el recurso de alzada ordinario ante el TEAC (artículo 241.2 de la LGT) o en el recurso extraordinario de revisión ante el TEAC [artículo 244.1.a) LGT].

Así, la STS Sala C-A Sección 2 de 20-04-2017 recurso 615/2016 (*Tol 6057628*) admitió la posibilidad de presentar nuevas pruebas en el recurso de reposición, aunque el obligado tributario no las hubiera aportado previamente a pesar de ser requerido para ello. El TEAC en 02-11-2017 RG 00-00483-2015 (*Tol 6426633*) se ajusta a la misma, entendiendo que la aportación de pruebas en revisión ha de atemperarse atendiendo a que la documentación que se aporte justifique materialmente lo pretendido, sin que sea preciso que el TEA despliegue una actividad de comprobación que le está vedada.

También la STS Sala C-A Sección 2 de 10-09-2018 recurso 1246/2017 (*Tol 6784317*) refiriéndose a la vía económico-administrativa considera que al interponer una REA puede aportar ante un TEA pruebas que no aportó ante los órganos de gestión tributaria que sean relevantes y dicho TEA no puede dejar de valorar tales elementos probatorios, con la única excepción de que la actitud del interesado sea abusiva o maliciosa y ello se constate debida y justificadamente en el expediente.

Por tanto, no cabe duda que los órganos de revisión deben tener en cuenta las pruebas aportadas novedosamente ante los mismos, sin que puedan rechazarlas, salvo que esté constada la actitud abusiva o maliciosa. Sin embargo, el TEA puede valorar dichas pruebas y, en su caso, evaluar si justifican lo pretendido, siempre que ello no precise desplegar una actitud de comprobación.

1.3. La búsqueda de criterios jurídicos en apoyo del recurso

Los actos tributarios están fundados en normas y al aplicar las mismas dichos actos fijan criterios jurídicos o se apoyan en los que previamente han establecido otros órganos administrativos y judiciales, entre los que destaca la jurisprudencia del TS.

Por ello, el contribuyente al solicitar la revisión de un acto debe buscar criterios jurídicos contrarios a los empleados por el órgano que dictó el acto y que lleven al órgano de revisión a anular, en todo o parte, el acto impugnado. Esta labor no siempre resulta fácil, pero existen bases de datos públicas y gratuitas en Internet con información tributaria muy relevante, en la que se incluyen los criterios jurídicos, proporcionadas por todas las Administraciones tributarias. La AEAT (https://sede.agenciatributaria.gob.es/) tiene muchísima información sobre normativa y criterios jurídicos, de la propia AEAT o mediante enlaces a bases de datos (https://sede.agenciatributaria.gob.es/Sede/normativa-criterios-interpretativos.html) y también proporciona información sobre tributación autonómica y local con enlaces a las CCAA y a Municipios y Provincias (https://www.agenciatributaria.es/ AEAT.fisterritorial/InicioF.shtml). Por supuesto, en cualquier buscador en Internet se obtienen resultados que permiten acceder a las Administraciones tributarias de las CCAA y de los Municipios, sobre todo los que tiene mayor población.

A continuación, expongo de forma muy breve algunas bases de datos que dan información tributaria relevante. La LGT regula la contestación a consultas tributarias vinculantes por la Dirección General de Tributos (DGT) del Ministerio de Hacienda (artículos 88 y 89) y la doctrina económico-administrativa (artículos 239.8, 242.4 y 243.5). Todo ello se publica (artículo 86.2) en Internet en bases de datos para facilitar su difusión y búsqueda, pero sin los datos identificativos personales, que son borrados conforme a la normativa de la LGT y de protección de datos. El poder judicial también tiene una base de datos documental en Internet que permite la consulta de sentencias, entre las que se incluyen las tributarias.

1.3.1. Las contestaciones a consultas vinculantes de la DGT

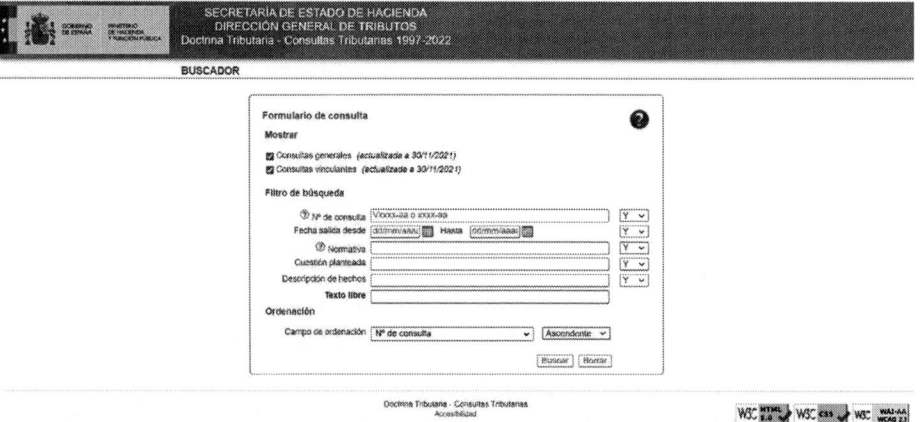

Las contestaciones a consultas de la DGT del Ministerio de Hacienda vinculan a la Administración tributaria del Estado (artículo 89 de la LGT), sobre todo la AEAT, pero también a las CCAA, por ejemplo, en materia de tributos cedidos.

Sin embargo, los contribuyentes no están vinculados por la DGT, pero si la siguen saben que la Administración tributaria tiene que ajustarse. Si no lo siguen pueden recurrir los actos de los órganos tributarios que la apliquen ante los TEAS y ante los órganos judiciales, pues no están vinculados por la DGT y pueden establecer un criterio distinto.

El buscador de la base de datos en Internet contiene información de las consultas desde el año 1997 y, en principio, deberían estar todas las aprobadas desde dicho año[36].

1.3.2. La doctrina y criterios de los TEAS del Estado

Los TEAS del Estado al aprobar resoluciones establecen doctrina y criterios, que en algunos casos vinculan a la Administración tributaria del Estado, sobre todo a la AEAT, pero también a las CCAA, por ejemplo, en materia de tributos cedidos.

Según la LGT vincula la doctrina reiterada del TEAC (artículo 239.8), la unificación de criterio por el TEAC (artículo 242.4) y la doctrina de la Sala Especial de Unificación de Doctrina (artículo 243.5). Sin embargo, los criterios de los TEARLS sólo vinculan dentro de cada TEA Regional o Local (artículo 239.8).

No obstante, los contribuyentes no están vinculados por lo que diga el TEAC o la Sala Especial de Unificación de Doctrina, pero si la siguen saben que la Administración tributaria tiene que ajustarse y lo mismo los TEAS. Si no lo siguen pueden recurrir, tras finalizar la vía económico-administrativa,

---

[36] Las de fecha anterior están publicadas, pero sólo una pequeña parte, en libros y boletines en papel.

ante los órganos judiciales, pues no están vinculados y pueden establecer un criterio distinto o, en el caso del TS, jurisprudencia.

Los TEAS tienen una base de datos denominada DYCTEA (Doctrina y Criterios de los Tribunales Económico-Administrativos), pero sólo incluye una pequeña parte de las resoluciones de los TEAS. Contiene la doctrina reiterada y la unificación de criterio del TEAC desde 2014 de forma íntegra, pero también parte de la aprobada antes de dicho año. Desde 2019 también incluye criterios relevantes plasmados en resoluciones de los TEARLS y del TEAC, aunque no vinculan.

Los TEAS del Estado también tienen una base de datos con resoluciones desde 1998 a 2013[37], con un buscador menos manejable y ello explica que algunas resoluciones anteriores (de esos años) que son especialmente relevantes estén incluidas en la base DYCTEA para su más fácil localización.

1.3.3. La base de datos de sentencias (CENDOJ)

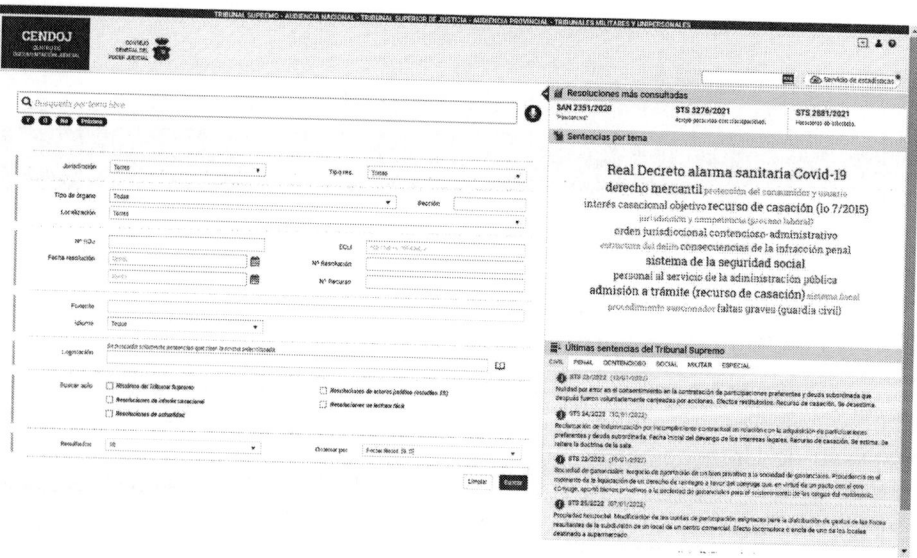

Las sentencias judiciales, entre ellas las que afectan al ámbito tributario dictadas por los Tribunales de lo Contencioso-Administrativo, están incluidas en la base de datos del CENDOJ[38] que está a disposición de los ciuda-

---

[37]   Algunas resoluciones de fecha anterior a 1993 están publicadas en libros y boletines en papel.

[38]   El Centro de Documentación Judicial (CENDOJ) es un órgano técnico del Consejo General del Poder Judicial encargado de la publicación oficial de las sentencias judiciales y

danos en Internet. Entre estas sentencias destacan las del Tribunal Supremo que constituyen jurisprudencia (artículo 1.6 del CC), pero también incluye la práctica totalidad de las demás sentencias y autos dictados por diversos órganos judiciales.

No incluye las sentencias del TC y del TJUE, que se publican en sus propias bases de datos y también pueden consultarse en Internet.

2. NORMAS COMUNES A LOS RECURSOS Y MEDIOS DE REVISIÓN TRIBUTARIOS

La LGT y el RGRVA, para evitar reiteraciones innecesarias, regulan de forma conjunta algunos aspectos o normas comunes para los diversos recursos y medios de revisión tributarias, si bien, como he advertido, no resultan aplicables a los recursos judiciales.

Sin embargo, ni estas normas comunes, ni luego la regulación específica de los medios de revisión en vía administrativa, contemplan modelos obligatorios para la presentación de escritos, a diferencia de lo que es habitual para las declaraciones, autoliquidaciones y comunicaciones de múltiples tributos u obligaciones tributarias, que establecen modelos obligatorios. Por ejemplo, el modelo 100 para la declaración del IRPF, aprobado cada año por Orden Ministerial.

Las Administraciones tributarias proporcionan, especialmente en sus sedes electrónicas o portales de Internet, numerosos formularios o modelos no obligatorios, en papel o en formato electrónico, para presentar todos tipo de escritos y solicitudes relacionados con la revisión en vía administrativa, pero el contribuyente no está obligado a utilizarlos

Cuando están en los portales, sedes electrónicas o páginas en Internet de dichas Administraciones a veces pueden completarse en un procesador de texto e imprimirse, pero hay casos que sólo permiten su impresión y completar a mano. Otras veces deben rellenarse en la aplicación informática, lo que facilita la presentación y evita errores, pero es frecuente en este supuesto que existan "campos" o casillas que si no se rellenan impidan que pueda presentarse por Internet.

tiene otras competencias sobre documentación y servicios de gestión del conocimiento en el ámbito del poder judicial

Por otra parte, existen numerosos formularios que están a disposición de los contribuyentes y demás obligados para facilitarles el trabajo[39].

2.1. El contenido de la solicitud o escrito de iniciación y su subsanación

La solicitud o escrito de iniciación de un procedimiento de revisión tiene un contenido mínimo que debe cumplir el contribuyente u obligado y que, en principio, es obligatorio, por lo que si no lo hace puede dar lugar a un requerimiento de subsanación de defectos solicitado por la Administración.

2.1.1. Contenido de la solicitud o escrito

El contenido mínimo obligatorio (artículo 2 del RGRVA) es el siguiente:

a) Nombre y apellidos o razón social o denominación completa, NIF y domicilio del interesado y, en su caso, del representante.

b) Órgano ante el que se formula.

c) Acto administrativo o actuación que se impugne o sea objeto del expediente, fecha en que se dictó, número del expediente o clave alfanumérica y demás datos que se consideren convenientes, así como la pretensión del interesado.

d) Domicilio que se señala a efectos de notificaciones.

e) Lugar, fecha y firma.

f) Cualquier otro establecido en la normativa aplicable.

Este contenido, aunque en algunos procedimientos de revisión puede ser mayor, resulta totalmente lógico y conviene incluirlo correctamente para facilitar el éxito de la revisión. Es decir, el contenido está configurado para que la Administración tenga los suficientes datos para revisar y, por ello, es muy importante para el contribuyente que solicita la revisión.

Desde el punto de vista práctico, considero que los dos puntos más trascendentes del contenido son: en primer lugar, el domicilio a efectos de notificaciones; en segundo lugar, la identificación del acto impugnado y lo

---

[39] En esta obra me voy a remitir en numerosas ocasiones a VARIOS, *Formularios Tributarios Dirección Pablo Chico de la Cámara y Domingo Carbajo Vasco*, Tirant lo Blanch, Valencia 2019.

que pretende el contribuyente. Como el primero luego lo comento en un epígrafe posterior, paso a exponer con más detalle el segundo.

El contribuyente no sólo debe identificar con claridad el acto o actuación cuya revisión pretende, sino también lo que pide en relación con el mismo (lo que técnicamente recibe el nombre de "*pretensión*").

La identificación cuando el acto refleja diversos números (como ocurre en muchos casos de la AEAT) puede producir dudas al contribuyente, salvo que el propio acto exprese que en caso de impugnación se cite alguno de ellos (lo que hacen algunas CCAA). Si el contribuyente no lo tiene claro, conviene reflejar diversos números con su denominación exacta o, incluso mejor, acompañar una copia del acto, pues identifica perfectamente el mismo. Hay contribuyentes que ponen el Código Seguro de Verificación (CSV)[40], pero entiendo que es mejor acompañar la copia[41], pues no solo se exige en algunos casos (como las REAS tramitadas por el procedimiento abreviado según el artículo 246.1 de la LGT), sino porque creo preferible que el contribuyente facilite el trabajo del órgano que pretende que revise a su favor el acto.

Cuando un contribuyente impugna varios actos a la vez debería reflejar de forma clara la identificación de los mismos, en vez de expresarlo de forma global o, lo que hacen algunos contribuyentes, añadir una fórmula general referida a todos los actos relacionados, incluso recaudatorios. Si el contribuyente no es capaz de identificar con claridad los actos que impugna no sólo no facilita el trabajo de la Administración, sino que difícilmente podrá criticar a la Administración que no los identifique. Por otra parte, en cuanto a los actos recaudatorios consecuencia de actos de comprobación, son dictados por órganos distintos y los motivos de impugnación son tasados, por lo que merecen una impugnación diferenciada.

También es muy importante reflejar la "*pretensión*", es decir lo que se pide en concreto en relación con el acto impugnado. Los casos son extraordinariamente variados, puesto que existen muchos tipos de actos y cada uno

---

[40]   Es el código único que identifica, desde el punto de vista informático, un documento electrónico, en particular en las Administraciones Públicas. En la sede electrónica de la Administración respectiva permite cotejar (confrontar o comprobar con el original) la integridad del documento y descargarlo. Para la Administración General del Estado puede consultarse, distinguiendo documentos de la AEAT y otros organismos en - Cotejo de documentos por CSV - https://sede.administracion.gob.es/pagSedeFront/servicios/consultaCSV.htm

[41]   Si el contribuyente presenta la solicitud en papel basta hacer una fotocopia del acto y si presenta por Internet puede escanearlo o acudir a la página web de la Administración y con el CSV puede descargarlo.

de ellos presenta peculiaridades. En caso de duda, basta expresar de forma clara que se pide la anulación del acto y, en su caso, que no pueda dictarse un nuevo acto en sustitución del anulado.

Tan importante como la *"pretensión"* son los motivos o argumentos en que el contribuyente apoya la misma. Por ejemplo, el contribuyente pide la anulación de una liquidación por IRPF del ejercicio 2015 con la que terminó un procedimiento de comprobación limitada porque considera que el derecho de la Administración a liquidar ha prescrito y explica las razones en que apoya esta conclusión. Las posibles argumentaciones son variadísimas.

Como he señalado, muchas Administraciones tributarias proporcionan formularios o modelos no obligatorios, en papel o en formato electrónico.

2.1.2. Subsanación de defectos

El contenido mínimo expuesto es obligatorio, pero lo más relevante en la práctica es que si falta algún aspecto (por ejemplo, el contribuyente no ha firmado) ello no lleva a rechazar la revisión, sino que el órgano administrativo está obligado a realizar un requerimiento de subsanación al contribuyente para que corrija. Esto mismo ocurre cuando el contribuyente incluye algún aspecto o documentación no obligatorio y el órgano administrativo considera que presenta algún defecto y debe subsanarse (por ejemplo, el contribuyente expresa que acompaña una sentencia judicial que acredita su grado de discapacidad a efectos de IRPF, pero como no está en la documentación y el órgano administrativo considera que es relevante requiere la subsanación para que se adjunte por el contribuyente).

El requerimiento (artículo 2.2 del RGRVA) consiste en una petición al interesado señalando lo que falta y expresando que debe completar o acompañar documentos en el plazo de 10 días (al no decir nada hay que entender que son días hábiles) contados desde el día siguiente a la notificación del requerimiento. Si no se hace supone el archivo, teniéndose por no presentada la solicitud o el escrito de iniciación. Es decir, la falta de subsanación es como si el contribuyente no hubiera presentado la solicitud o escrito.

El órgano administrativo no está obligado a requerir la subsanación de los defectos de contenido, pero si no lo hace no puede tener en cuenta el defecto en contra del contribuyente. En el ejemplo citado de la falta de firma, el órgano administrativo debería subsanar esta falta, pero lo que resulta indudable es que, si no lo hace, no puede desestimar la revisión porque falta la firma.

Esta regla de subsanación es aplicable en general, salvo que exista alguna norma especial. Por ejemplo, la subsanación de defectos en la representación (artículo 3 del RGRVA), las solicitudes de suspensión en el recurso de reposición (artículo 25.7 del RGRVA) o las solicitudes de suspensión en las REAS (artículos 43.3 y 4, 44.3 y 4 y 46.3 y 4 del RGRVA).

2.2. Representación y su subsanación

El contribuyente que actúe mediante representación debe acreditar la misma (artículo 3.1 del RGRVA) en los recursos y demás medios de revisión tributarios. Por ello, cuando falta o es insuficiente, debe subsanarse (artículo 3.2 del RGRVA) en el plazo de 10 días contados desde el día siguiente a la notificación del requerimiento.

Al igual que en la subsanación de defectos del escrito de interposición, el plazo de 10 días, como no se especifica otra cosa, es de días hábiles.

La subsanación puede consistir en aportar el documento que acredita la representación que no se había aportado previamente, pero también en subsanar el defecto de un documento que se había aportado. También es posible ratificar la actuación realizada, es decir cuando el representante había presentado un escrito en nombre del representado, pero no tenía poder, dicho representado puede ratificar la actuación realizada antes del poder y dar un poder de representación para las actuaciones que realice el representante anteriormente.

2.3. La motivación de los actos administrativos de revisión

La norma sobre motivación va dirigida a la Administración para que sus actos de revisión estén motivados, a diferencia de la norma sobre el contenido de la solicitud o escrito de iniciación, que está dirigido al contribuyente.

La motivación no está definida en la LGT[42], ni tampoco en la LPACAP[43], pero en palabras sencillas consiste en explicar o manifestar las razones que llevan a una decisión. La CE no cita la palabra motivación, pero la motivación de los actos administrativos deriva de diversos principios constitucionales como la interdicción de la arbitrariedad y la seguridad jurídica (ar-

---

[42]   Aunque existen muchas ocasiones en que se exige, por ejemplo, el artículo 102.2.c) para las liquidaciones en el artículo 103.3 para diversos actos de aplicación de los tributos, etc.
[43]   El artículo 35 obliga a la Administración a motivar los actos que en cada momento adopte, debiendo contener los mismos al menos una sucinta referencia a los hechos y fundamentos de derecho. Sin embargo, para declarar la nulidad de un acto por defectos de forma, según el artículo 48.2 requiere que produzca indefensión a los interesados.

tículo 9.3), igualdad (artículo 14) y tutela judicial efectiva (artículo 24.1), según ha señalado el TC.

Por ello, la Administración al dictar el acto debe expresar los hechos (también a veces denominados antecedentes de hecho) y los fundamentos de derecho (también llamados fundamentos jurídicos), es decir, las razones jurídicas por las que teniendo en cuenta los hechos el órgano administrativo llega a su decisión. La motivación es un requisito formal del acto (deben reflejarse los hechos y fundamentos de derecho), pero también de fondo (dichos hechos y fundamentos deben ser suficientes para conocer el proceso lógico que ha llevado a la decisión, sin que baste la mera referencia a un precepto sin más explicación).

La LGT (artículo 215) regula en general para toda la revisión en vía administrativa la motivación de las "resoluciones"[44].

La exigencia de motivación también existe en otros actos que no son resoluciones (artículo 215.2 LGT):

a) La inadmisión de escritos de cualquier clase presentados por los interesados.

b) La suspensión de la ejecución de los actos impugnados, la denegación de la suspensión y la inadmisión a trámite de la solicitud de suspensión.

c) La abstención de oficio para conocer o seguir conociendo del asunto por razón de la materia.

d) La procedencia o improcedencia de la recusación[45], la denegación del recibimiento a prueba o de cualquier diligencia de ella y la caducidad de la instancia[46].

---

[44] En la práctica no siempre los actos que terminan un procedimiento de revisión son denominados resoluciones. Por ejemplo, la AEAT al resolver el recurso de reposición suele expresar que es un "acuerdo de resolución del recurso de reposición". Los TEAS al resolver las REAS normalmente utilizan la palabra resolución, aunque en algunos casos (artículo 238 de la LGT) se llaman "acuerdos de archivo".

[45] Petición de apartar del procedimiento a alguna persona porque concurren circunstancias (denominadas de abstención en el artículo 23.1 de la LRJSP) que pueden provocar que no sea imparcial. El procedimiento de recusación está regulado, en general, en el artículo 24 de la LRJSP.

[46] La palabra caducidad en el ámbito jurídico tiene diferentes sentidos, normalmente relacionados con la pérdida de efectividad por el transcurso del tiempo. En este caso es la declaración de caducidad por el órgano administrativo de un procedimiento de revisión iniciado por el interesado por una causa debida al interesado (por ejemplo, el órgano administrativo ha realizado un requerimiento y el mismo no ha sido contestado en un plazo de tiempo y ello impide continuar el procedimiento).

e) Las que limiten derechos subjetivos de los interesados en el procedimiento.

f) La suspensión del procedimiento o las causas que impidan la continuación del mismo.

Todos estos casos, aunque no son resoluciones, tienen importantes efectos para los contribuyentes, por lo que la LGT exige de forma expresa su motivación al órgano administrativo.

3. NOTIFICACIONES, DOMICILIO FISCAL Y DOMICILIO A EFECTOS DE NOTIFICACIONES

El contribuyente al iniciar un procedimiento de revisión debe decidir cuál es el domicilio que va a señalar a efectos de notificaciones, que es una de las menciones de la solicitud o escrito de iniciación de un procedimiento de revisión (artículo 2 del RGRVA). Esta mención puede tener gran importancia desde el punto de vista práctico.

Por ello, conviene comentar previamente algunos aspectos elementales sobre el domicilio fiscal y las notificaciones, no sólo para designar correctamente el domicilio más adecuado, sino porque pueden ser útiles en relación con otros aspectos de los medios de revisión en vía administrativa (en vía judicial, en general, es distinto). Así, no sólo porque algunos trámites de los medios de revisión que afectan a los ciudadanos y, sobre todo, las resoluciones y acuerdos de los medios de revisión deben notificarse, sino porque la correcta notificación del acto a revisar también tiene importancia respecto al medio de revisión a utilizar. Por ejemplo, si la notificación es incorrecta y ha causado perjuicio a la defensa del obligado, debe interponer un recurso ordinario, precisamente por la defectuosa notificación, en vez de acudir a un mecanismo especial de revisión.

3.1. Las notificaciones

Los actos administrativos que tengan efectos para los contribuyentes deben ser comunicados a los mismos, lo que implica su notificación[47], que tie-

---

[47] Algunos actos, excepcionalmente o cuando una norma lo contemple expresamente, pueden ser objeto de publicación (artículo 45 de la LPACAP).

ne especialidades en la LGT (artículos 109 a 112), pero en lo demás remite a la regulación general de la LPACAP (artículos 40 a 46).

La notificación pretende que el acto llegue a conocimiento de la persona a la que afecta, por lo que, si no se lleva a cabo, el acto no produce efectos jurídicos, es decir no puede ejecutarse[48]. Esto es muy relevante, en especial en los actos que ponen término a un procedimiento, pues no basta el texto íntegro del acto, sino que debe indicar los recursos, órgano ante el que deben presentarse y el plazo. En caso de que no se incluyan, no surten efectos, salvo que el interesado realice actuaciones que supongan el conocimiento del acto o interponga el recurso que proceda (artículo 40.3 de la LPACAP).

Las notificaciones por su importancia práctica suelen ser comentadas con frecuencia por los autores que estudian los temas tributarios[49], pero conviene advertir que la mayoría de las notificaciones no plantean problemas, aunque en algunos supuestos existe discusión sobre si han sido realizadas correctamente y causado perjuicio al interesado, lo que depende mucho de las circunstancias de cada caso. A continuación, voy a exponer algunos aspectos básicos.

3.1.1. Medios de notificación

La notificación según la LPACAP puede realizarse por el órgano administrativo en papel (artículo 42) o por medios electrónicos (artículo 43).

En papel significa que el acto está reflejado en papel y la notificación es realizada por mecanismos no electrónicos en un lugar determinado (por

---

[48]   Por ello, uno de los motivos de oposición a los actos recaudatorios es la falta de notificación. Así, en la LGT contra la providencia de apremio la falta de notificación de la liquidación [artículo 167.3.c)] y contra la diligencia de embargo la falta de notificación de la providencia de apremio [artículo 170.3.b)].

[49]   Existen monografías dedicadas específicamente a las notificaciones tributarias, pero no suelen ser recientes y, por ello, a pesar de su interés no examinan muchos aspectos de la regulación actual o la última doctrina y jurisprudencia. Por ejemplo, GARCÍA NOVOA, C., *Las Notificaciones Tributarias*, Aranzadi, Elcano (Navarra 2001). También existen libros sobre las notificaciones en el ámbito administrativo, algunos recientes tras la aprobación de la LPACAP y que, en gran medida, resultan útiles desde el punto de vista tributario. Por ejemplo, CUBERO MARCOS, J. I., *Las notificaciones administrativas*, Instituto Vasco de Administración Pública, Bilbao, 2017. Por ello, recomiendo los comentarios dentro de obras dedicadas en general a los procedimientos tributarios. Por ejemplo, VARIOS, *Memento Procedimientos tributarios 2022-2023*, ob. cit., págs. 482 a 524.

ejemplo, el domicilio fiscal) a través del servicio de correos o de un funcionario que acreditan la realización o el intento de notificación.

La notificación por medios electrónicos es preferente (artículo 41 de la LPACAP) respecto a la realizada en papel, pues para la Administración disminuye los costes y consigue una mayor seguridad (en bastantes casos, aunque no siempre, implica también una mayor seguridad para el interesado). Por ello, además, de las personas obligadas a recibir las notificaciones electrónicas, la regulación impulsa la utilización de medios electrónicos por todos los interesados:

– Los no obligados a relacionarse electrónicamente pueden decidir que las notificaciones pasen a realizarse por medios electrónicos en cualquier momento.

– Las notificaciones en papel también se ponen a disposición en la sede electrónica de la Administración u organismo para que el interesado pueda acceder y darse por notificado[50] y, además, en ese momento ofrece la posibilidad de que las demás notificaciones puedan realizarse por medios electrónicos.

– Con independencia de la notificación en papel o por medios electrónicos, el contribuyente recibe un aviso en su dirección de correo electrónico o dispositivo electrónico si ha comunicado el mismo[51]. Sin embargo, ello no implica la notificación, ni su falta impide que la notificación en papel o electrónica sea plenamente válida (artículo 41.6 de la LPACAP).

Ahora bien, si el contribuyente recibe el aviso y accede a la notificación en la sede electrónica esa es la fecha que vale (por ejemplo, a efectos de recursos), de forma que si luego recibe la notificación en papel no tiene en cuenta la fecha posterior, sino la que se ha producido en primer lugar (artículo 41.7 de la LPACAP).

---

[50]   Por ejemplo, la sede electrónica de la AEAT (https://sede.agenciatributaria.gob.es/) o en el ámbito de la Administración General del Estado la carpeta ciudadana (https://sede.administracion.gob.es/carpeta/clave.htm) para acceder a notificaciones, pero en la que además puede consultar o acceder a datos personales, expedientes, etc. Las CCAA y Municipios también tienen sus correspondientes carpetas ciudadanas y sedes electrónicas.

[51]   Además de estos avisos sobre notificación, igualmente la Administración tributaria envía otros avisos e información sin trascendencia tributaria cuando el contribuyente ha dado sus datos de contacto de teléfono móvil o dirección electrónica.

La notificación debe emitirse dentro del plazo de 10 días hábiles desde que el órgano administrativo dicta el acto (artículo 40.2 de la LPACAP), pero el incumplimiento no lesiona el derecho a la tutela judicial efectiva [STS 17-02-2014 recurso 3075/2010 (*Tol 4125707*)], ni implica la anulación de la notificación.

3.1.2. Medio y lugar de notificación según el tipo de procedimiento

En los procedimientos iniciados a solicitud del interesado (como es el caso de los procedimientos tributarios de revisión) la notificación se realizará por el medio expresado por el mismo, aunque será electrónica si el interesado está obligado a relacionarse electrónicamente con la Administración. Si el medio es en papel la notificación se practicará en el lugar señalado a tal efecto por el obligado tributario o su representante o, en su defecto, en el domicilio fiscal de uno u otro (artículos 41.3 de la LPACAP y 110.1 de la LGT).

En los procedimientos iniciados de oficio, es decir por iniciativa de la Administración (como el caso de los procedimientos tributarios de comprobación), la notificación se realizará por el medio más adecuado. Por ello, para los contribuyentes obligados a relacionarse electrónicamente con la Administración puede realizarse por medios electrónicos, aunque nada impide que pueda realizarse en papel y, en especial, mediante un funcionario (por ejemplo, un Agente Tributario) para garantizar la eficacia de la actuación administrativa. En los demás contribuyentes se realizará en papel, salvo que hayan comunicado de forma expresa su opción por medios electrónicos. Podrá practicarse en el domicilio fiscal del obligado tributario o su representante, en el centro de trabajo, en el lugar donde se desarrolle la actividad económica o en cualquier otro adecuado a tal fin (artículos 41.4 de la LPLACAP y 110.2 de la LGT,).

3.1.3. Personas que pueden recibir la notificación

Las notificaciones por medios electrónicos están configuradas para que el obligado pueda acceder directamente, pero también puede hacerlo una persona a la que el mismo conceda poder expreso. Para ello, hay que acreditar quien accede mediante DNI electrónico o certificado electrónico, pero también mediante otros mecanismos (por ejemplo, Cl@ve PIN).

En las notificaciones en papel practicadas en el lugar señalado al efecto por el obligado tributario o por su representante, o en el domicilio fiscal de uno u otro, de no hallarse presentes en el momento de la entrega, puede hacerse cargo cualquier persona que se encuentre en dicho lugar o domicilio y haga constar su identidad, así como los empleados de la comunidad de vecinos o de propietarios donde radique el lugar señalado a efectos de notificaciones o el domicilio fiscal del obligado o su representante. El rechazo por el obligado o su representante en dicho lugar señalado o el domicilio fiscal no impide que la notificación se tenga por efectuada (artículo 111 de la LGT).

Por ello, cuando se hace cargo un tercero en un lugar distinto al designado por el obligado o su representante y que tampoco sea el domicilio fiscal de uno y otro ha de presumirse que no llegó a conocimiento del obligado, salvo que la Administración pruebe lo contrario [STS 11-04-2019 recurso 2112/2017 (*Tol 7202172*)].

Cuando en el momento de entregarse la notificación se tuviera conocimiento del fallecimiento del obligado (o la extinción de la personalidad jurídica cuando es una entidad) debe hacerse constar y comprobar esta circunstancia y efectuar la notificación a los sucesores.

3.1.4. Notificaciones por medios electrónicos

Están reguladas en la LPACAP[52] y los obligados a relacionarse electrónicamente con la Administración (artículo 14.2[53]) deben recibir las notificaciones por medios electrónicos.

El obligado debe acudir a un lugar electrónico[54] donde las notificaciones están a su disposición y si accede al contenido del acto implica la notifica-

---

[52]   Al que remite expresamente el artículo 115 bis RGAT, en la redacción dada por el Real Decreto 1070/2017, que remite a la LPACAP y su normativa de desarrollo, sin perjuicio de las especialidades que reglamentariamente pueda establecer la normativa tributaria (por Real Decreto u Orden Ministerial).

[53]   Son al menos las personas jurídicas, entidades sin personalidad jurídica, quienes ejerzan un actividad profesional (como notarios y registradores de la propiedad y mercantiles) para la que se requiera colegiación obligatoria en lo relacionado con dicha actividad profesional, quienes representen a un obligado a relacionarse electrónicamente y los empleados de las Administraciones Públicas para los trámites y actuaciones que realicen con ellas por razón de su condición de empleados públicos según se determine reglamentariamente.

[54]   Normalmente situado en la sede electrónica del organismo o una Dirección Electrónica Habilitada (DEH). Además, todas las notificaciones emitidas en el ámbito estatal (artículo 42 del RD 203/2021) están en la Dirección Electrónica Habilitada Única (DEHU), tanto electrónicas como no electrónicas. Por ejemplo, la AEAT situaba las notificacio-

ción en ese momento, pero si no accede el transcurso de 10 días naturales desde la puesta a disposición implica la notificación.

Las notificaciones electrónicas pueden producirse cualquier día y hora lo que las agiliza notablemente. Así, el contribuyente puede acceder y darse por notificado un día festivo y en cualquier momento, lo que tiene ventajas. Sin embargo, tiene también inconvenientes, ya que el obligado a recibir notificaciones electrónicas (porque deba recibirlas o porque haya optado voluntariamente por las mismas) tendrá que acudir a dicho lugar electrónico, cada cierto tiempo[55], para ver si existe alguna puesta a disposición. Es cierto que la Administración envía avisos a la dirección de correo electrónico o dispositivo electrónico si lo ha comunicado, lo que facilita notablemente, pero tiene el riesgo de que, aunque no reciba el aviso, ello no impide que la notificación por medios electrónicas por el simple transcurso de 10 días naturales se totalmente válida.

La notificación por medios electrónicos ha sido objeto de mucha discusión desde el punto de vista teórico, pero el sistema ha sido confirmado por la jurisprudencia [STS 28-11-2017 recurso 3738/2015 (*Tol 6454463*)], que ha rechazado plantear cuestión de inconstitucionalidad [STS 17-01-2018 recurso 3155/2006 (*Tol 6484656*)]. Sin embargo, algún aspecto sigue siendo discutido, como la falta de efectos del aviso al dispositivo electrónico o dirección de correo electrónico del interesado[56].

3.1.5. Notificación en papel

El empleado de correos o el funcionario acude al lugar procedente (que depende de cada caso, por ejemplo, el domicilio designado si es un procedimiento iniciado a instancia del interesado) e intenta notificar al obligado o

---

nes electrónicas únicamente en la DEH, pero desde el 06-09-2021 también las incluye en la DEHU y a partir de 04-04-2022 sólo estarán en la DEHU.

55 El obligado debería entrar, al menos, cada 10 días naturales para detectar si tiene alguna notificación puesta a disposición, dado que, si no accede, la notificación se entenderá efectuada. Sin embargo, el obligado puede señalar a la Administración un máximo de 30 días naturales en que la misma no puede poner a disposición notificaciones, lo que permite, por ejemplo, que durante el período de vacaciones no haya que preocuparse por entrar en el lugar en donde están situadas las notificaciones.

56 El TC en la STC 6/2019, de 17-09-2019, cuestión de inconstitucionalidad 3323/2017 (*Tol 7028973*), se ha pronunciado sobre el sistema Lexnet, declarando la constitucionalidad del precepto que deslinda la validez de los actos de comunicación judiciales de la efectiva remisión de un aviso, salvo que exista normativa específica que requiera notificación no electrónica en algunos supuestos.

su representante, y si los mismos firman la recepción o la rechazan (lo que debe reflejar el acuse de recibo) la notificación ha sido realizada. Lo mismo cuando en dicho lugar está una tercera persona (aunque el rechazo de dicho tercero no implica la notificación).

Sin embargo, no siempre está en el lugar el obligado o su representante y, a veces, ni siquiera un tercero (o dicho tercero la rechaza). Por ello, como garantía hay que hacer un segundo intento dentro de los tres días siguientes y a una hora distinta, de forma que si el primer intento fue realizado antes de las 15:00 horas el segundo debe hacerse después de dicha hora (o viceversa) y con un margen de al menos tres horas entre ambos intentos (artículo 42.2 de la LPACAP). Además, en el segundo intento debe dejarse aviso en el buzón para que el interesado pueda acudir a la oficina de correos o al órgano administrativo para darse por notificado, recibiendo copia del acto.

Cuando la notificación es "*infructuosa*", al no haberse podido practicar conforme a lo expuesto, la Administración debe citar al obligado o representante a través de un anuncio en el boletín oficial para que comparezca (por ello, suele llamarse notificación "*por comparecencia*"). Para los actos de la Administración General del Estado la publicación se realiza en el BOE los lunes, miércoles y viernes de cada semana y, una vez publicado el aviso, el contribuyente tiene un plazo de 15 días naturales desde el siguiente a la publicación para comparecer (es decir, acudir al órgano administrativo para recibir la notificación). Si lo hace recibe copia del acto y firma, mientras que si no lo hace la notificación se entiende producida desde el día siguiente al del vencimiento del plazo. Además, el aviso también puede incluirse en otros lugares, aunque no resulte obligatorio para la Administración.

Es importante resaltar que la notificación por comparecencia implica que el acto ha sido notificado porque ha sido imposible practicar la notificación en papel por causa ajena a la Administración y, por ello, la Administración debe cumplir todas las exigencias o formalidades establecidas. Como señala la STS de 11-04-2019 recurso 2112/2017 (*Tol 7202172*), que resume la doctrina del TS reiterada[57], lo relevante es que el destinatario haya tenido "*real conocimiento*" del acto notificado. Por ello distinguen tres situaciones:

- Las que respetan todas las formalidades, en que debe presumirse (aunque admite prueba en contrario por el obligado) que el acto ha llegado a conocimiento.

---

[57]   Referida a la regulación anterior a la LPACAP, pero que esencialmente es aplicable también a la notificación en papel tras la misma.

- Las que no respetan formalidades sustanciales, en que debe presumirse (aunque admite prueba en contrario por la Administración) que el
  acto no ha llegado a conocimiento.

- Las que no respetan formalidades secundarias, en que debe presumirse que el acto ha llegado a conocimiento.

Por tanto, depende en gran medida del tipo de formalidades incumpli-
das, precisándose por la jurisprudencia múltiples casos[58]. Por ejemplo, no
son sustanciales las formalidades siguientes:

- Si consta que el interesado ha podido conocer la decisión y utiliza los
  errores incurridos no con propósitos de auténtica defensa, sino de
  obstrucción.

- Alega que se produjo en un lugar o con persona improcedente cuando
  recibió sin problemas y sin reparo alguno otras recogidas en el mismo
  sitio o por la misma persona.

- Entregada no al portero, sino a vecino, salvo cuando exista duda sobre la relación de vecindad.

- Entregada a tercero que se identifica con el nombre y un apellido y
  hace constar su relación con el destinatario, pero no hace constar
  su DNI, así como a un tercero que, hallándose en el domicilio del
  destinatario, no señala su relación con éste, aunque se identifica perfectamente o al empleado de una entidad que, pese a que se identifica sólo con un nombre y el NIF de la entidad, está perfectamente
  identificado.

---

[58] Una exposición de dicha jurisprudencia, por ejemplo, está reflejada en TEAC 16-01-
2019 RG 00-102011-2015 (*Tol 7011485*), que también tiene interés porque reitera el
criterio respecto a que los intentos realizados por los empleados de correo en lugar de
la notificación deben ser coherentes para que sea correcta la posterior notificación por
comparecencia (no lo es si el intento un día pone que el destinatario es desconocido y a
los pocos días pone en otro intento ausente). Otro caso en que la notificación por comparecencia no es correcta es el examinado por TEAC 25-02-2016 RG 00-07511-2015
(*Tol 5650973*) unificación de criterio cuando en un procedimiento iniciado a instancia
del interesado en que expresa un domicilio para notificaciones una vez intentada dos
veces en el mismo con resultado infructuoso (o un intento si figura desconocido), la
Administración no ha agotado otras posibilidades que resultan fáciles para la misma,
como el domicilio fiscal que figura en el expediente o podía buscarse en las bases de
datos de la Administración actuante.

3.2. El domicilio fiscal

El contribuyente u obligado no tiene que designar como domicilio a efectos de notificaciones en los recursos tributarios su domicilio fiscal, pero la comprensión de dicho domicilio fiscal y la obligación de comunicar los cambios del mismo tiene relevancia a efectos de designar el domicilio en dichos recursos y puede evitar problemas prácticos.

El domicilio fiscal (artículo 48.1 de la LGT) es el lugar físico (normalmente vivienda o edificación) en que la Administración tributaria puede contactar al contribuyente en las comunicaciones y procedimientos, por lo que puede tener gran relevancia, para las notificaciones, en especial en los procedimientos iniciados por la Administración (de oficio).

Por otro lado, el domicilio fiscal puede determinar el órgano administrativo competente (artículo 84 de la LGT) y está protegido constitucionalmente (CE y artículo 113 de la LGT), aunque pueden realizarse actuaciones inspectoras en el mismo (artículo 151), si lo permite el contribuyente o con autorización judicial.

Por todo ello, el domicilio fiscal suele ser analizado por los autores que estudian los temas tributarios, aunque no sean frecuentes los comentarios generales[59].

Además, no hay que confundir el domicilio fiscal con el aspecto que determina la tributación de un contribuyente por un tributo en concreto en un territorio u otro (técnicamente denominado *"punto de conexión"*). En los tributos cedidos por el Estado a las CCAA lleva años de actualidad la polémica provocada por la diferente regulación autonómica en algunos tributos. Por ejemplo, en el Impuesto sobre el Patrimonio (IP), una Comunidad puede regular una tributación casi inexistente y otra una tributación alta, lo que provoca cambios de residencia de los contribuyentes (algunos reales y otros ficticios)[60]. El punto de conexión en el IP es la residencia habitual y no el domicilio fiscal, pero lógicamente el contribuyente cambia el domicilio

---

[59]   Las monografías específicas no suelen ser recientes y no contemplan muchos puntos de la regulación actual. Por ejemplo, BAENA AGUILAR, A., *El domicilio tributario en derecho español*, Aranzadi, Elcano (Navarra), 1995. Por ello, recomiendo examinar los comentarios dentro de obras dedicadas en general a los procedimientos tributarios. Por ejemplo, VARIOS, *Memento Procedimientos tributarios 2022-2023*, ob. cit., págs. 525 a 532.

[60]   El tema de las competencias normativas de las CCAA es una de las cuestiones más relevantes en la actualidad y ha sido discutida, como reflejan las noticias periodísticas, al hilo de las propuestas realizadas por el Comité de personas expertas para elaborar

fiscal porque, a la vez, de forma real o ficticia cambia su residencia habitual y ello da lugar en algunos casos a la correspondiente comprobación por los órganos administrativos y a recursos tributarios contra los actos dictados. Lo mismo ocurre con la residencia en territorio español o en el extranjero.

3.2.1. Determinación del domicilio fiscal

Las normas generales de LGT (artículo 48.2) diferencian según el contribuyente:

– En la persona física es el lugar donde tiene su residencia habitual (permanezca más de 183 días el año natural o radique el núcleo o la base principal de sus actividades o intereses, lo que plantea en muchos casos dificultades de prueba). Cuando desarrolle principalmente actividades económicas (empresarios o profesionales) la Administración tributaria podrá considerar como domicilio fiscal el lugar donde esté efectivamente centralizada la gestión administrativa y la dirección de las actividades desarrolladas y, en caso de que no pudiera establecerse dicho lugar, prevalecerá aquel donde radique el mayor valor del inmovilizado en el que se realicen las actividades económicas.

– En una persona jurídica es su domicilio social, pues se presume que en el mismo está centralizada la gestión administrativa y la dirección de los negocios. Por ello, si está en otro lugar la gestión y dirección será donde esté. Si no pudiera determinarse, se atenderá al lugar donde radique el mayor valor del inmovilizado.

– En una entidad sin personalidad jurídica (se tienen en cuenta a efectos tributarios, aunque no tengan personalidad jurídica, según LGT art. 35.4) es el mismo de las personas jurídicas.

– En los no residentes (quienes no residen en España) hay reglas especiales.

La mayoría de los contribuyentes son personas físicas que no realizan actividades económicas y, por ello, su domicilio fiscal coincide con la residencia habitual, al menos en el IRPF según la Ley 35/2006, de 28 de noviembre, del IRPF (LIRPF).

---

el reciente Libro Blanco, que han analizado dichas competencias normativas de las CAAA, VARIOS, *Libro Blanco sobre la Reforma Tributaria*, Madrid 2022, págs. 708 s.

3.2.2. Deber de comunicar el domicilio fiscal y sus cambios

El contribuyente debe comunicar el domicilio fiscal y sus cambios a la Administración tributaria (artículos 48.3 de la LGT y 17 del RGAT), sin que el cambio del domicilio tenga efectos para la Administración hasta que se comunique y, además, puede dar lugar a una infracción tributaria (artículo 198.5 de la LGT con multa pecuniaria fija).

Los contribuyentes con escasos conocimientos tributarios muchas veces cometen el error de cambiar su residencia habitual y no comunican el cambio del domicilio fiscal a la Administración. Por ejemplo, un contribuyente que residía y tenía su domicilio fiscal en Barcelona cambia su residencia, al jubilarse, a Málaga. Como la Administración no lo sabe, puede que las notificaciones de un procedimiento que inicie vayan dirigidas al domicilio fiscal, es decir el que consta en Barcelona, por lo que tras resultar infructuoso y cumplir las demás exigencias se publica en el BOE y el acto será notificado por comparecencia.

Por ello, desde el punto de vista práctico es muy importante comunicar el cambio de domicilio a las diversas Administraciones tributarias, sin que baste el cambio a efectos no tributarios (por ejemplo, en el padrón municipal). La comunicación depende del contribuyente que sea y de la Administración afectada.

En caso de que no se cambie el domicilio, por lo menos resultaría de interés estar en contacto con la persona que vive a partir de ese momento en el domicilio o con el empleado de la comunidad de propietarios para que si se intentara una notificación pudiera avisar telefónicamente al contribuyente, sobre todo en los primeros meses.

3.2.3. Comprobación del domicilio fiscal por la Administración

La Administración tributaria puede comprobar el domicilio fiscal y, en su caso, rectificarlo (artículos 48.4 de la LGT y 148 a 152 del RGAT, sin perjuicio de que a efectos de cada tributo pueden existir normas específicas).

La competencia para comprobar el domicilio fiscal en los tributos del Estado, estén o no cedidos a las CCAA (IRPF, IRNR, IS, IVA, ITPAJD, ISD, IP, etc.) corresponde exclusivamente a la AEAT y puede comenzar por iniciativa de la misma o por la solicitud de alguna Comunidad Autónoma y normalmente lo que pretende es comprobar que no son cambios ficticios del domicilio fiscal del contribuyente para disminuir su tributación.

3.3. El domicilio que conviene designar en la práctica

Los contribuyentes con menos conocimientos jurídicos suelen incluir como domicilio a efectos de notificaciones el lugar en que viven habitualmente, que normalmente coincide con su residencia habitual y domicilio fiscal, lo que es adecuado, porque es el lugar donde están todos los días, con mínimas excepciones.

Sin embargo, es importante que el obligado tenga una garantía razonable de que la notificación va a realizarse sin demasiados problemas en dicho domicilio porque puede ocurrir que el contribuyente no pueda probar que no haya llegado a su conocimiento y figure como notificado, con el consiguiente perjuicio. Por ejemplo, una posible subsanación de defectos que requiera el órgano de revisión (por ejemplo, cuando falta la correcta identificación del acto) debe notificarse en el domicilio designado y si el contribuyente no subsana en plazo el resultado sería el archivo, es decir como si no hubiera presentado la solicitud o escrito. Otro ejemplo es, el acuerdo o resolución que termine el procedimiento de revisión también, que debe notificarse y si el contribuyente no interpone recurso en plazo implica que está de acuerdo, lo que cierra la vía al recurso ordinario, aunque en algunos casos pueda acudir a mecanismos especiales.

Es cierto que los problemas de notificación en los recursos y medios de revisión tienen menos consecuencias que en los procedimientos de aplicación de los tributos o imposición de sanciones, ya que, en el peor de los casos, la situación quedará igual, pues el recurso tributario no puede empeorar la situación del recurrente. Sin embargo, si el contribuyente tiene razón o, al menos, cree que la tiene, desea que el recurso se tramite de forma adecuada y termine con una resolución estimatoria.

Por otra parte, en cualquier momento, mediante un escrito puede cambiarse el domicilio previamente designado para que el órgano revisor pueda dirigirse a otro. Por ejemplo, un contribuyente que obtiene un trabajo en otra localidad y cambia su residencia.

Las posibilidades de designar domicilio son innumerables y cada obligado debe evaluar las mismas, pues es quien mejor las conoce, pero seguidamente expongo algunas ideas que pueden resultar útiles distinguiendo según estén o no obligados a la notificación por medios electrónicos. En ambos casos existe la posibilidad de designar como domicilio el del representante, que puede resultar interesante desde el punto de vista práctico en algunos casos.

3.3.1. Los obligados a la notificación por medios electrónicos

Aparentemente estos obligados no tendrían que designar un domicilio a efectos de notificaciones, dada su obligación de recibir las notificaciones por medios electrónicos. Sin embargo, creo que conviene que designen un domicilio (un lugar físico) adecuado. Por ejemplo, en casos excepcionales, para garantizar la eficacia de la actuación administrativa puede ocurrir que el órgano revisor decida notificar en papel y, en ese caso, si se designa un domicilio específico, hay que entender que es en éste donde el órgano de revisión debería intentar la notificación.

3.3.2. Los que no están obligados a la notificación por medios electrónicos

El domicilio que designe el contribuyente debería facilitar la notificación. Por ejemplo, si un contribuyente que vive solo viaja por trabajo continuamente y pasa temporadas más o menos largas en otros lugares, quizás podría designar, a efectos de notificaciones, el domicilio de sus padres u otros familiares, que viven habitualmente y que no tiene problemas para recibir las notificaciones. Otro ejemplo se produce cuando el domicilio no tiene buzón o, por alguna razón, es especialmente complicado determinar dentro de un enorme complejo de viviendas la que corresponde al contribuyente, en que quizás convenga designar un domicilio que no tenga estos problemas.

También el contribuyente, aunque no esté obligado a la notificación por medios electrónicos, puede pensar en pedir voluntariamente que las notificaciones del procedimiento de revisión sean realizadas por dichos medios electrónicos, siempre que el órgano de revisión pueda hacerlo y el contribuyente no tenga problemas con este tipo de medios (por ejemplo, es muy adecuado para personas jóvenes que continuamente utilizan las nuevas tecnologías, pero puede no serlo para personas de edad más avanzada que tengan dificultades con las mismas).

Algunos contribuyentes con determinadas situaciones personales deberían tener especial cuidado en designar el domicilio. Por ejemplo, personas jubiladas que viven por temporadas en varios lugares (vivienda de vacaciones o viviendas de los hijos) o personas de otros países que pasan a vivir en España por trabajo y puede que vuelvan a su país de origen y cuando lo hacen olvidan comunicar el cambio. En estos casos, quizás fuera conveniente designar el domicilio de un representante.

4. REPRESENTACIÓN

La representación implica que otra persona (denominada representante) interviene por el contribuyente u obligado (denominado representado) porque lo establece la normativa en determinados casos (representación legal) o porque lo decide el representado (representación voluntaria). En los recursos tributarios (artículo 214 de la LGT) la regulación es la tributaria general (artículos 45 a 47 de la LGT y 110 a 112 del RGAT), sin perjuicio de que puedan existir especialidades como ocurre en las REAS.

La representación debe acreditarse en la primera actuación con intervención del representante (normalmente el recurso o escrito de iniciación del procedimiento de revisión) mediante un documento público o privado que debe expresar al menos:

- Nombre y apellidos o razón social o denominación completa, NIF y domicilio fiscal del representado y del representante y la firma de ambos, pero no es necesaria la firma del representante si se otorga la representación en un documento público.

- Contenido de la representación y su amplitud y suficiencia.

- Lugar y fecha de su otorgamiento.

- Cuando la representación voluntaria es otorgada por el representante legal del obligado debe acreditar la representación legal.

Cuando falta representación o la misma es insuficiente puede subsanarse (artículo 3 del RGRVA).

4.1. La representación legal

Las personas físicas que no tienen capacidad para actuar jurídicamente (por ejemplo, un bebé de unos meses) tienen que relacionarse con la Administración tributaria por medio de sus representantes legales que actúan en nombre y por cuenta de la persona física.

Las personas jurídicas (por ejemplo, una sociedad anónima) tienen que relacionarse con la Administración tributaria a través de sus representantes legales, como las personas físicas titulares de sus órganos de representación, sea por disposición de la Ley, sea por un acuerdo válidamente adoptado.

En los entes sin personalidad jurídica (herencias yacentes, comunidades de bienes, etc.) en representación legal ante la Administración tributaria actúa quien la ostente de forma expresa. Si no se hubiera designado representante, se considerará como tal a quien aparentemente ejerza la gestión o dirección y, en su defecto, a cualquiera de sus miembros o partícipes.

Las personas y entidades que no residan en España tienen reglas especiales.

4.2. La representación voluntaria

El obligado puede designar a otra persona (un representante voluntario) para que actúe en su nombre en un acto concreto (por ejemplo, acudir a la puesta de manifiesto del expediente administrativo para poder examinarlo) o en todas las actuaciones a partir del momento en que se otorga representación.

Para interponer recursos o reclamaciones, desistir de ellos, renunciar a derechos, asumir o reconocer obligaciones en nombre del obligado tributario, solicitar devoluciones de ingresos indebidos o reembolsos y en los restantes supuestos en que sea necesaria la firma del obligado tributario en los procedimientos de aplicación de los tributos la representación deberá acreditarse por cualquier medio válido en Derecho que deje constancia fidedigna. Por ejemplo:

- Inscripción vigente de la representación en un registro público.
- Documento público o documento privado con firma legitimada notarialmente en los que conste el otorgamiento.
- Mediante comparecencia personal ante el órgano administrativo competente, lo que se documentará en diligencia.
- Documento normalizado de representación aprobado por la Administración tributaria que se hubiera puesto a disposición, en su caso, de quien deba otorgar la representación.

Sin embargo, para los actos de mero trámite, se presume concedida la representación. Además, la representación quedará acreditada:

- Cuando se haya hecho figurar expresamente en la declaración, autoliquidación, comunicación de datos o solicitud objeto del procedimiento.
- Cuando la representación conferida resulte de los propios actos o de la conducta observada por el obligado respecto a las actuaciones desarrolladas.

El obligado puede revocar la representación en cualquier momento, pero sin que ello suponga la nulidad de las actuaciones practicadas con el representante antes de que se haya acreditado la revocación a la Administración tributaria.

También la representación puede extinguirse por renuncia del representante, pero no tendrá efectos para la Administración hasta que no se acredite que dicha renuncia se ha comunicado de forma fehaciente al representado.

Por otro lado, el representante voluntario puede designarse por el contribuyente porque no pueda realizar los trámites relacionados con la revisión por alguna razón. Por ejemplo, porque acaba de recibir la notificación de un acto y comienza de forma inmediata un viaje al extranjero por varias semanas. También puede designarse como representante voluntario a un experto tributario para que pueda ocuparse de la revisión. Esto depende del contribuyente concreto y no pueden darse reglas generales, pues pueden concurrir múltiples circunstancias.

5. LOS PLAZOS PARA RECURRIR Y SU CÓMPUTO.

Los plazos de los recursos y demás medios de revisión tributarios tienen una enorme trascendencia práctica, ya que si la interposición es posterior al plazo el órgano de revisión no puede entrar en el fondo e inadmitirá por haberse interpuesto fuera de plazo. Es decir, declarará que es inadmisible por extemporáneo. Los plazos dependen del recurso o medio de revisión y en los posteriores capítulos iré exponiendo los mismos. Sin embargo, el plazo más frecuente de recurso en vía administrativa es de 1 mes, que se aplica al recurso de reposición en la LGT y en la LRHL y a las REAS ante los TEAS y al recurso de alzada ordinario ante el TEAC. También hay plazos por días (por ejemplo, el plazo del recurso de anulación en vía económico-administrativa del artículo 241 bis de la LGT) o por años (por ejemplo, el plazo de prescripción para iniciar o solicitar la rectificación de errores materiales, de hecho o aritméticos del artículo 220 de la LGT).

Los plazos de recurso son improrrogables (no se puede pedir ampliación del plazo) y el mero transcurso de los mismos implica su caducidad (el paso del plazo extingue el derecho a recurrir), sin que ello afecte a la tutela judicial efectiva. Los plazos para interponer recursos y reclamaciones son preclusivos y no son susceptibles de ampliación.

Así, la ampliación de plazos de la Ley 30/1992 se refiere, exclusivamente, a los trámites que se desarrollan dentro del procedimiento administrativo y no a los plazos para la interposición de los recursos [TEAC 14-11-2013 RG 5192/2011 (*Tol 6428300*)].

Por ello, el contribuyente u obligado debería tener un especial cuidado para evitar que transcurra el plazo correspondiente y, si tiene dudas, sobre su cómputo es preferible que presente el recurso o solicitud cuanto antes.

5.1. Cómputo de plazos

Las reglas sobre el cómputo de plazos, que se aplican a los plazos de recurso, pero también a los demás plazos, están en la LPACAP (artículo 30) y pueden ser por horas, días, meses o años.

5.1.1. Cómputo de plazos por horas

Los plazos por horas, salvo que una ley o una disposición de la Unión Europea establezca otra cosa, son horas hábiles (todas las horas del día que formen parte de un día hábil) y se contarán de hora en hora y de minuto en minuto desde la hora y minuto en que tenga lugar la notificación o publicación del acto de que se trate. No podrán tener una duración superior a veinticuatro horas, en cuyo caso se expresarán en días. No son frecuente en el ámbito tributario.

5.1.2. Cómputo de plazos por días

El cómputo de los plazos por días se realiza a partir del día siguiente al que tenga lugar la notificación o publicación (o desde el día siguiente al que tenga lugar la estimación o desestimación por silencio).

El primer día de cómputo o día inicial (*dies a quo* según la expresión en latín) es el día siguiente al de la notificación desde las cero horas, pues no se cuenta el propio día de la notificación.

El último día de cómputo o día final (*dies ad quem* según la expresión en latín) se incluye por completo, es decir hasta las 24 horas.

Hay que distinguir según el plazo sea de días hábiles (que es la regla) o días naturales (sólo cuando por una ley o por una disposición de la Unión Europea se establezca).

a) Cómputo por días hábiles

Los días hábiles son lunes a viernes (salvo que alguno de ellos sea declarado festivo) y los días inhábiles son sábados, domingos y festivos.

Oficialmente antes de cada año se publica un calendario con los días inhábiles. En la Administración General del Estado se dicta una resolución que se publica en el BOE[61]. Enumera los días inhábiles en todo el territorio nacional y especifica los que corresponden al territorio de cada Comunidad Autónoma. Además, las CCCA también publican el calendario de días inhábiles en su territorio y el calendario aprobado por las CCAA comprenderá los días inhábiles en las Entidades Locales de su ámbito territorial. Cada municipio puede establecer festivos con un máximo de dos (fiestas locales), pero para facilitar la información cada Comunidad Autónoma da la información sobre los Municipios integrados en su ámbito territorial.

Si un día es hábil en el Municipio o Comunidad Autónoma en que reside el interesado pero inhábil donde tiene su sede el órgano administrativo o viceversa no se tienen en cuenta ninguno como día hábil a efectos de cómputo.

Por ello, la dificultad práctica del cómputo de los plazos por días es que hay tener en cuenta las fiestas locales de los Municipios en que reside el contribuyente y, cuando no sea el mismo, en el que tiene la sede el órgano administrativo que revisa.

Por ejemplo, si el TEAR de Cataluña con sede en Barcelona[62] notifica el 12-04-2022 una resolución a un contribuyente que reside en Sevilla[63] y el mismo quiere interponer un recurso de anulación del artículo 241 bis de la LGT con un plazo de 15 días hábiles, el plazo comienza a contar el día 13 y se excluyen en abril los días 14 (festivo en la Comunidad de Andalucía donde está Sevilla), 15 (festivo en toda España), 16 (sábado), 17 (domingo), 18 (festivo en la Comunidad de Cataluña donde está Barcelona), 23 (sábado), 24 (domingo), 30 (sábado) y en mayo se excluye los días 1 (domingo), 2 (festivo en la Comunidad de Andalucía donde está Sevilla), 4 (festivo en la ciudad de Sevilla), 7 (sábado) y 8 (domingo), por lo que el último día del plazo para interponer el recurso de anulación es el 10-05-2022.

---

[61] Para 2022 es la Resolución de la Secretaría de Estado de Función Pública de 24-11-2021 BOE 01-12-2021 (*Tol 8653238*). El calendario de dicho año 2022 se incluye como anexo al final del libro.

[62] Fiestas locales en Barcelona en 2022 el 24 y 26 de septiembre.

[63] Fiestas locales en Sevilla en 2022 el 4 de mayo y el 16 de junio.

b) Cómputo por días naturales

Los días naturales son todos los días, incluyendo sábados, domingos y festivos, por lo que no se excluye ninguno.

Por ejemplo, la Dependencia Regional de Recaudación de la AEAT de Andalucía, con sede en la ciudad de Sevilla, dicta una providencia de embargo a un contribuyente obligado a recibir notificaciones por medios electrónicos y que reside en el Municipio de Lebrija[64] que se pone a disposición el 01-09-2022 y como dicho contribuyente no accede el plazo de 10 días naturales (artículo 43.2 de la LPACAP) comienza a contar el 02-09-2022 y termina el 11-09-2022, por lo que se entiende rechazado con fecha 12-09-2022, teniéndose por efectuado el trámite de notificación. Es decir, no se excluyen los días inhábiles, ni siquiera los festivos en el municipio de residencia del contribuyente.

5.1.3. Cómputo de plazos por meses y años

Los plazos por meses o años se computan a partir del día siguiente al de la notificación (o publicación o tenga efectos el silencio administrativo) desde las 0 horas, es decir no se cuenta el propio día de la notificación y terminan el mismo día en que se produjo la notificación, pero del mes o año de vencimiento (artículo 30.4 de la LPACAP).

El mismo día es el que tiene el mismo número (dígito, guarismo u ordinal) del mes o meses posteriores (plazos por meses) o del mismo mes del año o años posteriores (plazo por años). Por ello se dice que se computa *"de fecha a fecha"* porque se utiliza la misma *"fecha"* o número que el día de la notificación, pero de un mes o año posterior.

Ahora bien, si el último día del plazo es inhábil en el Municipio o Comunidad Autónoma donde reside el contribuyente o tenga su sede el órgano administrativo, el plazo termina el siguiente día que sea hábil. Además, si el mes correspondiente no tiene un día con el mismo número que el de la notificación el plazo termina el último día del mes.

No hay meses inhábiles en el ámbito administrativo (a diferencia del judicial). Por ello, el mes de agosto es hábil y puede notificarse en el mismo.

Para comprenderlo mejor, convine poner varios ejemplos.

---

64   Fiestas locales en Lebrija en 2022 el 9 y 12 de septiembre.

Si la Inspección Regional de Cataluña, con sede en Barcelona, notifica una liquidación a un contribuyente que reside en Prat de Llobregat[65] el 23-08-2022 y el mismo pretende interponer un recurso de reposición que tiene el plazo de un mes (artículo 223.1 de la LGT), el plazo de un mes comienza a contar a partir del día siguiente a la notificación (el 24-08-2022) y termina el 27-09-2022 (martes y hábil). En principio, el plazo terminaría el 23 de septiembre (el mismo día de la notificación pero del mes siguiente, pero es inhábil (en Barcelona y Prat de Llobregat), por lo que termina el siguiente día hábil, que es el citado 27.

Si la misma Inspección Regional de Cataluña, con sede en Barcelona, notifica una sanción al contribuyente que reside en Prat de Llobregat el 31-10-2022 e igualmente pretende interponer un recurso de reposición que tiene el plazo de un mes, dicho plazo comienza a contar a partir del día siguiente a la notificación (el 01-11-2022) y termina el 30-11-2022 (miércoles y hábil), porque el mes de noviembre no tiene día 31.

5.2. ¿Qué se puede hacer si se ha pasado el plazo?

El contribuyente tiene un grave problema cuando deja pasar los plazos de recurso, pues son improrrogables y su transcurso extingue el derecho a recurrir, lo que tiene como consecuencia que el acto tributario dictado por el órgano administrativo pasa a ser firme y consentido. Esto es especialmente importante en los recursos ordinarios (recurso de reposición y REA) que tienen el breve plazo de un mes desde la notificación del acto, a diferencia de los mecanismos especiales de revisión que tienen plazos más amplios.

Sin embargo, el contribuyente puede analizar si a través de alguno de los mecanismos especiales de revisión puede conseguir lo mismo que a través del recurso ordinario o si la notificación del acto ha sido correcta. En el caso de las actuaciones de particulares (retenciones, repercusiones, etc.) no existe acto administrativo, por lo que el contribuyente u obligado tiene más posibilidades.

5.2.1. Analizar los mecanismos especiales y extraordinarios de revisión

Los procedimientos especiales de revisión (artículos 217 a 221 de la LGT) y el recurso extraordinario de revisión ante el TEAC (artículo 244

---

[65] Fiestas locales en Prat de Llobregat en 2022 el 23 y 26 de septiembre.

de la LGT) y sus equivalentes en la normativa de las CCAA y EELL, que comento en el capítulo quinto de esta obra bajo la denominación de mecanismos especiales y extraordinarios de revisión, permiten revisar los actos tributarios una vez pasados los plazos de los recursos ordinarios.

Por ello, el contribuyente una vez transcurrido el plazo de 1 mes para el recurso de reposición o la REA, puede intentar conseguir la revisión del acto mediante estos mecanismos. Sin embargo, algunos de ellos también tienen plazos (aunque sean más amplios) y, sobre todo, sólo permiten la revisión por circunstancias específicas y no por cualquier defecto del acto.

Por ejemplo, si el acto ha incurrido en un error de hecho, aunque haya pasado el plazo de un mes del recurso de reposición o la REA, el contribuyente puede iniciar un procedimiento de rectificación de errores del artículo 220 de la LGT, en el que el plazo es el de prescripción (4 años). Ahora bien, tiene que tratarse realmente de un error de hecho, pues si es un error de Derecho (o error jurídico) el órgano administrativo rechazará la rectificación.

Debo destacar que estos mecanismos no son equivalentes a los recursos ordinarios, pues a través de estos últimos puede corregirse cualquier defecto del acto, mientas que en los mecanismos especiales sólo pueden corregirse algunos muy limitados.

Algunos contribuyentes tienen la tendencia a utilizar los mecanismos especiales como una alternativa a los recursos ordinarios, entendiendo que pasado el plazo de recurso ordinario no tienen nada que perder y piden la anulación del acto por cualquier medio. Sin embargo, aconsejo utilizarlos sólo cuando razonablemente pueda entenderse que concurren las circunstancias previstas, pues un uso claramente abusivo puede perjudicar desde el punto de vista práctico no sólo a la Administración, sino al propio contribuyente.

5.2.2. Analizar la notificación del acto

El contribuyente u obligado también debería, antes de concluir que el plazo del recurso ordinario ha transcurrido, examinar o analizar la notificación del acto. He comentado de forma breve algunos aspectos elementales de las notificaciones previamente en este mismo capítulo.

Si la notificación del acto es correcta, el contribuyente sólo puede acudir a los citados mecanismos especiales o extraordinarios de revisión, si bien en algunos supuestos y cuando concurran determinadas circunstancias.

Por el contrario, si la notificación del acto es incorrecta y ha causado perjuicio a la defensa del contribuyente, lo que debe hacer es interponer un recurso ordinario, precisamente alegando que dicha notificación es incorrecta, pero a continuación también argumentando cuáles son los defectos en que incurre el acto.

Por ejemplo, en las notificaciones en papel cuando los intentos mediante el operador de correos o el Agente Tributario son infructuosos y la notificación se realiza por comparecencia (tras la publicación de aviso en el BOE sin que el interesado comparezca), deben cumplirse todas las exigencias o formalidades establecidas, como exige la jurisprudencia. Por ello, si la Administración ha incumplido formalidades sustanciales la notificación no ha cumplido su finalidad y no han empezado los plazos de recurso ordinario (recurso de reposición o REA).

En estos casos no tiene sentido intentar la revisión a través de un mecanismo especial, sino interponer el recurso ordinario basado en la defectuosa notificación.

Sin embargo, cualquier defecto en la notificación no implica que pueda interponerse un recurso ordinario, sino sólo en casos muy específicos, por lo que aconsejo sólo acudir a esta posibilidad en casos claros y no tener excesivas esperanzas. Como ocurría con los mecanismos especiales, el contribuyente está en su derecho a intentar la revisión por los recursos ordinarios considerando que la notificación fue incorrecta y produjo indefensión, pero ello no ampara un uso abusivo que puede perjudicar desde el punto de vista práctico no sólo a la Administración, sino al propio contribuyente.

Por otro lado, de nada sirve que la notificación sea incorrecta si el acto no presenta ningún defecto, ya que lo esencial para el contribuyente es que existan razones de fondo para anular el acto. Por ello, recomendaba también alegar los defectos en que incurre el acto al interponer el recurso ordinario.

Algunos contribuyentes sólo piden que la notificación del acto se anule o, incluso, que se anulen todas las notificaciones para poder alegar dentro del procedimiento que terminó con el acto, probablemente porque no tienen claros qué argumentos permitirían anular el acto y quieren obtener tiempo para pensarlo. No voy a examinar la cuestión de si la notificación es un acto o una condición de eficacia del acto[66], porque lo importante es que

---

[66]   Existe desde hace muchos años una discusión entre los estudiosos, con posiciones intermedias y existen sentencias que parecen apoyar las diversas posiciones. Por ejemplo,

si la notificación es incorrecta y produjo indefensión el acto no fue eficaz y puede interponerse el recurso ordinario contra el mismo.

En todo caso, no creo que esta estrategia de pedir sólo la anulación de la notificación sea demasiado recomendable, pues una vez que el contribuyente tiene conciencia de un acto que, a su juicio, no había sido notificado correctamente, puede pedir el examen del expediente administrativo a efectos de poder alegar lo que entienda conveniente.

5.3. Actuaciones de otros particulares

Las actuaciones de otros particulares, como retenciones o repercusiones, no son actos administrativos y, por ello, contra las mismas no pueden interponerse todos los medios de revisión, sino sólo algunos, básicamente la REA ante el TEA.

Por ello, si pasa el plazo de la REA (un mes) el contribuyente u obligado puede presentar su declaración o autoliquidación y, en su caso, la misma puede ser comprobada, de oficio o a instancia de parte, por la Administración.

Por ejemplo, en la retención del IRPF realizada por el empresario al pagar el salario a su trabajador puede que este último no esté de acuerdo con el tipo de retención aplicado. Lo lógico es que el trabajador hable con su empresario para que aplique el tipo que entiende correcto dicho trabajador y, sólo cuando no se ponen de acuerdo, procede presentar la REA para que el TEA decida. Sin embargo, si pasa el plazo de la REA el contribuyente puede esperar a presentar la autoliquidación por el IRPF y en la misma tratar de corregir, si es posible, el defecto. La dificultad es que la AEAT tendrá los datos de retención del empresario y seguramente iniciará un procedimiento de comprobación porque no coinciden los datos presentados por el empresario y el trabajador. En este procedimiento el contribuyente podrá alegar que el tipo de retención fue incorrecto y la Administración dictará un acto administrativo, contra el que pueden interponerse los recursos ordinarios (por ejemplo, la REA).

En el caso de que la obligación de otro particular haya provocado un ingreso indebido, el contribuyente puede solicitar una devolución de ingresos indebidos (artículo 221 de la LGT), aunque se refiera a la persona o entidad que ha soportado la retención o la repercusión (artículo 14 del RGRVA),

puede examinarse en CUBERO MARCOS, J. I., ob. cit., págs. 25 a 28.

que terminará con un acto administrativo, contra el que pueden interponerse los recursos ordinarios (por ejemplo, la REA).

Ahora bien, lo conveniente es que no se pase el plazo de la REA contra la actuación de otro particular.

6. LUGAR DE PRESENTACIÓN DE LOS RECURSOS

Una cuestión que puede parecer menos importante es el lugar de presentación de los recursos y demás medios de revisión, pero la voy a comentar de forma breve, diferenciando la regla general y las reglas especiales para determinados casos.

6.1. Regla general

Los recursos y demás medios de revisión dirigidos a los órganos administrativos pueden presentarse en numerosos registros y lugares, pero los recursos judiciales tienen regulación específica.

Tradicionalmente el obligado acudía a un registro físico, es decir una oficina o departamento en que se entregaba, anotaba y registraba, pero también era posible hacerlo en otros lugares con determinadas exigencias (por ejemplo, las oficinas de correos, utilizando el correo certificado).

El impulso de la Administración electrónica, sobre todo tras la aprobación de la LPACAP, lleva a que la Administración esté obligada a utilizar medios electrónicos, pero el ciudadano sólo tiene derecho a utilizarlos (artículo 14.1 de la LPACAP) y no la obligación, salvo algunos casos (artículo 14.2 y 3 de la LPACAP). Como consecuencia, las Administraciones Públicas deben crear registros electrónicos (artículo 16 de la LPACAP).

Los recursos y solicitudes de revisión ante órganos administrativos, como cualquier otro documento dirigido a la Administración y salvo casos excepcionales que tengan establecido un régimen especial, pueden presentarse en los siguientes registros y lugares (artículo 16.4 de la LPACAP):

- En el registro electrónico de la Administración u Organismo al que se dirijan, así como en los restantes registros electrónicos del sector público (Administración General del Estado, Administraciones de las CCAA, Entidades que integran la Administración Local y el sector público institucional).

- En las oficinas de Correos, según se determine reglamentariamente.
- En las representaciones diplomáticas u oficinas consulares de España en el extranjero.
- En las oficinas de asistencia en materia de registros.
- En cualquier otro que establezcan las disposiciones vigentes.

Por tanto, el lugar (físico o electrónico) en que puede presentarse el recurso o medio de revisión es amplísimo y el obligado puede optar por cualquiera de ellos.

Además, hay que tener en cuenta que si los documentos se presentan de manera presencial en un registro[67] la Administración los digitalizará (artículo 27 de la LPACAP) y devolverá los originales al interesado, salvo casos excepcionales, de forma que los documentos pasan a tener una copia electrónica auténtica con la misma validez que el original.

Los registros electrónicos de las Administraciones deben ser plenamente interoperables, para garantizar su compatibilidad informática e interconexión y la transmisión telemática de los asientos registrales y de los documentos presentados en cualquier registro.

El contribuyente puede presentar el recurso lógicamente donde tenga mayores facilidades, dentro de los registros y lugares expuestos. Sin embargo, recomiendo presentar en el registro correspondiente al propio órgano, siempre que no cause demasiadas molestias al recurrente, porque no sólo la tramitación será más rápida, sino porque es más difícil que se produzcan errores. También recomiendo, incluso para quienes no están obligados a utilizar los medios electrónicos, presentar el recurso en los registros electrónicos, porque son fáciles de utilizar en general.

Todo lo expuesto es aplicable al recurso o escrito de iniciación o solicitud del procedimiento de revisión, pero también a cualquier otro documento que pueda presentarse durante la tramitación del procedimiento Por ejemplo, las alegaciones tras la puesta de manifiesto o simplemente alegaciones y documentos complementarios que resulte conveniente presentar por algún motivo.

---

[67]   En realidad, sería una oficina de asistencia en materia de registro física, es decir un local al que puede acercarse el contribuyente, porque en un registro electrónico no puede presentarse un documento en papel, aunque sí se puede escanear o hacer una foto y adjuntarlo y presentarlo de forma electrónica.

6.2. Reglas especiales

Algunos obligados están sometidos a reglas especiales, que expondré en los capítulos correspondientes. Sin embargo, adelantaré algunos aspectos, en especial para quienes están obligados a relacionarse por medios electrónicos o impugnen actuaciones de otros particulares.

6.2.1. Obligados a relacionarse por medios electrónicos con la Administración

Los obligados a relacionarse por medios electrónicos deben precisamente utilizarlos y, por ello, tienen que presentar los recursos en los registros electrónicos. Para facilitar el empleo de medios electrónicos por quienes están obligados, pero también por los que deseen hacerlo a pesar de no estar obligados, la Administración debe hacer pública y mantener actualizada una relación de las oficinas que prestan asistencia para la presentación electrónica de documentos.

A veces, algunos obligados tratan de argumentar en los mecanismos especiales de revisión que tuvieron problemas con su ordenador (computadora, *hardware*, etc.) o que no funcionaba la conexión a Internet. Sin embargo, ello podría evitarse si el obligado no esperara al último día, sino que lo hiciera antes.

También en algunos casos existen normas específicas referidas a los medios electrónicos, como ocurre con la REA ante los TEAS del Estado, que debe presentarse en la sede electrónica del órgano que dictó el acto cuando el reclamante esté obligado a recibir por medios electrónicos notificaciones y comunicaciones (artículo 235.5 de la LGT).

El problema que se plantea en todos estos casos es qué ocurre cuando el obligado no sigue estas reglas y, por ejemplo, presenta el recurso en papel, aunque esté obligado a utilizar medios electrónicos. No es fácil dar una respuesta y, al menos, cabe pensar que el órgano administrativo debería dar la posibilidad de subsanar. Ahora bien, recomiendo al obligado que trate de ajustarse a lo establecido en la regulación, dado que evita problemas prácticos.

6.2.2. Actuaciones de otros particulares

Los obligados pueden impugnar las actuaciones de otros particulares, como retenciones o repercusiones, fundamentalmente mediante una REA ante el TEA correspondiente, pero dicha REA debe dirigirse al TEA (artículo 235.4 de la LGT) y no a la Administración encargada de la aplicación de los tributos, pues no existe acto administrativo, sino actuación de otro particular.

La presentación de la REA puede hacerse a través de los registros y demás lugares establecidos en general, sin que parezca que exista la obligación de presentar por medios electrónicos, que está prevista en la REA contra actos administrativos.

7. LA SUSPENSIÓN DEL ACTO QUE SE RECURRE

La interposición de un recurso contra un acto tributario no lleva consigo, en general, la paralización de los efectos de dicho acto. El acto administrativo es ejecutivo (artículos 38 y 98 de la LPACAP)[68] y se presume válido y tiene efectos (artículo 39 de la LPACAP)[69].

Este es un punto en el que los contribuyentes pueden confundirse y, por ello, los actos tributarios deberían reflejar información clara. Por ejemplo, en el acto tributario típico, que es la liquidación, sobre todo cuando el resultado es una deuda a ingresar, la LGT exige incluir, entre otros, los medios de impugnación (artículo 102.2.d) y el lugar, plazo y forma de pago de la deuda (artículo 102.2.e), pero también debería informar con palabras sencillas y fáciles de entender sobre la posibilidad de suspender en caso de impugnación.

7.1. ¿Cuándo conviene solicitar la suspensión?

Los contribuyentes deberían solicitar la suspensión del acto con el que no están de acuerdo y que impugnan mediante un recurso, sobre todo cuan-

---

[68]   La LPACAP dedica el artículo 38 a la ejecutividad (el acto produce efectos) y el artículo 98 a la ejecutoriedad (la ejecutividad es inmediata, salvo suspensión u otros casos), sin que la Administración tenga que acudir a los Tribunales de Justicia, como ocurre cuando un particular pretende que otro particular haga algo.

[69]   La validez significa que el acto tiene todos los elementos necesarios desde que se aprueba o dicta, mientras la eficacia significa que produce los efectos propios del acto (es el concepto amplio de eficacia, pues hay un concepto más estricto que se refiere al momento en que se producen estos efectos). La LPACAP une validez y eficacia del acto administrativo y establece una presunción a favor de la Administración, aunque el interesado puede probar lo contrario (para lo que tendrá que acudir precisamente a los recursos y demás medios de revisión).

do dicho acto implica una deuda a ingresar, salvo que tengan clara alguna razón que aconseje no suspender. Las Administraciones tributarias están especializadas en la recaudación de las deudas no ingresadas y, por ello, cuando el contribuyente interpone un recurso, pero no suspende, pasado el plazo de ingreso voluntario comienza la recaudación en vía ejecutiva a través del procedimiento de apremio, que da lugar a otros actos tributarios. En estos casos, el contribuyente, que tenía un acto recurrido, cuando no lo suspende, salvo que ingrese, seguramente recibirá la notificación de actos recaudatorios (providencia de apremio y diligencias de embargo) y tendrá que decidir si recurrirlos o no.

Sin embargo, la suspensión del acto en muchos casos está condicionada a la aportación de garantías y, por ello, algunos contribuyentes prefieren ingresar, aunque crean que tienen razón, para no tener que aportar garantías o para evitar cualquier sorpresa recaudatoria. En estos casos, una vez que han ganado (en vía administrativa o en vía judicial) y el acto ha sido anulado obtendrán la devolución de la deuda ingresada, con intereses de demora, lo que durante muchos años era una decisión muy razonable desde el punto de vista financiero porque los tipos de interés del mercado han sido muy bajos[70]. Como consecuencia de la pandemia del COVID esto ha cambiado, pues tras una fuerte recesión se está produciendo una recuperación con inflación muy alta, que nadie sabe cuánto tiempo va a durar, que además se ve influida por otros acontecimientos (Ucrania, etc.).

El caso de las sanciones tributarias es especial, porque la interposición en tiempo y forma de un recurso o reclamación en vía administrativa suspende automáticamente la ejecución según la LGT [artículo 212.3.a)] sin necesidad de aportar garantías. Ello provoca que algunos contribuyentes recurran las sanciones simplemente porque lleva consigo la suspensión y, por el momento, no tienen que pagar. Sin embargo, en la vía judicial la interposición del RCA no implica la suspensión.

7.2. Casos de suspensión

La suspensión del acto impugnado con ocasión de un recurso o mecanismo de revisión depende mucho del que sea y lo comentaré con detalle en los

---

[70] El interés de demora tributario según el artículo 26.6 de la LGT será el interés legal del dinero del período incrementado en un 25%, salvo que la LPGE de cada año establezca otro diferente. En los años 2010 a 2014 fue el 5%, en 2015 el 4,375% y en los años 2016 a 2022 el 3,75%.

capítulos correspondientes a cada uno de los recursos y mecanismos de revisión. Sin embargo, es muy importante destacar que la suspensión exige la impugnación previa o simultánea del acto, en vía administrativa o judicial.

En la vía administrativa la impugnación puede realizarse a través de los recursos ordinarios (recurso de reposición y REA) o de los mecanismos especiales o extraordinarios de revisión, pero estos últimos no siempre permiten la suspensión (por ejemplo, la ejecución del acto o resolución impugnada mediante un recurso extraordinario de revisión tributario del artículo 244 de la LGT no podrá suspenderse, ni siquiera cuando se trata de una sanción tributaria).

De forma resumida, la suspensión en vía administrativa de los actos de aplicación de los tributos impugnados mediante un recurso ordinario requiere de la prestación de garantía por el importe del acto o la concurrencia de una causa de las previstas en la LGT que justifique la suspensión. Debe tenerse en cuenta que, si el recurso o reclamación no afecta a la totalidad de la deuda tributaria, la suspensión se referirá sólo a la parte recurrida, quedando obligado el recurrente a ingresar la cantidad restante y si la impugnación es desestimada deberán liquidarse intereses de demora por el período de suspensión.

Sin embargo, la impugnación de un acto censal de un tributo de gestión compartida, por ejemplo, el acto de establecimiento del valor catastral, no suspende el procedimiento de cobro de la liquidación que pueda practicarse, por ejemplo, del IBI. Si la resolución sobre el acto de valor catastral implica que el resultado de la liquidación abonada debiera haber sido menor deberá realizarse la correspondiente devolución de ingresos.

La suspensión de las sanciones tributarias en vía administrativa se producirá de forma automática sin necesidad de aportar garantías hasta su firmeza en vía administrativa.

Por otro lado, la resolución del recurso, reclamación o procedimiento de revisión es, a la vez, un acto administrativo, que puede tener reglas de suspensión[71]. Sin embargo, en el ámbito tributario como los actos iniciales impugnados casi siempre son actos de liquidación, lo que normalmente está regulado es la suspensión del acto inicial de liquidación, que se mantiene a través de los diversos recursos y reclamaciones

---

[71]   Por ejemplo, la suspensión de la resolución del TEAR en una REA cuando se dicta en primera instancia y se interpone recurso de alzada ordinario por los Directores está regulada en el artículo 241.3 de la LGT.

En vía judicial, la suspensión tiene reglas específicas que comento en el capítulo correspondiente.

7.3. Otras posibilidades

Además de la suspensión, el contribuyente puede evitar el ingreso de la deuda tributaria determinada en una liquidación, con independencia de que esté en período voluntario o ejecutivo, solicitando un aplazamiento o fraccionamiento del pago (artículos 65 y 82 de la LGT y 44 a 54 del RGR). Es un instrumento totalmente independiente del recurso o medio de revisión y tiene la finalidad de conseguir un diferimiento (un atraso o demora) del pago, aunque no todas las deudas son aplazables.

El aplazamiento (el pago se atrasa o, dicho de otra manera, el plazo de pago es mayor) o fraccionamiento (el pago se divide o fracciona en partes que deben pagarse más tarde del plazo de pago inicial) está pensado para los contribuyentes que en un momento determinado no pueden atender el pago por su situación económico financiera, pero que en el futuro pueden hacerlo.

Sin embargo, nada impide que el contribuyente que presenta un recurso u otro medio de revisión pueda pedir el aplazamiento o fraccionamiento de la deuda, que es un procedimiento con una tramitación totalmente independiente del recurso o revisión, aunque lógicamente si el acto se anula como consecuencia de la revisión en vía administrativa o judicial, las deudas aplazadas o fraccionadas pagadas deben ser devueltas con intereses y las que todavía no se han pagado dejan de tener que pagarse.

Como regla las deudas deben garantizarse para conseguir el aplazamiento o fraccionamiento, sin perjuicio de que existan casos de dispensa de garantías, exigiéndose el correspondiente interés de demora que debe pagar el contribuyente por las deudas aplazadas o fraccionadas.

7.4. Reembolso del coste de las garantías

Como en muchas ocasiones la suspensión del acto impugnado está condicionada a la aportación de garantías, está previsto el reembolso por la Administración del coste de las garantías (artículos 33 de la LGT y 72 a 79 del RGRVA) que fueron aportadas para suspender la ejecución del acto y también para aplazar o fraccionar el pago de la deuda que ha sido declarada improcedente por una sentencia o una resolución administrativa firme.

Si el acto o la deuda es improcedente en parte, el reembolso sólo alcanza a la parte correspondiente del coste de las garantías.

Los gastos son tanto los necesarios para la formalización de las garantías, como su mantenimiento y cancelación, aunque no los intereses por gastos financieros.

Además del reembolso de los costes de las garantías, la Administración tributaria abonará el interés legal vigente a lo largo del período en el que se devengue sin necesidad de que el contribuyente lo solicite. El interés legal corresponde desde la fecha debidamente acreditada en que se hubiese incurrido en los costes hasta la fecha en que se ordene el pago.

El procedimiento de reembolso del coste de las garantías está regulado con detalle y contra el acto (o resolución) con el que finaliza puede interponer recurso de reposición y REA.

8. ¿QUÉ MECANISMO DE REVISIÓN CONVIENE UTILIZAR EN LA PRÁCTICA?

La respuesta a esta pregunta exige un conocimiento mínimo previo de los diversos mecanismos de revisión, que es lo que precisamente pretendo que tenga el lector tras los comentarios de los posteriores capítulos. Sin embargo, voy a adelantar de forma brevísima algunas ideas que, si bien de forma muy preliminar, pueden ayudar a decidir qué mecanismo conviene al contribuyente, sin perjuicio de que la lectura de los posteriores capítulos proporcione más información que permita tomar una mejor decisión.

8.1. *Utilización de los recursos administrativos antes de los recursos judiciales*

Los recursos judiciales exigen, en principio, agotar la vía administrativa, por lo que no resulta posible interponer dichos recursos sin haber presentado previamente los recursos y mecanismos de revisión administrativos.

Una vez que la Administración ha resuelto el recurso o mecanismo en vía administrativa (o cuando no ha resuelto, pero quede abierta por silencio la vía judicial) la decisión de interponer o no el recurso judicial depende de comparar en cada caso concreto las posibles ventajas y desventajas. Si el acto administrativo es de importante cuantía y los actos impugnados y el que lo confirma en la revisión administrativa están poco fundamentados, las ventajas y probabilidades de ganar probablemente compensen las desventajas de acudir y pagar abogado y procurador y el riesgo de pagar las costas en caso de perder. También pueden incidir otros elementos, como el prestigio o las preferencias personales.

8.2. Utilización en vía administrativa de los recursos administrativos previamente a los mecanismos especiales y extraordinarios

En la vía administrativa parece preferible presentar un recurso ordinario (recurso de reposición o REA) en vez de otros mecanismos. La razón es que todo lo que puede conseguirse con los procedimientos especiales de revisión o el recurso extraordinario de revisión puede conseguirse mediante dicho recurso ordinario. Algunos contribuyentes cuando consideran por ejemplo, que el acto es nulo de pleno derecho o incurre en un error de hecho, tienden a pensar que deben presentar, respectivamente, una solicitud de iniciación de un procedimiento de nulidad de pleno derecho (artículo 217 de la LGT) o de rectificación de errores materiales, de hecho o aritméticos (artículo 220 de la LGT). Sin embargo, mediante el recurso de reposición o la REA también puede anularse el acto nulo de pleno derecho o corregir el acto que incurre en un error de hecho.

Los plazos de los recursos ordinarios suelen ser breves (un mes en el recurso de reposición o la REA) frente a los plazos más amplios de los mecanismos especiales y extraordinarios y, por ello, conviene presentar el recurso ordinario en plazo previamente. En caso de que haya pasado dicho plazo, cuando no se gane el recurso ordinario o si surgen nuevos elementos, el mecanismo extraordinario puede permitir que el contribuyente consiga la anulación del acto.

8.3. Utilización en vía administrativa del recurso de reposición o de la REA

Como el recurso de reposición previo a la REA no es obligatorio el contribuyente debe decidir si conviene interponer dicho recurso o es mejor presentar directamente la REA[72]. Sin embargo, creo que no puede darse una

---

[72] En algunos casos la REA se tramita en primera instancia ante los TEARS y cabe interponer el recurso de alzada ordinario ante el TEAC, lo que implica dos instancias de un año para resolver o notificar, aunque en estos casos el interesado puede interponer directamente la REA ante el TEAC evitando la primera instancia ante los TEARS. La

respuesta única a esta pregunta, pues depende de muchos factores. Además, la decisión en ocasiones depende de las preferencias personales del contribuyente o de su asesor fiscal o de estrategias complejas que tratan de aprovechar las ventajas o desventajas del recurso de reposición y la REA.

Normalmente en los procedimientos de comprobación más sencillos (sobre todo, la verificación de datos), que no tienen mucha cuantía económica y en los que el contribuyente carece de conocimientos jurídicos, parece razonable aconsejar la presentación del recurso de reposición, pues ante los argumentos y pruebas del contribuyente la Administración puede reconsiderar su decisión previa y, si no lo hace, es más fácil preparar la posterior REA.

Por el contrario, en los procedimientos de comprobación más complejos (sobre todo, el procedimiento de inspección) y de mayor cuantía económica en que el contribuyente tiene mayores conocimientos o está mejor asesorado y en que a lo largo del procedimiento ha argumentado con detalle, parece preferible presentar directamente la REA para que resuelva un órgano distinto, que probablemente puede ver el caso de forma más objetiva.

Además, pueden tenerse en cuenta otros aspectos:

- Si se quiere alargar la revisión administrativa, por alguna razón, es preferible presentar un recurso de reposición previamente, aunque no se consiga mucho tiempo, ya que el plazo para interponer es un mes y el plazo para resolver y notificar otro mes, si bien en algunos casos la Administración pueda retrasarse.

- Si el contribuyente quiere conseguir una explicación más detallada porque no entiende bien lo que ha querido decir el órgano que dictó el acto o cree que tiene nuevos argumentos que llevan a la anulación del mismo (por ejemplo, una jurisprudencia que acaba de dar la razón en algún aspecto procedimental) parece preferible presentar el recurso de reposición previo, pues ante las alegaciones presentadas, el acuerdo que resuelve suele normalmente profundizar y explicar más y también responde a los nuevos argumentos. Por el contrario, si el acto es claro y el contribuyente no tiene nada nuevo que argumentar, no convendría presentarlo.

- Si el contribuyente considera que el órgano que dictó el acto tiene tendencia a confirmarlo, no parece lógico presentar un recurso de re-

decisión de utilizar las dos instancias o acudir directamente ante el TEAC también debe valorarse.

posición, mientras que la REA que se resuelve por un órgano distinto puede evaluar de forma más objetiva el asunto. Por el contrario, si opina que va a examinar al resolver el recurso de reposición de forma detallada el tema, conviene presentar dicho recurso. Esto puede depender de circunstancias que difícilmente pueden ser conocidas por el contribuyente. Por ejemplo, que una Administración de la AEAT esté dirigida por una persona que se limita a confirmar los actos previamente dictados, mientras que otra Administración de la AEAT está dirigida por otra persona que revisa en profundidad los actos para tratar de anular los que son incorrectos.

- Si el contribuyente considera que el órgano que ha dictado el acto ha cometido un claro error de hecho o de Derecho, es más fácil que dé la razón al contribuyente en el recurso de reposición y merece la pena presentarlo, mientras que si es una cuestión dudosa resulta menos probable que dé la razón al contribuyente.

- Si el acto está relacionado con otro previo impugnado previamente (por ejemplo, liquidación de un ejercicio posterior o sanción que deriva de la deuda determinada en una previa liquidación) entiendo recomendable presentar el mismo recurso ordinario, aunque hay estrategias que prefieren presentarlos ante órganos diferentes por si en alguno de ellos el contribuyente consigue una decisión favorable. A veces, el contribuyente en estos casos no puede elegir. Por ejemplo, no es posible interponer recurso de reposición contra una sanción si se ha presentado previamente REA contra la liquidación que determina la deuda tributaria de la que deriva la sanción, pues resulta obligatoria la acumulación en vía económico-administrativa. Por ello, si el interesado ha presentado recurso de reposición contra la sanción no se resuelve, sino que se envía al TEA para que la tramite y acumule a la REA contra la deuda tributaria.

Capítulo Tercero
RECURSO DE REPOSICIÓN

El recurso de reposición es claramente el medio de revisión tributario más utilizado en la práctica, aunque no existan estadísticas globales o parciales detalladas[73], pero recibe escasa atención desde el punto de vista teórico[74]. Las razones de poco interés que genera son básicamente que su regulación es sencilla, que no suele ser obligatorio y, sobre todo, que es poco valorado porque resuelve el mismo órgano que dictó el acto.

Por otro lado, en el ámbito tributario existen dos recursos de reposición distintos, aunque tienen muchos puntos en común.

El primero es el regulado en la LGT (artículos 222 a 227, que se desarrolla en los artículos 21 a 27 del RGRVA). Es un recurso *"potestativo"* (es decir, no es obligatorio y puede o no presentarse por el contribuyente) y previo a la REA ante los TEAS del Estado. Este recurso procede contra los actos tributarios de la Administración General del Estado (por ejemplo, la AEAT) y de las CCAA (aunque en éstas puedan existir normas específicas).

El segundo es el regulado en la LRHL (artículo 14.2 al que remite el artículo 108 de la LBRL). Este recurso también es *"potestativo"* y previo a la vía económico administrativa para los municipios de gran población, pero es obligatorio en los demás municipios, en los que no existe vía económico-administrativa.

---

[73]   Las Administraciones tributarias no suelen proporcionar demasiados datos y no conozco ningún análisis global que abarque a todas. En el ámbito del Ministerio de Hacienda las Memorias de la Administración tributaria proporcionan una sucinta información. En el momento de escribir estas líneas (durante el mes de abril de 2022) la última publicada en Internet corresponde al año 2019 y refleja 2.362.449 "recursos" resueltos en 2019, pero no aclara si todos ellos son recursos de reposición o si también incluye procedimientos especiales. En la misma Memoria las REAS en los TEARS fueron 172.945 entradas y 202.88 resueltas y en el TEAC fueron 7.971 entradas y 9.193 resueltas. VARIOS, *Memoria de la Administración tributaria 2019*, Ministerio de Hacienda, Inspección General, 2021, págs. 558 a 564.

[74]   No he localizado ningún libro o monografía dedicado exclusivamente al recurso de reposición tributario que sea reciente, aunque se comenta dentro de las numerosas obras dedicadas, en todo o en parte, a la revisión tributaria. Por ejemplo, en mi obra RUIZ TOLEDANO, J. I., ob. cit. (*El Nuevo Régimen...*). Incluso se comenta en libros dedicados a las REAS, sin citar en el título el recurso de reposición. Por ejemplo, CHECA GONZÁLEZ, C., *Reclamaciones Económico-Administrativas*, Thomson Reuters Aranzadi, Cizur Menor (Navarra), 1ª Edición, 2017.

En este capítulo voy a exponer con detalle el recurso de reposición tributario de la LGT y, de forma resumida, adelanto los siguientes aspectos básicos:

1° No es obligatorio. Por ello, el contribuyente puede presentarlo o no, pero si no lo hace pierde una posibilidad de que el acto pueda anularse.

2° Los plazos son cortos y la tramitación es mínima, pues el plazo para presentar es de un mes, las alegaciones y pruebas acompañan al recurso y el plazo para resolver de la Administración también es de un mes. Esto tiene la ventaja de la rapidez, pero también la desventaja de que el contribuyente no tiene demasiado tiempo para elaborar las alegaciones o buscar pruebas.

3° La suspensión sólo se produce con garantías tasadas (sin perjuicio de la suspensión automática sin garantías cuando se recurren sanciones y alguna otra especialidad).

4° Resuelve el propio órgano que dictó el acto. Esto puede provocar que dicho órgano confirme el acto sin dedicar atención, pero también puede ocurrir que evalúe fácilmente sus defectos.

5° Previo a la REA y coordinada con la misma, de forma que todo lo que puede conseguirse en el recurso de reposición puede también obtenerse a través de la REA que es obligatoria antes de acudir a la vía judicial. Al igual que la REA, no requiere abogado ni procurador, es gratuita y no puede empeorar la situación del contribuyente.

También comentaré brevemente al final del capítulo las especialidades de los recursos de reposición en las CCAA y EELL, sobre todo el recurso de reposición en el ámbito local.

En todo caso, es importante no confundir estos recursos de reposición tributarios con otros recursos que tienen el mismo nombre[75].

---

[75] En especial con el recurso de reposición administrativo de los artículos 123 y 124 de la LPACAP. A pesar de grandes coincidencias entre ambos (los plazos para presentar y para resolver y notificar son de 1 mes y resuelve el mismo órgano que dictó el acto), también tienen diferencias. Además, en el ámbito judicial existen recursos con este nombre (por ejemplo, en los artículos 451 a 454 de la LEC), pero con una regulación muy distinta.

1. ANTES DE PRESENTAR EL RECURSO DE REPOSICIÓN

El contribuyente u obligado que recibe un acto tributario de la Administración general del Estado (por ejemplo, de la AEAT) debería tener en cuenta tres aspectos desde el punto de vista práctico antes de presentar el recurso:

En primer lugar, puesto que es un recurso "potestativo", debería preguntarse si conviene que presente el recurso de reposición o, por el contrario, es preferible interponer directamente la REA. No puedo dar una respuesta única a esta pregunta para todos los casos, por las razones que he expuesto en el capítulo segundo al comentar qué mecanismo de revisión conviene utilizar desde el punto de vista práctico.

En segundo lugar, debería tener conciencia de las cuestiones básicas comunes a los diversos medios de revisión, que he examinado en el citado capítulo segundo. Si el contribuyente desea examinar el expediente para preparar las alegaciones, debe hacerlo previamente a la presentación del recurso de reposición, precisamente dentro del plazo de un mes desde la notificación del acto en que puede interponerse el recurso.

En tercer lugar, una vez decidida la presentación del recurso de reposición, el contribuyente no debe olvidar que existen aspectos comunes con las REAS (actos recurribles y legitimados e interesados) y que no es posible simultanear el recurso de reposición con la REA.

1.1. Actos recurribles

Los actos contra los que puede presentarse el recurso de reposición (artículo 222.1 de la LGT) son los mismos que en la REA, por lo que remito al comentario en el capítulo siguiente, aunque no puede utilizarse para las *actuaciones reclamables*, que no son actos administrativos dictados por la AEAT u otras Administraciones tributarias, sino que son actuaciones u omisiones de particulares contra las que puede presentarse REA.

De forma muy resumida pueden recurrirse las resoluciones que finalizan un procedimiento de aplicación de los tributos e imposición de sanciones, aunque también algunos actos de trámite que decidan, directa o indirectamente, el fondo del asunto o pongan término al procedimiento.

En la práctica, los actos tributarios señalan de forma clara cuándo puede presentarse un recurso de reposición (y también la REA). Por ello, si no dicen nada es que son actos de trámite no recurribles. Esto significa que no es recurrible dicho acto de trámite, pero cuando se dicte un acto posterior que finalice el procedimiento podrá interponerse el recurso de reposición (o también REA) contra el acto posterior y en él podrá exponerse lo que se desee también respecto a los actos previos. Por ejemplo, las diligencias de un procedimiento inspector, como regla, no son recurribles, pero cuando se dicte la liquidación o el acto que finalice el procedimiento podrá recurrirse también contra lo reflejado en las diligencias.

1.2. Legitimados e interesados

Los legitimados e interesados en el recurso de reposición son los mismos que en una REA (artículo 223.3 de la LGT), por lo que cabe remitir al comentario en el capítulo siguiente de esta obra.

De forma muy resumida serían los obligados tributarios y los sujetos infractores y cualquier persona cuyos intereses legítimos pueden resultar afectados.

Si el órgano administrativo durante la tramitación del recurso de reposición advierte la existencia de otros titulares de derechos o intereses legítimos notificará la existencia del recurso para que en el plazo de 10 días (hábiles) contados a partir del día siguiente a la notificación puedan realizar alegaciones (artículo 26.1 del RGRVA).

1.3. No es posible simultanear el recurso de reposición y la REA

El contribuyente no puede presentar en el plazo de un mes desde la notificación del acto impugnado a la vez recurso de reposición y REA y, por ello, en el recurso de reposición debe hacer constar que no ha interpuesto REA.

Cuando presenta ambos de forma simultánea sólo el primero que presentó es tramitado (artículo 21 del RGRVA):

- Si la REA es anterior, el órgano que dictó el acto debe inadmitir el recurso de reposición y remitir el expediente administrativo al TEA que esté conociendo la REA.
- Si el recurso de reposición es anterior el TEA deberá inadmitir la REA y el órgano administrativo que dictó el acto remitirá copia para que el TEA lo haga, si bien dicho TEA puede solicitar documentación complementaria antes de resolver.

El contribuyente puede primero presentar recurso de reposición y, una vez resuelto o cuando pueda entenderse desestimado por silencio, presentar

REA, ya que la interposición del recurso de reposición interrumpe los plazos para presentar la posterior REA (artículo 22 del RGRVA).

En la práctica, el registro electrónico o presencial en que el contribuyente suele presentar el recurso o REA refleja la hora, minuto y segundo y siempre existe alguna diferencia temporal en la presentación que permite decidir cuál se interpuso primero.

2. PRESENTACIÓN DEL RECURSO.

El recurso de reposición debe presentar en el plazo de un mes y tiene un contenido obligatorio.

2.1. *Plazo*

El plazo de un mes (artículo 223.1 de la LGT) es improrrogable y se cuenta a partir del día siguiente al de la notificación del acto impugnado o del que debería haberse dictado y notificado el acto en caso de silencio. En dicho plazo el contribuyente puede interponer recurso de reposición o REA, pero no los dos simultáneamente. La forma de computar el plazo y lo que puede hacer el contribuyente cuando ha pasado el plazo de un mes lo he comentado con detalle en el capítulo segundo de esta obra, para todo tipo de recursos.

2.1.1. Plazo en caso de acto expreso

Comienza a contarse a partir del día siguiente al de la notificación del acto y termina el mismo día en que se produjo la notificación, pero del mes siguiente (artículo 30.4 de la LPACAP). Si el último día del plazo es inhábil en el Municipio o Comunidad Autónoma donde reside el contribuyente o tenga su sede el órgano administrativo, el plazo termina el siguiente día que sea hábil. Además, si el mes correspondiente no tiene un día con el mismo número que el de la notificación el plazo termina el último día del mes.

Esta regla tradicionalmente se refleja diciendo que se computa "*de fecha a fecha*", aunque la LPACAP no utilice esta expresión, que ha sido empleada de forma reiterada por la doctrina administrativa y la jurisprudencia.

Por ejemplo, notificado el acto el 17-02-2006 el último día para interponer el recurso de reposición era el 17-03-2006, por lo que interpuesto el 18-03-2006 fue extemporáneo [TEAC 22-11-2006 RG 00-02913-2006

(*Tol 1032573*) y en el mismo sentido TEAC 17-12-2008 RG 00-02642-2007 (*Tol 3061224*)].

2.1.2. Plazo en caso de silencio administrativo

También el contribuyente puede presentar recurso de reposición si la Administración tiene un plazo para dictar un acto y no lo ha hecho. La figura del silencio administrativo[76] permite al contribuyente recurrir entendiendo que el silencio (no resolver) significa que la Administración rechaza lo pedido.

En este caso tiene mucha menos relevancia práctica el recurso que cuando existe un acto expreso, porque al no haber dictado el acto, el órgano administrativo sigue estando obligado a resolver y a notificar y, cuando se dicte el acto expreso, vuelve a tener la posibilidad de recurrir en reposición contra el acto expreso.

El plazo de un mes se cuenta a partir del día siguiente a aquel en que se produzcan los efectos del silencio administrativo y termina el mismo día de aquel en que se produzcan los efectos del silencio, pero del mes siguiente (artículo 30.4 de la LPACAP). También si el último día del plazo es inhábil en el Municipio o Comunidad Autónoma donde reside el contribuyente o tenga su sede el órgano administrativo, el plazo termina el siguiente día que sea hábil. Además, igualmente si el mes correspondiente no tiene un día con el mismo número que el de la notificación el plazo termina el último día del mes.

Por ejemplo, si iniciado un procedimiento por un contribuyente que reside en Badajoz, como puede ser una solicitud de rectificación de una autoliquidación, para que resuelva un órgano de la AEAT con sede también en Badajoz y el plazo máximo para resolver y notificar termina el 30-03-2022, el interesado puede presentar un recurso de reposición a partir del 31-03-2022 y el plazo termina el día 03-05-2022. En efecto, el plazo terminaría el día 31 del mes siguiente, pero como el último día de abril es el 30 sería el día

---

[76] Es una figura compleja (regulada en general en los artículos 24 y 25 de la LPACAP y en el ámbito tributario en los artículos 104 y 211 de la LGT) y consiste en que la falta de respuesta supone que la Administración acepta (silencio positivo) o rechaza (silencio negativo). En el ámbito tributario la mayoría de los procedimientos establecen el silencio negativo, aunque en el procedimiento sancionador (artículo 211 de la LGT) supone la caducidad en el sentido propio del término (es decir implica el archivo sin poder imponer la sanción) e impide que pueda iniciarse un nuevo procedimiento sancionador.

en que, en principio, terminaría. Sin embargo, es inhábil (sábado), lo mismo que el 01-05-2022 (domingo e inhábil) y 02-05-2022 (lunes e inhábil al ser festivo en Extremadura donde está la ciudad de Badajoz que es la sede del órgano administrativo y donde reside el contribuyente).

La Administración en caso de silencio administrativo durante años mantenía la posición de que pasado el plazo de un mes (en el ejemplo citado antes, un recurso presentado el 04-05-2022) estaría fuera de plazo y, por tanto, el recurso de reposición sería extemporáneo, lo que no tendría demasiada trascendencia práctica porque el contribuyente podría esperar a que el órgano administrativo notifique el acto expreso que está obligado a dictar. Sin embargo, esa posición que llevaba a la inadmisión parece haberse flexibilizado, entendiendo que el plazo no empieza si no se han notificado al contribuyente los recursos procedentes, indicando el plazo y órgano ante el que se interpone, lo que supondría, desde el punto de vista práctico, que el contribuyente interpondría en plazo el recurso pasado el plazo de un mes. Es lo que ha reflejado la doctrina administrativa para el plazo de un mes en caso de silencio administrativo ordinario en el recurso de alzada ordinario [TEAC 07-06-2011 RG 00-01257-2009 (*Tol 6428856*)] y en la REA [TEAC 18-04-2013 RG 00-03351-2010 (*Tol 3914599*)].

2.1.3. Plazo en caso deudas periódicas y notificación colectiva.

El plazo de un mes en las deudas periódicas y de notificación colectiva comienza desde el día siguiente al de la finalización del período voluntario de pago.

Por ejemplo, las liquidaciones en el Impuesto sobre Actividades Económicas (IAE) son notificadas de forma colectiva si no existen variaciones en los datos contenidos en la matrícula y el plazo de un mes se cuenta desde el día siguiente a la finalización de la exposición de la matrícula en el tablón de edictos del Ayuntamiento correspondiente o su publicación en el Boletín Oficial de la Provincia o Comunidad Autónoma uniprovincial.

2.2. Contenido

El recurso de reposición tiene un contenido obligatorio. Una parte es común a todos los medios de revisión y otra parte es específica por tratarse de un recurso de reposición. Sin embargo, el contribuyente no tiene que ajustarse a un modelo obligatorio.

Por ello, el contribuyente puede presentar el recurso de reposición redactándolo con sus propias palabras o utilizando los múltiples formularios que existen[77], muchos proporcionados por las Administraciones tributarias.

La ventaja de utilizar formularios es que incluyen el contenido requerido para el recurso y los contribuyentes con menores conocimientos cometerán menos errores.

2.2.1. Contenido común a todos los medios de revisión

El contenido mínimo obligatorio (artículo 2.1 del RGRVA) es común a todos los medios de revisión y lo he comentado, en general, en el capítulo segundo de esta obra. De forma resumida, consiste en la identificación de recurrente (y, en su caso, el representante), el órgano ante el que se formula, la identificación del acto impugnado y la pretensión, el domicilio que se señala a efectos de notificaciones y el lugar, fecha y firma.

La falta de este contenido, como también he comentado en el capítulo segundo, debe ser subsanada (artículo 2.2. del RGRVA) por el contribuyente en el plazo de 10 días (hábiles) a contar del día siguiente al de la notificación del requerimiento de subsanación emitido por el órgano administrativo. Si el contribuyente no subsana, es como si no hubiera interpuesto el recurso de reposición, pues el órgano administrativo archivará y lo tendrá por no presentado, sin entrar en el fondo.

2.2.2. Contenido específico para el recurso de reposición

La normativa exige, si bien de forma dispersa, varios aspectos:

- La mención a que es un recurso de reposición.
- La mención de que no ha sido impugnado mediante REA (artículo 21.1 del RGRVA).
- Las alegaciones y documentos o pruebas que apoyen (artículo 23.1 del RGRVA).
- La solicitud de suspensión, acompañado el documento que formalice la garantía, cuando solicite la suspensión al interponer el recurso (artículo 23.2 del RGVA).

---

[77]   Por ejemplo, VARIOS, *Formularios Tributarios*, ob. cit., págs. 439 a 441 [formulario V.12. (*Tol 7387116*)].

a) La mención a que es un recurso de reposición

Esta mención es lógica, aunque no viene expresada de forma clara en la normativa. Puede parecer poco relevante, pero es muy importante en la práctica, sobre todo si el contribuyente redacta el propio recurso. En este caso recomiendo poner en mayúsculas y al comienzo que es un recurso de reposición y, además, dentro del texto citar la normativa que lo regula (por ejemplo, los artículos 222 a 227 de la LGT), para que la Administración tramite rápidamente el recurso y no cometa errores.

b) La mención a que no ha sido impugnado mediante REA

El contribuyente a veces olvida esta mención, pero si no ha impugnado mediante REA no tiene trascendencia práctica si falta, mientras que, si ha interpuesto REA, aunque diga lo contrario, sólo se tramitará el que haya presentado primero.

c) Alegaciones y pruebas

En el recurso o escrito de interposición el contribuyente tiene que incluir los argumentos (alegaciones) y, además, acompañar los documentos (pruebas) que apoyan dichos argumentos.

No es lo mismo la petición del contribuyente (pretensión) que el argumento o argumentos utilizados para fundar la petición (alegación). Por ejemplo, si el contribuyente interpone un recurso de reposición contra una liquidación, la pretensión podría ser que la Administración la anule y la alegación que ha prescrito el derecho de la Administración a dictar esa liquidación.

Las alegaciones, además de la cita de normas, razonamientos jurídicos y la referencia a las resoluciones y sentencias favorables, deben apoyarse en pruebas. Por ejemplo, si el contribuyente interpone un recurso de reposición contra una liquidación del IRPF del ejercicio 2018 porque los rendimientos que ha tenido en cuenta la Administración, según alega el contribuyente, están exentos al corresponder a una indemnización consecuencia de responsabilidad civil del artículo 7.d) de la Ley 35/2006 del IRPF, debería acompañar el documento que lo reconoce (por ejemplo, copia de una sentencia judicial).

La razón de que las alegaciones y pruebas en el recurso de reposición deban incluirse y acompañar al recurso es que la Administración sólo tiene un plazo de un mes para resolver y notificar y, como regla, no da la posibilidad de más alegaciones. Sin embargo, si el contribuyente encuentra algún argumento más o alguna prueba adicional, puede presentar un escrito de alegaciones complementario, aunque no es fácil que el mismo llegue a tiempo al órgano que resuelve. Lo que puede hacer también es volver a alegarlo en la REA que, en su caso, pueda presentar contra el acuerdo que resuelve el recurso de reposición.

Las pruebas que se presentan con el recurso de reposición son normalmente documentos públicos o privados, pero podría acompañarse o solicitarse prueba no documental. Sin embargo, recomiendo que la prueba se incorpore a un documento. Por ejemplo, el contribuyente en el recurso de reposición quiere alegar, para justificar la residencia habitual, lo que dice el portero o los vecinos y basta acompañar los escritos firmados en que lo expresan. Cuestión distinta es cómo el órgano administrativo valore estas pruebas.

La Administración tradicionalmente en el recurso de reposición no admitía pruebas que pudieron presentarse antes, pero la STS 20-04-2017 recurso 615/2016 (*Tol 6057628*) admitió que el interesado podía presentar pruebas en dicho recurso de reposición, incluso si dicho interesado no las había aportado antes habiendo sido requerido para ello por la Administración.

Si el contribuyente desea examinar el expediente administrativo para formular alegaciones, debe comparecer durante el plazo de interposición del recurso para que el órgano administrativo que dictó el acto lo ponga de manifiesto (artículos 223.2 de la LGT y 24 del RGRVA). Por ello, la puesta de manifiesto es previa a la interposición del recurso y en el plazo de un mes desde la notificación del acto que se pretende hasta presentar el recurso de reposición.

d) La solicitud de suspensión

No es obligatorio que en el escrito de interposición del recurso el contribuyente solicite la suspensión. La razón es que la suspensión es una posibilidad para el contribuyente y, además, puede solicitarse después de presentar el recurso. Sin embargo, recomiendo que la solicitud de suspensión se incluya en el escrito de interposición y se acompañe la justificación de la garantía.

3. SUSPENSIÓN DEL ACTO RECURRIDO EN REPOSICIÓN.

La interposición del recurso de reposición no suspende, en general, la ejecución del acto recurrido. Por ello, el contribuyente si desea la suspensión debe solicitarla y está condicionada normalmente a la aportación de determinadas garantías, que suelen llamarse garantías "*tasadas*".

Como excepción, en las sanciones tributarias existe suspensión automática sin necesidad de aportar garantías por el mero recurso. Esta medida tiene su justificación en que el acto es precisamente una sanción tributaria y provoca que, en algunos casos, el contribuyente recurra no tanto porque esté en desacuerdo con la sanción, sino para retrasar el pago de la misma.

La relevancia de la suspensión de la ejecución del acto recurrido provoca una detallada regulación (artículos 224 de la LGT y 25 del RGRVA[78]) dentro del recurso de reposición.

Además, la jurisprudencia ha aclarado que una vez solicitada la suspensión de la ejecución en cualquier vía (es decir, incluida la solicitud de suspensión con ocasión de un recurso de reposición) la Administración no puede iniciar el procedimiento de apremio hasta dictar una resolución notificada sobre la solicitud de suspensión [STS 27-02-2018 recurso 170/2016 (*Tol 6534387*)]. Incluso, en base al principio de buena Administración, aunque no haya solicitado la suspensión, la Administración no puede dictar una providencia de apremio hasta que el recurso de reposición interpuesto se resuelva [STS 28-05-2020 recurso 5751/2017 (*Tol 7966258*)], lo que tiene una gran importancia práctica.

3.1. Casos de suspensión en el recurso de reposición

Las posibilidades de suspensión en el recurso de reposición son básicamente, como he dicho, la suspensión con garantías tasadas para actos distintos de las sanciones tributarias y la suspensión sin garantías para las sanciones tributarias. También existe la suspensión sin garantías en caso de

---

[78]   En el ámbito de la AEAT hay que tener en cuenta también la Resolución de 21-12-2005, por la que se dictan criterios de actuación, entre otros, en materia de suspensión de la ejecución de actos impugnados. Como es una norma dictada por el Presidente de la AEAT y Secretario de Estado de Hacienda vincula a la AEAT y a los TEAS, pero no a los contribuyentes, aunque su contenido da información sobre lo que harán la AEAT y los TEAS.

error de hecho, especialidades de suspensión en tributos de gestión compartida y otros supuestos de suspensión regulados en normas específicas.

La regulación está pensando fundamentalmente en deudas tributarias (sobre todo, liquidaciones), pero existen actos tributarios que no implican deuda (por ejemplo, requerimiento a una entidad bancaria para que identifique los titulares de cajas de seguridad) y puede también solicitarse la suspensión.

La jurisprudencia cuando los actos tributarios tienen contenido negativo mantiene la regla de que no se suspenden por la interposición del recurso, aunque hay que analizar los casos concretos [STS 10-10-2011 Rec. 3941/2009 (*Tol 2265935*)]. En el caso de la denegación de un aplazamiento no sólo existe un acto negativo, pues genera una obligación positiva de dar, es decir la entrega de una cantidad de dinero determinada y, por ello, suspende [STS 27-06-2012 Rec. 2161/2011 (*Tol 2596976*)]. En el caso de exigencia a un deudor en concurso voluntario de acreedores cualquier daño a su patrimonio será evitado por el juez del concurso [STS 18-12-2012 recurso 2392/2012 (*Tol 2723075*)]. Esta jurisprudencia ha sido tenida en cuenta por la Administración que reconoce que solicitada la suspensión del aplazamiento y denegada se ha producido, en la práctica, un aplazamiento porque con la denegación se otorga un nuevo plazo de ingreso (por ejemplo, TEAC 27-02-2014 RG 00-05501-2012 (*Tol 4606520*) resolviendo un recurso en unificación de criterio).

Por otro lado, el recurso de reposición puede referirse sólo a una parte de la deuda derivada del acto recurrido (por ejemplo, si en una liquidación por el IRPF la deuda tributaria del ejercicio 2017 es 15.000 euros y la de 2018 es 5.000 euros, puede que el recurrente sólo está disconforme con la deuda de 2017 y acepte la de 2018). En este caso, la suspensión sólo afecta a la parte recurrida en reposición y debe ingresarse el resto (artículo 224.4 de la LGT).

3.1.1. La suspensión automática con garantías tasadas

Es el supuesto general (primer párrafo del artículo 224.1 de la LGT) para todos los actos recurridos en reposición, salvo que se trate de sanciones tributarias.

Las garantías tasadas son el depósito de dinero o valores públicos, el aval o fianza solidaria de entidad de crédito o sociedad de garantía recíproca o certificado de seguro de caución y la fianza personal y solidaria de otros dos contribuyentes de reconocida solvencia (pero sólo en el caso de deudas que no superen los 1.500 euros). Dada su importancia práctica, comento en un epígrafe posterior con detalle estas garantías y sus requisitos de suficiencia económica y jurídica. Estas garantías a veces tienen un coste económico para el contribuyente (por ejemplo, el aval o fianza solidaria de una entidad de crédito), pero el contribuyente que obtiene la estimación del recurso de reposición puede obtener el reembolso de dicho coste por parte de la Administración[79].

Los contribuyentes que no pueden aportar estas garantías, en ocasiones optan por prescindir del recurso de reposición potestativo e interponen directamente la REA, en la que es posible aportar otro tipo de garantías o, incluso, solicitar la suspensión sin garantías en casos específicos.

Dada la jurisprudencia del TS de que no puede dictarse providencia de apremio hasta que el órgano administrativo no resuelva la solicitud de suspensión y también resuelva el recurso de reposición, que antes he citado, algunos contribuyentes en la práctica solicitan la suspensión en base a otras garantías o, incluso, en base a perjuicios de imposible reparación (que no está prevista para el recurso de reposición) para conseguir retrasar el ingreso de la deuda tributaria en la práctica.

El TEAC en base a la jurisprudencia del TS ha anulado la providencia de apremio dictada y notificada antes de la notificación del acuerdo de archivo de la solicitud de suspensión en un recurso de reposición en un caso en que se solicitó con garantía hipotecaria [TEAC 27-02-2020 RG 00-03181-2017 (*Tol 8871481*)] o, en otro caso en que se solicitó aportando el único activo que tenía la sociedad, que era un contrato de préstamo con otra mercantil, porque no era posible obtener avales bancarios de entidades financieras [TEAC 27-02-2020 RG 00-05669-2017 (*Tol 8871486*)].

3.1.2. La suspensión sin garantías para las sanciones tributarias

El recurso de reposición contra una sanción tributaria provoca su suspensión automática sin necesidad de que el contribuyente lo solicite y sin necesidad de aportar garantías.

---

[79]   Si hay una posterior REA en vía administrativa y, en su caso, en la vía judicial, con independencia de que pida y consiga la suspensión en estas vías, puede que tenga que esperar a que exista una resolución o sentencia firme.

Algunos contribuyentes en el recurso recuerdan al órgano administrativo la obligación de suspender (citando el segundo párrafo del artículo 224.1 de la LGT y el artículo 212.3 de la LGT), pero ello no resulta necesario.

Además, en las sanciones tributarias recurridas en reposición la Administración no puede exigir intereses de demora por la suspensión hasta que termine el plazo de pago abierto con la resolución que resuelve el recurso[80].

Las sanciones tributarias objeto de un acuerdo de derivación de responsabilidades también se suspenden, salvo en algunos casos de responsabilidad solidaria previstos legalmente[81] y sin que afecten a las actuaciones recaudatorias producidas previamente. La suspensión de las sanciones afecta tanto al sujeto infractor que recurra en reposición, como al responsable que recurra en reposición.

3.1.3. La suspensión sin garantías en caso de error de hecho

También puede suspenderse por el órgano administrativo el acto recurrido en reposición sin que el contribuyente tenga que aportar garantías cuando se ha podido incurrir en error de hecho.

Por ello, el contribuyente que basa el recurso de reposición en que el acto incurre en un error de hecho puede pedir la suspensión sin necesidad de aportar garantías, pero debe aportar la documentación que acredite dicho error.

La razón que explica esta suspensión sin garantías es que si el error de hecho ha sido cometido por el órgano administrativo lo que debe hacer es

---

[80] Si el contribuyente presenta después una REA también la sanción sigue suspendida automáticamente y no se devengan intereses de demora hasta que termine el plazo de pago abierto con la resolución que finalice la vía administrativa.

[81] El artículo 25.1 del RGRVA se refiere a los casos de responsabilidad tributaria del artículo 42.2 de la LGT, es decir los causantes o que colaboren en la ocultación o transmisión de bienes o derechos del obligado al pago con la finalidad de impedir la actuación de la Administración tributaria, quienes incumplan las órdenes de embargo con culpa o negligencia, quienes, con conocimiento del embargo, la medida cautelar o la constitución de la garantía, colaboren o consientan en el levantamiento de los bienes o derechos embargados, o de aquellos bienes o derechos sobre los que se hubiera constituido la medida cautelar o la garantía y los depositarios de los bienes del deudor que, una vez recibida la notificación del embargo, colaboren o consientan en el levantamiento de los bienes.

estimar rápidamente el recurso y aceptar que ha existido suspensión por dicho error.

El problema práctico es que el error de hecho puede referirse a un parte del acto (por ejemplo, en una liquidación de 100.000 euros el órgano administrativo ha cometido un error aritmético y ha sumado dos veces el mismo ingreso de 5.000 euros, de forma que el resultado de la liquidación debería ser 95.000 euros). En estos casos, el contribuyente que recurre en reposición debería solicitar la suspensión con garantías tasadas por la parte del acto no afectado por el error de hecho.

En cuanto a qué es un error de hecho (error material, de hecho o aritmético) me remito al capítulo quinto al exponer el procedimiento especial de rectificación de este tipo de errores (artículo 220 de la LGT). La idea básica es que el error de hecho es totalmente ajeno a cualquier argumentación jurídica. Por ello, un error aritmético es un caso claro de error de hecho (por ejemplo, una liquidación que determina una cuota tributaria de 11.000 euros y unos intereses de 1.111 euros y expresa que la deuda tributaria suma de los dos es 11.111 euros, en vez de la correcta de 12.111 euros).

En la práctica no siempre es fácil delimitar que es error de hecho, frente al error de Derecho (o jurídico) y algunos contribuyentes tienen la tendencia a considerar que todo error es de hecho. También hay contribuyentes que, incorrectamente, solicitan la suspensión en base a un error que claramente no es de hecho, para conseguir retrasar el ingreso de la deuda tributaria.

3.1.4. Especialidades de la suspensión en tributos de gestión compartida

El recurso de reposición contra el acto censal relativo a un tributo de gestión compartida no suspende en ningún caso el procedimiento de cobro de la liquidación que pueda practicarse, aunque si la resolución dictada en materia censal afectase al resultado de la liquidación procederá la devolución de ingresos (tercer párrafo del artículo 224.1 de la LGT).

En los tributos de gestión compartida el acto de gestión censal y el acto de liquidación tienen cada uno su cauce de impugnación independiente. Por ejemplo, en el IBI el Ayuntamiento dicta el acto de liquidación (contra el que cabe el recurso de reposición regulado en el artículo 14.2 de la LRHL), mientras la determinación del valor catastral (que es el acto de gestión censal) lo realiza el Catastro (que es un órgano estatal y, por ello, cabe el recurso de reposición regulado en la LGT). Cada uno de estos actos puede suspenderse según las reglas generales de suspensión[82], por lo que la especialidad sólo consiste en que la impugnación del acto de gestión censal (por ejemplo, la determinación del valor catastral de una vivienda) no suspende el acto de liquidación (por ejemplo, la liquidación del IBI de dicha vivienda realizada por el Ayuntamiento). El acto de liquidación debe suspenderse aportando garantías tasadas. No obstante, si la resolución afecta al acto de gestión censal (en el ejemplo, el valor catastral de la vivienda es modificado), también tendrá consecuencia en el acto de liquidación (en el ejemplo, la liquidación del IBI de la vivienda que tiene en cuenta el valor catastral pasa a ser incorrecto) y ello puede llevar a la devolución de ingresos.

3.1.5. Los casos de suspensión regulados en normas específicas

Estos casos (artículo 25.12 del RGRVA) están regulados por la norma específica. Por ejemplo, en la tasación pericial contradictoria, pues la presentación de la solicitud de la tasación o la reserva del derecho a promover dicha tasación determina la suspensión de la ejecución de la liquidación y del plazo para interponer recurso (artículo 135.1 de la LGT). La solicitud de la tasación pericial contradictoria lo que provoca es que se suspenda la ejecución, aunque no se haya presentado el recurso, pero si se presenta recurso de reposición y el contribuyente se reserva el derecho a promover dicha tasación, siempre que la normativa del tributo lo prevea, se produce una suspensión regulada en norma específica en el recurso de reposición en la parte afectada por la citada reserva.

3.2. Garantías tasadas en el recurso de reposición

La suspensión de la ejecución del acto recurrido en el recurso de reposición, salvo casos especiales como las sanciones tributarias, está condicionada a la aportación de las garantías normalmente denominadas "tasadas", que deben cumplir unas exigencias, que dependen del tipo de garantía y normalmente son denominadas de suficiencia jurídica[83].

---

[82] Para el recurso de reposición contra el acto de liquidación del Ayuntamiento la suspensión está regulada en el artículo 14.2.i) de la LRHL, que remite a la regulación general estatal (actualmente en la LGT y el RGRVA).

[83] Para la AEAT apartado Tercero.4 (requisitos de suficiencia jurídica de las garantías) de la Resolución de 21-12-2005.

Además, la garantía debe alcanzar (primer párrafo del artículo 224.1 de la LGT y denominada suficiencia económica[84]) al importe de la deuda tributaria que se pide, los intereses de demora por la suspensión (un mes si sólo se solicita para el recurso de reposición[85]) y los recargos que pudieran proceder (en el caso del recargo ejecutivo es el 20% de la deuda, que corresponderá si no se paga y procede ejecutar la garantía).

3.2.1. Depósito de dinero o valores públicos

El depósito es una consignación y sólo puede realizarse en dinero o valores públicos (por ejemplo, obligaciones del Tesoro Público), por lo que no está previsto en valores privados (por ejemplo, acciones de una entidad cotizada). Son casos raros en la práctica,

En las suspensiones ante la AEAT debe aportarse el certificado de la Caja General de Depósitos, con indicación del importe de la deuda cuya suspensión se solicita, intereses de demora y recargos.

3.2.2. Aval o fianza de carácter solidario de entidad de crédito o sociedad de garantía recíproca o certificado de seguro de caución

El aval de una entidad de crédito es la garantía más frecuente en la práctica.

En las suspensiones ante la AEAT, el avalista será una entidad española, comunitaria o extranjera debidamente autorizada para desarrollar su actividad en territorio español. El documento debe incorporar las firmas de los apoderados de la entidad legitimadas por fedatario público o mediante comparecencia ante la Administración y en el texto tiene que constar la cláusula de solidaridad y la renuncia a los beneficios de excusión y división[86].

---

[84]   Para la AEAT apartado Tercero.3 (requisitos de suficiencia económica de las garantías) de la Resolución de 21-12-2005.

[85]   Es frecuente que si va a interponer una REA, para el caso en que el recurso de reposición no estime totalmente, la garantía abarque no sólo el recurso de reposición, sino también la REA, teniendo en estos casos que cubrir los intereses también los plazos de la REA. Incluso puede que la garantía se establezca para que tenga efectos en vía judicial, sin perjuicio de la decisión que adopte el órgano judicial en la pieza de medidas cautelares.

[86]   La Resolución de 28-02-2006 de la Dirección General de la AEAT, en la redacción dada por la Resolución de 20-09-2021 establece el procedimiento de validación de los avales

En un seguro de caución, para las suspensiones ante la AEAT, el asegurador es una entidad en activo autorizada para operar en España, el asegurado la Administración competente para ejecutar y el tomar el interesado.

3.2.3. Fianza personal y solidaria de otros contribuyentes de reconocida solvencia para los supuestos que se establezcan en la normativa tributaria

Sólo se aplica cuando el importe de la deuda suspendida no exceda de 1.500 euros (OM EHA/3987/2005 de 15-12-2005) y los fiadores han de ser dos personas (físicas o jurídicas) que no tengan la condición de interesados en el procedimiento cuya suspensión se solicita, estén al corriente de sus obligaciones tributarias y con una situación económica que permita asumir el pago de la deuda suspendida.

3.3. *Procedimiento de suspensión en el recurso de reposición*

El procedimiento es sencillo (artículo 25 del RGRVA), ya que las garantías son tasadas y la competencia para tramitar y resolver la solicitud de suspensión corresponde al órgano que dictó el acto. En el recurso de reposición coinciden en ese mismo órgano la competencia para tramitar y resolver el recurso y también para resolver la suspensión de la ejecución ligada al mismo.

3.3.1. Solicitud

La solicitud se presentará ante el órgano que dictó el acto en cualquier momento de la tramitación del recurso de reposición, acompañando el documento que formalice la garantía constituida a favor del órgano que dictó el acto impugnado, pues su falta provoca el archivo de la solicitud, que debe notificarse al interesado y que la solicitud no tenga efectos suspensivos.

Es aconsejable incluir la solicitud en el propio recurso de reposición, pues sólo tendrá efectos a partir del momento de la solicitud y el plazo para resolver el recurso es muy corto.

---

mediante un código NRC (Número de Referencia Completo) y la posibilidad desde 04-09-2021 de que la propia AEAT emita el NRC, en vez de la entidad.

3.3.2. Subsanación de defectos

Sólo está previsto el caso en que el documento que formaliza la garantía presenta defectos (la falta del documento no se subsana, sino que supone el archivo) y el órgano requerirá al interesado para que en el plazo de 10 días (hábiles) desde la notificación del requerimiento subsane los defectos. El órgano competente acuerda la suspensión si los defectos se subsanan o deniega la suspensión si no se subsanan.

3.3.3. Resolución

La suspensión debe notificarse al interesado y tiene efectos desde la fecha de la solicitud. Se produce cuando exista recurso de reposición y la solicitud acompañe garantía bastante y, si hubiera sido necesario, se hubieran subsanado los defectos). Debe notificarse al interesado.

La denegación de la suspensión debe notificarse al interesado, que puede interponer REA ante el TEA al que correspondería resolver la posible REA contra el acto cuya suspensión se solicita (artículo 25.11 del RGRVA). Los efectos de la denegación dependen de si la deuda en el momento de solicitar la suspensión estaba en:

– Período voluntario, pues la notificación iniciará los plazos de ingreso en período voluntario, así como intereses de demora.

– Período ejecutivo, pues implicará el inicio del plazo de apremio, en caso de que no estuviera iniciado antes.

La normativa no establece un plazo expreso para resolver y notificar, pero lógicamente no debería superar el plazo de resolución del recurso de reposición (un mes).

3.3.4. Finalización de la suspensión

La suspensión de la ejecución del acto recurrido en reposición dura hasta la resolución del recurso, aunque la suspensión puede continuar cuando el interesado interponga una posterior REA. Los efectos de la finalización de la suspensión, en especial, en los actos de contenido económico, dependen de la resolución del recurso de reposición:

– Cuando anula totalmente el acto suspendido y no procede dictar un nuevo acto, la Administración debe devolver la garantía y reembolsar el coste de las garantías.

– Cuando confirma el acto o anule parcialmente el acto, el interesado debe ingresar total o parcialmente el importe correspondiente y los intereses de demora, aunque la Administración debe reembolsar de forma proporcional el coste de las garantías si la resolución anula parte del acto.

En su caso, si se ingresa total o parcialmente el importe derivado del acto impugnado y el acto ha estado suspendido, procede liquidar intereses de demora por todo el período de suspensión (artículo 224.6 de la LGT), excepto en las sanciones (en que no se devengan intereses según el artículo 212.3 de la LGT) o cuando haya transcurrido el plazo máximo para resolver (en que deja de devengarse a partir de dicho plazo máximo según el artículo 26.4 de la LGT).

4. TRÁMITES ESPECIALES.

La tramitación del recurso de reposición es muy sencilla, casi siempre, porque el recurso debe incluir alegaciones y pruebas y el plazo para resolver y notificar es de un mes. Sin embargo, en algunos casos la tramitación es un poco más complicada, porque pueden existir trámites especiales, relacionados con el recurrente u otros interesados.

4.1. Subsanación de defectos

La Administración debe tramitar y resolver el recurso, aunque tenga defectos, pero el órgano que dictó el acto puede requerir al interesado para que en el plazo de 10 días (hábiles) a partir del día siguiente al de la notificación del requerimiento subsane los defectos o acompañe los documentos que resulten necesarios, advirtiendo que si no lo hace archivará el recurso, lo que equivale a que no se hubiera presentado (artículo 2.2. del RGRVA) y también se subsanará si procede la representación (artículo 3.2 del RGRVA). Esto es común para los diversos medios de revisión administrativos y lo he comentado con detalle en el capítulo segundo.

4.2. Puesta de manifiesto del expediente administrativo

El contribuyente no tiene la posibilidad de solicitar la puesta de manifiesto del expediente administrativo durante la tramitación del recurso. Esto resulta totalmente lógico porque, si fuera posible, difícilmente el recurso podría resolverse y notificarse en el plazo de un mes. Por ello, la puesta de manifiesto es previa a la interposición del recurso y precisamente en el plazo de un mes desde la notificación del acto hasta la presentación del recurso (artículos 223.2 de la LGT y 24 del RGRVA).

Una vez presentado el recurso no podrá verse el expediente para realizar alegaciones (tercer párrafo del artículo 24 del RGRVA). Esto ocurre incluso cuando no ha pasado el plazo de un mes para interponer el recurso. Por ejemplo, el recurrente interpuso a los 15 días.

Sin embargo, nada parece impedir que el órgano que dictó el acto pueda poner de manifiesto el expediente, aunque no sea a solicitud del recurrente, pero cabe entender que ello debería resultar excepcional en la práctica.

4.3. Solicitud de informes o datos

El órgano que dictó el acto, que tramita el recurso de reposición, puede solicitar informes o datos a otros órganos administrativos. Curiosamente la normativa no lo menciona al regular la tramitación, pero si dentro del plazo para resolver (artículo 225.4 de la LGT). Dada la falta de regulación específica hay que entender que es aplicable con carácter supletorio lo contemplado en las disposiciones generales del derecho administrativo[87].

4.4. Supuestos especiales de alegaciones

Aunque desde el punto de vista práctico son casos raros, está previsto que el órgano administrativo permita que los interesados presenten alegaciones[88] tras el recurso, cuando el órgano administrativo procede a la extensión de la revisión y cuando existen otros interesados.

4.4.1. Extensión de la revisión

El órgano que resuelve el recurso de reposición puede examinar y resolver cuestiones no planteadas por los interesados (artículo 223.4 de la LGT), lo que jurídicamente suele recibir el nombre de *"extensión de la revisión"*, pero nunca puede llevar a que empeore la situación inicial del recurrente, lo

---

[87]   Artículos 79 y 80 de la LPACAP.
[88]   Por ejemplo, VARIOS, *Formularios Tributarios*, ob. cit., págs. 442 a 443 [formulario V.13. (*Tol 3968765*)].

que jurídicamente se llama prohibición de la *reformatio in peius* (reformar a peor).

En estos casos el órgano que dictó el acto expondrá las cuestiones no planteadas a los propios interesados, para que en el plazo de 10 días (hábiles) contados a partir del día siguiente al de la notificación puedan alegar (artículo 26.2 del RGRVA). Por tanto, no es obligatorio alegar.

Por ejemplo, si una liquidación por IRPF dictada por la AEAT modifica el mínimo personal y familiar y deniega la deducción por maternidad, puede que el contribuyente recurra en reposición porque no está de acuerdo con que no se conceda la deducción, pero acepte la modificación del mínimo. En este caso, el órgano administrativo puede plantear al contribuyente alguna cuestión en relación con dicho mínimo, aunque el mismo no la haya planteado.

En la práctica, en ocasiones el órgano administrativo examina alguna cuestión que el contribuyente no ha planteado y lo hace en beneficio del interesado, es decir a mejor, pero no concede trámite de alegaciones. Sin embargo, difícilmente el contribuyente, que ha visto mejorada su situación, se va a quejar de la falta del trámite de alegaciones.

4.4.2. Otros interesados

Cuando existen otros interesados en el recurso (por ejemplo, un acto que afecta a varios contribuyentes y recurre en reposición sólo uno de ellos) también el órgano que dictó el acto notificará a los demás interesados la existencia del recurso para que puedan formular alegaciones en el plazo de 10 días (hábiles) a partir del día siguiente a la notificación (artículo 26.1 del RGRVA). Tampoco es obligatorio alegar.

4.5. Otros trámites complementarios

Es discutible si el órgano que tramita el recurso puede realizar otros trámites complementarios, pues no están expresamente previstos. Por ejemplo, requerir documentación al propio recurrente que entienda necesaria para resolver o requerir a otros contribuyentes. Esto retrasaría la tramitación del procedimiento y seguramente impedirá que el recurso se resuelva y notifique en plazo, pero no son casos que no se computan a efectos del plazo de un mes, a diferencia de la solicitud de informes y datos a otros órganos administrativos o cuando se dan alegaciones al contribuyente.

Mi opinión personal es que al tramitar el recurso de reposición pueden realizarse otros trámites complementarios no previstos expresamente, pero no se excluyen para el cómputo del plazo de un mes para resolver o notificar, lo que desincentiva al órgano que tramita el recurso a hacerlo.

Estos trámites pueden ser meramente convenientes para evitar posteriores recursos. Por ejemplo, solicitar al contribuyente documentación complementaria, en vez de desestimar porque falta, pues el contribuyente lo que haría es presentar la REA y aportar dicha documentación.

También creo que puede existir algún caso en que sea necesario hacerlo, aunque advierto que puede ser discutible. Por ejemplo, en un procedimiento de comprobación limitada por el IRPF es frecuente que la propuesta de liquidación exprese que se apoya en datos procedentes de terceros para que dicho contribuyente pueda alegar la inexactitud y falsedad y, en este caso, el órgano administrativo debe contrastarlos con el tercero (artículos 108.4 de la LGT y 92.2 del RGAT). Sin embargo, puede ocurrir que la propuesta no diga nada y sea la liquidación la que refleje los citados datos de terceros. En este caso, si hipotéticamente el contribuyente alegara en el recurso de reposición la inexactitud o falsedad de los datos provenientes de terceros (aunque no citara el artículo 108.4 de la LGT), creo que dentro del recurso de reposición habría que contrastarlos antes de resolver el recurso.

5. ACUERDO QUE RESUELVE EL RECURSO Y SU REVISIÓN

La resolución que resuelve el recurso de reposición corresponde al órgano que dictó el acto recurrido[89] (artículo 225.1 de la LGT), sin que pueda dejar de resolver, ni siquiera argumentando duda racional o deficiencia en los preceptos legales (artículo 225.2 de la LGT), siendo posible su revisión en vía administrativa y, en su caso, judicial.

La LGT utiliza normalmente el nombre de resolución, pero también cita acuerdo, que es muy habitual (por ejemplo, la AEAT suele llamarlo "*acuerdo de resolución*"). En todo caso, es un acto administrativo, que resuelve el recurso de reposición, aunque de forma habitual se hable de la resolución.

---

[89]   Si el acto es dictado por delegación, salvo que la misma diga otra cosa, debe resolverse por el órgano delegante. Por ejemplo, si una liquidación es dictada por el Adjunto de la Dependencia de Gestión Tributaria de Ávila de la AEAT por delegación del Jefe de dicha Dependencia, el recurso de reposición debe resolverse por el Jefe, salvo que la delegación permita también resolver el recurso de reposición.

5.1. Contenido

La resolución debe contener una exposición sucinta de los hechos y los fundamentos jurídicos adecuadamente motivados (artículo 225.2 de la LGT).

La motivación es el punto más importante, que he comentado en general en el capítulo segundo para todos los medios de revisión (artículo 215 de la LGT). La necesidad de la adecuada motivación es común a todos los actos administrativos y a las sentencias judiciales y supone la explicación suficiente de los motivos que llevan a tomar la decisión.

La jurisprudencia del TC y del TS es muy numerosa, pero referida en general a la motivación, sobre todo de las sentencias judiciales, pero no a la motivación de la resolución del recurso de reposición. Sin embargo, hay que considerar aplicable la misma al recurso de reposición, en cuanto la motivación es esencial para exteriorizar el fundamento jurídico de la decisión y permitir su control, pero no es necesario que sea exhaustiva si cumple estas dos.

Por ello, la motivación no requiere una exposición detallada de todas las alegaciones, ni una contestación de forma pormenorizada del proceso lógico que lleva a la decisión, sino una argumentación que refleje los motivos de dicha decisión (muchas veces se utiliza la expresión latina *ratio decidendi*, es decir, la razón de la decisión). Tampoco hay siempre que responder a todas las alegaciones concretas, siempre que decida sobre la pretensión, pues puede responder de forma conjunta. Por otro lado, la omisión de respuesta de una alegación no equivale a su aceptación. Además, la motivación puede realizarse por remisión a un acto previo o a informes y dictámenes que forman parte del procedimiento.

En todo caso, como muchos recursos de reposición tributarios son interpuestos por contribuyentes con escasos conocimientos jurídicos y están referidos a actos de pequeña cuantía (sobre todo IRPF o recaudación), el órgano administrativo debería tratar de explicar en palabras sencillas las razones de su decisión. Es decir, que la motivación no sólo sea correcta jurídicamente, sino que pueda entenderse por cualquier persona.

A diferencia de lo que ocurre con la resolución de la REA, la normativa no expresa las posibilidades de la resolución (sólo el artículo 225.3 de la LGT al tratar otro tema cita la estimación total o parcial), pero hay que entender que también puede ser desestimatoria, estimatoria en todo o en parte o declarar la inadmisibilidad (es decir, que no es admisible, por ejemplo, por haberse interpuesto fuera de plazo)[90]. También puede terminar por desistimiento, renuncia o caducidad[91]. Además, igualmente parece posible que la resolución estime en parte por defectos formales y retrotraiga las actuaciones al momento en que se produjo el defecto formal, aunque como el órgano que resuelve el recurso de reposición es el mismo que dictó el acto, en la medida de lo posible, sólo debería hacerse si lo solicita el recurrente y siempre que efectivamente el defecto formal produzca indefensión, pues si ha quedado solucionado en las alegaciones del recurso no parece que resultara necesario.

Cuando la resolución del recurso de reposición estime total o parcialmente el recurso contra la liquidación de una obligación tributaria conexa a otra del mismo obligado tributario[92] en ejecución se regularizará la obligación conexa distinta de la recurrida en la que la Administración hubiese aplicado los criterios o elementos en que se fundamentó la liquidación de la obligación tributaria objeto de la reclamación. Si resultase la anulación de la liquidación de la obligación conexa distinta de la recurrida y la práctica de una nueva liquidación que se ajuste a lo resuelto en el recurso, habrá de tenerse en cuenta a efectos de intereses de demora (artículo 225.3 de la LGT que remite al artículo 26.5 de la LGT).

---

[90]   A falta de regulación expresa, cabría entender aplicable, con carácter supletorio, el artículo 116 de la LPACAP sobre causas de inadmisión de los recursos administrativos.

[91]   A falta de regulación expresa, cabría entender aplicable, con carácter supletorio, los artículos 94 (desistimiento y renuncia por los interesados) y 95 (caducidad) de la LPACAP sobre la finalización del procedimiento administrativo común. La caducidad significa que se produce la paralización por causa imputable al interesado y, después de advertirlo la Administración, el interesado requerido no hace las actividades procedentes para reanudar la tramitación. No parece un supuesto que en la práctica sea habitual en el recurso de reposición, pues está regulado el archivo cuando el interesado no subsane el contenido del escrito de interposición (artículo 2.2 del RGRVA) o la falta de representación (artículo 3.2 del RGVA)

[92]   Las obligaciones tributarias conexas (artículo 68.9 de la LGT, en la redacción dada por la Ley 34/2015, así como otros preceptos) constituyen una materia especialmente complicada desde el punto de vista jurídico. En palabras sencillas, son obligaciones tributarias que están relacionadas (por ello se llaman "conexas") con otras obligaciones tributarias y, si se comprueba una de ellas, debe tener consecuencias respecto a la otra, incluida la interrupción de la prescripción. Por ejemplo, la AEAT en la comprobación del IRPF del ejercicio 2016 considera que un ingreso no corresponde temporalmente a 2016, sino al ejercicio 2017. Para su análisis más detallado cabe consultar cualquier manual o libro general de procedimientos. Por ejemplo, Memento Procedimientos tributarios, ob. cit., págs. 783 y 784. También pueden consultarse comentarios específicos sobre las obligaciones conexas. Por ejemplo, GÓMEZ TABOADA, J., "Las obligaciones tributarias conexas" en VARIOS, *Comentarios a la Ley General Tributaria el hilo de su reforma*, Wolters Kluwer AEDAF CISS, 2016, págs. 79 a 101.

5.2. Plazo para dictar y notificar

El órgano que dictó el acto debe resolver y notificar la resolución del recurso de reposición en el plazo máximo de un mes contado desde el día siguiente al de presentación del recurso (artículo 225.4 de la LGT) y debe notificar al recurrente y demás interesados si los hubiera (artículo 27 del RGRVA). Sin embargo, en algunos casos el órgano administrativo tiene un plazo mayor porque el mes no incluye el período concedido para efectuar alegaciones o para que otros órganos administrativos remitan los datos o informes solicitados, pero sin que estos períodos superen los dos meses.

El órgano administrativo puede superar el plazo de un mes, pero como sigue estando obligado a resolver y notificar, el recurrente puede limitarse a esperar, pero también puede interponer REA entendiendo que el recurso no le ha dado la razón (es decir, desestimación por silencio administrativo, según el artículo 225.5 de la LGT).

Además, transcurrido el plazo de un mes sin que se haya notificado la resolución del recurso y cuando existe suspensión del acto recurrido dejan de devengarse intereses de demora (artículo 225.4 de la LGT que se remite al artículo 26.4 de la LGT).

5.3. Revisión

La resolución del recurso de reposición puede revisarse mediante la REA, en el plazo de un mes a contar desde el día siguiente de la notificación (artículo 235.1 de la LGT), con carácter previo a acudir a la vía judicial. También es posible acudir a los procedimientos especiales de revisión y al recurso extraordinario de revisión (en algunos casos es posible dentro del plazo de un mes para interponer la REA, pero en otros casos después porque sólo puedan impugnarse actos firmes). Sin embargo, recomiendo interponer la REA porque, a través de la misma, puede conseguirse los mismo que en estos mecanismos especiales y extraordinarios, que sólo están previstos en casos o circunstancias específicas. Por ello, sólo cuando haya pasado el plazo de un mes para interponer la REA es cuando conviene analizar con detalle si es posible acudir a los citados mecanismos.

Sin embargo, no puede presentarse recurso de reposición contra la resolución de un recurso de reposición, lo que resulta totalmente lógico, pero además está excluido expresamente (artículo 225.6 de la LGT).

6. ESPECIALIDADES AUTONÓMICAS Y LOCALES

Las CCAA aplican la normativa de la LGT sobre el recurso de reposición, que acabo de exponer con detalle, sin perjuicio de que en algunos casos exista regulación específica, como en las CCAA de régimen foral[93].

Los EELL tienen un recurso de reposición específico (artículo 14.2 de la LRHL), pero con una regulación prácticamente idéntica al recurso de reposición tributario de la LGT.

Por otro lado, como he comentado en el capítulo primero, este recurso de reposición es obligatorio antes del RCA cuando no existe un órgano municipal económico-administrativo que resuelva las REAS, pero es potestativo y previo a las REAS cuando existan las mismas, es decir en los Municipios de Gran Población.

No voy a exponer con detalle la regulación del recurso de reposición tributario local[94], sino sólo de forma resumida:

- La competencia para resolver es del órgano que ha dictado el acto administrativo.

- El plazo para presentar el recurso es un mes contado desde el día siguiente al de la notificación expresa del acto o la finalización del período de exposición pública de los padrones o matrículas de contribuyentes u obligados al pago.

- Puede interponer el recurso el obligado tributario y cualquier otra persona con intereses legítimos directamente o actuando mediante representante, sin que sea necesario abogado ni procurador.

- El escrito de presentación del recurso deberá tener el mismo contenido básico común a otros recursos y procedimientos de revisión y las alegaciones y pruebas y si se solicita la suspensión del acto deberá acompañar el justificante de las garantías aportadas (suspende automáticamente sin garantías por interponer el recurso en los casos de sanciones tributarias). El interesado puede examinar el expediente administrativo referido al acto ante el órgano que dictó el acto precisamente en el plazo del mes para interponer el recurso de reposición.

---

[93] En cada una hay que consultar su regulación específica, aunque sea muy parecida a la LGT. Así, a título de ejemplo, en Bizkaia en los artículos 230 a 232 de la Norma Foral 2/2005, de 10 de marzo, General Tributaria del Territorio Histórico de Bizkaia.

[94] Para un comentario detallado me remito a CHECA GONZÁLEZ, ob. cit., págs. 106 a 130.

- El escrito se presentará en la sede del órgano que dictó el acto administrativo o en cualquier otro registro público

- Si el órgano administrativo considera que existen otros interesados o considera conveniente examinar cuestiones no planteadas por el interesado concederá un plazo de 5 días para realizar alegaciones.

- El plazo de resolución, salvo en los casos de que se conceda plazo para realizar alegaciones, es de un mes a contar desde el día siguiente al de su presentación y se entenderá desestimado el recurso cuando no haya recaído resolución en plazo, aunque sigue existiendo la obligación de resolver el recurso.

- La resolución será siempre escrita y motivada y deberá notificarse en el plazo máximo de 10 días desde que se produzca.

- Contra la resolución del recurso de reposición no puede presentarse otra vez recurso de reposición, sino RCA, salvo en los EELL en que exista REA ante el órgano económico-administrativo municipal, en que debe presentarse dicha REA.

Los Ayuntamientos que han ejercido su potestad reglamentaria regulando en la correspondiente Ordenanza algunos aspectos del recurso de reposición[95], suelen limitarse a reproducir, con algunas adaptaciones, la regulación de la LRHL, sin perjuicio de añadir, a veces, aspectos regulados en la LGT y el RGRVA.

---

[95] A título de ejemplo, en el Ayuntamiento de Madrid, que es el que tiene mayor número de habitantes en España, está regulado en los artículos 111 a 119 de la Ordenanza Fiscal General de Gestión, Recaudación e Inspección.

Capítulo Cuarto

RECLAMACIONES ECONÓMICO-ADMINISTRATIVAS

Las reclamaciones económico-administrativas (REAS) son el recurso tributario típico o característico en vía administrativa desde hace más de un siglo y son obligatorias antes de acudir a la vía judicial.

Por ello, en los casos en los que, de conformidad con la normativa tributaria, la vía económico-administrativa resulte procedente, será necesario agotarla aun cuando la decisión sobre el fondo del asunto pueda depender, exclusivamente, de la interpretación del Derecho de la Unión Europea, al corresponder a los Tribunales Económico-administrativos, garantizar su correcta aplicación en los términos que se derivan de la jurisprudencia del TJUE [STS 16-11-2021 rec. 2871-2020 (*Tol 8674461*)].

La LGT dentro de las REAS regula varias reclamaciones y recursos, que son resueltos por los Tribunales Económico-Administrativos (TEAS), formados por el Tribunal Económico-Administrativo Central (TEAC) y los Tribunales Económico-Administrativos Regionales y Locales (TEARLS). Entre ellos destaca la reclamación económico-administrativa (REA) propiamente dicha (artículo 235 de la LGT) y el recurso de alzada ordinario ante el TEAC (artículo 241 de la LGT).

La vía económico-administrativa estatal, que es la que tiene más tradición histórica, aunque también existan órganos de este tipo en las CCAA y en algunos EELL, viene caracterizada porque resuelven órganos administrativos independientes, desde el punto de vista funcional, de los que dictaron los actos impugnados. La regulación de la organización y competencias de los TEAS (artículos 228 a 231 de la LGT) y de las normas generales del procedimiento (artículo 234 de la LGT), ponen de relieve que las REAS poco tienen que ver en la actualidad con los recursos en vía judicial. Esto no impide que cumplan una función importante como recursos administrativos. Desde mi punto de vista, el legislador hace tiempo optó por alejar las REAS de los recursos judiciales, simplificando de forma notable los procedimientos.

En este capítulo trataré de exponer las REAS desde un punto de vista práctico y, por ello, en vez de un mero comentario siguiendo la estructura de la LGT, pretendo examinar las cuestiones a las que se enfrenta quien pretende impugnar un acto mediante una REA, es decir, qué debe evaluar antes de presentar, la presentación, la posibilidad de suspender la ejecución, la tramitación del procedimiento general y abreviado y de los recursos en vía económico-administrativa, la ejecución y un breve recordatorio de algunas especialidades en el ámbito de las CCAA y EELL.

Antes de ello, destaco que el TEAC elabora memorias anuales con datos estadísticos[96] y las REAS alcanzan un número claramente inferior al de los recursos de reposición, pero seguramente superior a los procedimientos especiales de revisión.

Además, las REAS reciben desde el punto de vista teórico mucha atención en libros y revistas tributarios[97]. Además, su regulación y existencia son objeto de críticas y de propuestas de reforma[98], pero esta obra no es el lugar adecuado para exponerlas. Sin embargo, voy a comentar brevemente tres aspectos.

En primer lugar, considero que la REA es preferible al recurso de alzada de la LPACAP (artículos 121 y 122), que tiene el mismo plazo de interposición de un mes, aunque los plazos para resolver y notificar sean de seis meses y un año, en vez del más corto de tres meses de la LPACAP. La razón es que no resuelve el superior jerárquico, sino un órgano administrativo independiente desde el punto de vista funcional[99]. Además, en muchos casos re-

---

[96] En el momento de escribir estas líneas (durante el mes de abril de 2022) la última publicada en Internet corresponde al año 2020. En el mismo hubo 189.358 entradas y 233.238 resoluciones en total. VARIOS, *Memoria 2020 Tribunales Económico-Administrativos*, Ministerio de Hacienda y Función Pública, Centro de Publicaciones, 2021, pág. 16.

[97] En la actualidad son raras las monografías dedicadas en exclusiva a las REAS, ya que suelen exponer también el recurso de reposición. Por ejemplo, CHECA GONZÁLEZ, ob. cit. Por otro lado, constituyen la parte más importante y extensa de los libros dedicados a la revisión tributaria en vía administrativa. Por ejemplo, en mi obra RUIZ TOLEDANO, J. I., ob. cit. (*El Nuevo Régimen...*).

[98] La Comisión para el Estudio y Propuesta de Medidas para la Reforma de la Ley General Tributaria, no cuestionó la pervivencia, ni el carácter obligatorio de las REAS, aunque proponía diversas mejoras. VARIOS, *Informe para la Reforma de la Ley General Tributaria*, Instituto de Estudios Fiscales, julio 2001, págs. 215 s. Por otro lado, hay numerosas obras y artículos, con enfoques muy diferentes, dedicados a examinar los problemas de los TEAS, normalmente ligados al retraso en resolver y el gran número de REAS existentes. A título de ejemplo, VARIOS, *Litigiosidad tributaria: Estado, Causas y Remedios. José María Lago (Director)*, Thomson Reuters Aranzadi, Cizur Menor (Navarra), Primera Edición, 2018.

[99] El artículo 83.2 de la LGT establece la separación entre las funciones de aplicación y de revisión económico-administrativa y el artículo 228.1 la independencia funcional de los TEAS que significa, explicado de forma sencilla, que no deben seguir las órdenes o criterios de los superiores orgánicos sobre cómo deben resolver las REAS. Esta inde-

suelven varias personas (cuando los TEAS funcionan de forma colegiada en Pleno o Sala), lo que provoca que las probabilidades de acierto aumenten.

En segundo lugar, creo que las críticas que reciben los TEAS por llamarse *"Tribunales"*, ya que no forman parte del Poder Judicial y no gozan de la independencia judicial, están mal enfocadas. La palabra tribunal no sólo puede utilizarse para los órganos del Poder Judicial. En español desde hace siglos se utiliza en otros ámbitos (por ejemplo, tribunales de oposición, etc.). De todas maneras, personalmente preferiría que los TEAS del Estado recibieran la denominación de órganos administrativos de revisión tributaria u otra similar, para evitar confusiones. Además, podría eliminarse la expresión *"económico-administrativo"*, que en la actualidad es poco adecuada, pues los TEAS revisan fundamentalmente actos tributarios.

En tercer lugar, la revisión administrativa no debe criticarse porque no sea idéntica a la judicial, pues es imposible que un órgano administrativo tenga las características de independencia del Poder Judicial.

Por ello, la cuestión es si merece la pena que el ciudadano ante un acto tributario solo pueda acudir a la vía judicial o, lo que creo preferible, que exista una revisión administrativa previa que permita corregir los actos dictados, de una forma sencilla y menos costosa y en beneficio de los ciudadanos (pues nunca puede empeorar la situación de los mismos). En mi opinión, la vía económico-administrativa tiene algunas ventajas, pues el procedimiento es poco formal, no requiere abogado o procurador, es gratuita y los TEAS están formados por funcionarios especializados en materia tributaria[100].

Así, mantener la vía económico-administrativa, sin perjuicio de que pueda mejorar, evita que estén sobrecargados de trabajo los Tribunales de

---

pendencia funcional se demuestra en la realidad porque, por ejemplo, en 2020 de las 233.238 resoluciones y acuerdos totales, 105.553 (el 45,25%) son estimados en todo o parte, 109.532 (el 46,96%) son desestimados y 18.153 terminan de otras formas (archivos, inadmisiones, etc.), VARIOS, ob. cit. (*Memoria 2020 Tribunales...*), pág. 20. El porcentaje de estimaciones y desestimaciones es muy similar, lo que sería difícil que ocurriera si los TEAS no fueran independientes funcionalmente.

[100] La mayoría de las personas que resuelven en los TEAS pertenecen a los Cuerpos Superiores de Inspectores de Hacienda del Estado y Abogados del Estado (los Secretarios de los TEAS deben pertenecer obligatoriamente a este último Cuerpo), aunque también a otros Cuerpos de funcionarios. Un gran número de colaboradores en la elaboración de las ponencias de resolución (por ello se denominan Ponentes), pertenecen al Cuerpo Técnico de Hacienda, pero no en todos los casos. La figura del Ponente, aunque no resuelve, es muy importante en los TEAS y en el TEAC un buen número de Ponentes pertenecen al mencionado Cuerpo Superior de Inspectores de Hacienda del Estado.

Justicia o que haya que multiplicar su número, lo que implicaría también muchos más Jueces y Magistrados, con un gasto muy elevado para los presupuestos públicos.

Algunas posiciones consideran que la revisión en vía administrativa tributaria debe existir, pero de forma voluntaria. Esto es aparentemente razonable, pero el peligro es que puede favorecer, en la práctica, a los contribuyentes con más capacidad económica, que podrían ir sin problemas a la vía judicial, frente a los demás contribuyentes, que irían a la vía administrativa y en muchos casos no podrían acudir a la vía judicial, salvo que aumentara notablemente en número, calidad y alcance la justicia gratuita, lo que igualmente implicaría un elevado gasto para los presupuestos públicos.

Otras posiciones proponen acudir a fórmulas de mediación, conciliación o arbitraje, lo que también es aparentemente razonable. Sin embargo, no comparto una supresión total de los TEAS y su sustitución por estas fórmulas, porque considero que unos TEAS que funcionen bien son más baratos y eficaces. Sin embargo, pueden promoverse fórmulas de este tipo previas a la vía económico-administrativa, pues mejorarían las posibilidades de corregir actos defectuosos.

1. ANTES DE PRESENTAR LA RECLAMACIÓN ECONÓMICO-ADMINISTRATIVA

El contribuyente u obligado que recibe un acto tributario de la Administración General del Estado (por ejemplo, de la AEAT) o de una Administración autonómica sobre un tributo cedido por el Estado, debería tener en cuenta varios aspectos con carácter previo.

En primer lugar, cuando no ha interpuesto antes un recurso de reposición, debería preguntarse si conviene interponer dicho recurso. En los capítulos segundo y tercero señalo que no puedo dar una respuesta única a esa pregunta.

En segundo lugar, debería tener conciencia de las cuestiones básicas comunes a los diversos medios de revisión, que he examinado con detalle en el capítulo segundo.

En tercer lugar, una vez decidida la presentación de la REA debe considerar que hay varios aspectos esenciales comunes a todas las REAS, es decir, a la REA propiamente dicha tramitada por el procedimiento general o abreviado, pero también a los diversos recursos en vía económico-administrativa.

Estos aspectos están regulados con detalle en la LGT y en el RGRVA previamente a los diversos procedimientos. Para facilitar su exposición, voy a distinguir qué puede reclamarse (materias y actos y actuaciones reclamables), quién resuelve (los TEAS), quién puede reclamar (los legitimados e interesados), cuál es la cuantía de la REA (la cuantía) porque es esencial para tramitar los procedimientos, qué ocurre cuando existen diversas REAS del mismo o distintos interesados que están relacionadas (la acumulación) y, finalmente, algunas normas generales para todos los procedimientos y recursos (normas generales) que, si bien forman parte de los procedimientos, son muy relevantes.

1.1. Materias y actos y actuaciones reclamables

Las REAS pueden presentarse sólo en determinadas materias y actos (ambos normalmente relacionados con los tributos). En la práctica, los actos tributarios señalan de forma clara cuándo puede presentarse la REA y, si no dicen nada, es que son actos de trámite, no recurribles de forma independiente, pero si con el acto posterior que finalice el procedimiento.

Por ejemplo, las diligencias de un procedimiento inspector no son recurribles, pero cuando se dicte la liquidación o el acto que finalice el procedimiento podrá discutirse también respecto a dichas diligencias.

Como la mayoría de los actos dictados expresan correctamente si pueden o no recurrirse, sólo recomiendo separarse de lo expresado en los mismos cuando el contribuyente esté bastante seguro de que la Administración ha cometido un error.

La regulación básica de la LGT, diferencia entre materias reclamables o ámbito de aplicación (artículo 226 y DA 11ª.1) y los actos y actuaciones reclamables (artículo 227).

1.1.1. Materias o ámbito de aplicación

Las materias a las que se refieren las REAS son todas las tributarias, es decir, la aplicación de los tributos del título III de la LGT e imposición de sanciones tributarias del título IV de la LGT. También hay algunas no tributarias (DA 11ª.1 de la LGT), como la recaudación por la AEAT cuando no se trate de tributos y el reconocimiento o liquidación de obligaciones del Tesoro y operaciones de pago con cargo al Tesoro.

Mediante las REAS ante los TEAS pueden reclamarse no sólo actos dictados por la Administración General del Estado, sino también dictados por las CCAA en materia de tributos cedidos por el Estado.

Sin embargo, en las materias reclamables no están los ingresos o "*recursos públicos*" de la Seguridad Social (DA 2ª de la LGT), ni el reconocimiento y pago de pensiones y derechos pasivos competencia del Ministerio de Hacienda[101].

1.1.2. Actos y actuaciones reclamables

Además de incluirse en una materia reclamable, también debe ser un acto o una actuación reclamable.

a) Actos reclamables

Los actos reclamables (artículo 227.1 de la LGT) son los actos administrativos que provisional o definitivamente reconozcan o denieguen un derecho o declaren una obligación o un deber, es decir, las resoluciones que finalizan un procedimiento de aplicación de los tributos e imposición de sanciones, aunque también pueden reclamarse los actos de trámite que decidan, directa o indirectamente, el fondo del asunto o pongan término al procedimiento.

En los múltiples procedimientos tributarios existen numerosos actos administrativos, pero con carácter general no son reclamables los actos de trámite. Antes he puesto el ejemplo de las diligencias en el procedimiento inspector, pero hay muchos otros. Por ejemplo, en una comprobación limitada, el acto de inicio o la propuesta de liquidación no son reclamables.

La LGT realiza una enumeración de actos que son reclamables (artículo 227.2 y 3) o no reclamables (artículo 227.5 y DA 11ª.2 de la LGT). Así, entre los reclamables están las liquidaciones provisionales o definitivas, las resoluciones expresas o presuntas derivadas de una solicitud de rectificación de una autoliquidación o de una comunicación de datos, las comprobaciones de valor de rentas, productos, bienes, derechos y gastos, así como los actos de fijación de valores, rendimientos y bases, cuando la normativa

---

[101]   Era una materia tradicional en vía económico-administrativa, pero ha dejado de serlo tras la Disposición Derogatoria 2ª de la Ley 6/2018, de Presupuestos Generales del Estado para 2018, en vigor desde 05-07-2018, aunque las REAS interpuestas previamente a dicha fecha deban ser resueltas por los TEAS del Estado.

tributaria lo establezca, etc. (artículo 227.2) y los actos que impongan sanciones tributarias (artículo 227.3).

Es importante destacar que la mayoría de los actos de la AEAT que finalizan los procedimientos tributarios son reclamables ante los TEAS y lo mismo sucede con los actos recaudatorios de la AEAT, aunque no se refieran a tributos del Estado, sino a otros ingresos tributarios o no tributarios.

El ejemplo típico de ingreso no tributario recaudado por la AEAT es la multa o sanción de tráfico. Dicha sanción de tráfico no es reclamable ante los TEAS, sino que debe impugnarse mediante los recursos de la LPACAP. Sin embargo, cuando la AEAT dicta una providencia de apremio o un embargo para recaudar la sanción de tráfico que no ha sido pagada voluntariamente, el acto recaudatorio de la AEAT es reclamable ante los citados TEAS.

También pueden reclamarse los actos del Catastro (de la Dirección General del Catastro o de las Gerencias Territoriales del Catastro) relacionados con el IBI, como los que ponen fin a los procedimientos de incorporación al Catastro mediante declaración, comunicación y solicitud, al procedimiento de subsanación de discrepancias y al procedimiento de inspección catastral. Igualmente son recurribles las ponencias de valor y los actos de terminación del valor catastral individualizado. Por el contrario, los actos de los Ayuntamientos relacionados con el IBI no son reclamables ante los TEA, aunque pueden serlo, en algunos casos, ante órganos económico-administrativos propios en algunos Ayuntamientos.

Además, también son reclamables ante los TEAS los actos de gestión censal del IAE, pero tampoco lo son los actos de los Ayuntamientos, sin perjuicio también de que puedan serlo ante órganos económico-administrativos propios en algunos Ayuntamientos.

Finalmente, no hay que olvidar que igualmente son reclamables ante los TEAS los actos dictados por las CCAA sobre tributos cedidos por el Estado.

b) Actuaciones reclamables

Estas actuaciones reclamables ante los TEAS no son actos administrativos dictados por la AEAT u otras Administraciones tributarias, sino que son actuaciones u omisiones de particulares que la LGT (artículo 227.4) permite que sean reclamadas ante los TEAS:

- Las relativas a las obligaciones de repercutir y soportar la repercusión prevista legalmente.

– Las relativas a las obligaciones de practicar y soportar retenciones o ingresos a cuenta.

– Las relativas a la obligación de expedir, entregar y rectificar facturas que incumbe a los empresarios y profesionales.

– Las derivadas de las relaciones entre el sustituto y el contribuyente.

En todos estos casos la normativa tributaria establece una prestación tributaria que un obligado tributario exige a otro[102], pero sin que actúe como agente de la Administración.

El ejemplo más conocido es la retención que realiza el empresario al pagar el salario del trabajador, que dicho empresario realiza aplicando la normativa tributaria y quitando la retención de lo pagado, pero ingresa dicha retención en la Hacienda Pública. Lo mismo ocurre cuando se repercute el IVA, que el obligado a repercutir ingresa también en la Hacienda Pública.

Por ello, quien soportó la retención o repercusión puede interponer una REA, lo que permite que, con ocasión de la misma, ambas partes puedan discutir ante el TEA la obligación entre particulares.

Algo similar, ocurre con el sustituto del contribuyente (que sería quien por imposición de la ley y en lugar del contribuyente está obligado a cumplir la obligación tributaria principal y las obligaciones formales, según el artículo 36.3 de la LGT). La relación entre el contribuyente y su sustituto parte del derecho del segundo a exigir del primero el importe de las obligaciones tributarias satisfechas, salvo que la ley señale otra cosa, derecho que deviene en obligación del contribuyente del que es acreedor el sustituto.

En el caso de la obligación de expedir, entregar y rectificar facturas, aunque las facturas son documentos mercantiles, tienen una gran trascendencia tributaria y están contempladas en diversas normas tributarias, entre ellas el Reglamento por el que se regulan las obligaciones de facturación (RD 1619/2012).

---

[102] La LGT en el artículo 24 se refiere a las obligaciones entre particulares resultantes del tributo. El artículo 35.2 entre los obligados tributarios enumera, entre otros, los retenedores, los obligados a practicar ingresos a cuenta, los obligados a repercutir, los obligados a soportar la repercusión, los obligados a soportar la retención y los obligados a soportar los ingresos a cuenta. El artículo 35.3 también considera obligado tributario a quien una ley impone el cumplimiento de una obligación formal.

1.2. TEAS

Los TEAS están regulados con detalle en la LGT y en el RGRVA, pero sólo pretendo comentar los puntos más relevantes para los contribuyentes, diferenciando el TEAC, los TEARLS y la forma de funcionamiento de los mismos.

El reclamante o, incluso, el propio órgano administrativo puede equivocarse y enviar la REA a un TEA que no es competente. En este caso el TEA lo remitirá de oficio y de forma motivada al que estime competente y lo notificará al interesado para que, en el plazo de 15 días (hábiles), pueda alegar ante el TEA destinatario[103].

1.2.1. TEAC

El TEAC tiene competencia en todo el territorio nacional (artículos 229 de la LGT y 29 del RGRVA) y revisa los actos tributarios de los órganos centrales de la Administración General del Estado, pero también de los órganos superiores de las CCAA[104] referidos a tributos cedidos por el Estado. Para la competencia del TEAC la cuantía de la REA es indiferente, pues lo importante es que el acto provenga de un órgano "*central*" (o superior) y, por ello, revisa un TEA "*Central*".

En la práctica, la casi totalidad de los actos tributarios revisados por el TEAC son dictados por la Delegación Central de Grandes Contribuyentes y por la Oficina Nacional de Gestión Tributaria de la AEAT, sin perjuicio de que mediante los recursos pueda revisar otros actos.

Ahora bien, no hay que confundir donde está situado el órgano con que sea "*central*". La AEAT tiene sedes de la citada Delegación Central en diversos lugares (Madrid, Barcelona, Valencia, etc.) y en todos los casos corresponde al TEAC.

Por otro lado, el TEAC tiene gran importancia. Primero, resuelve las REAS de mayor cuantía, pues revisa los actos de la Delegación Central de

---

[103]   Artículo 53 del RGRVA. En caso de que los TEARLS receptor y receptor consideren que no son competentes se enviará al TEAC para que decida y remita las actuaciones al TEA que entienda competente.

[104]   Los órganos superiores de las CCAA serían los Consejeros de Hacienda (o la denominación que reciban en cada una de ellas), es decir, la persona equivalente al Ministro de Hacienda en el ámbito autonómico. Normalmente no suelen dictar actos tributarios revisables por el TEAC.

Grandes Contribuyente de la AEAT que afectan a grandes empresas y los actos de otros órganos de la AEAT y de las CCAA superiores a 150.000 euros, bien a través del recurso de alzada ordinario, bien a través de una REA interpuesta directamente. Segundo, a través de sus resoluciones fija doctrina reiterada (artículo 239.8 de la LGT) y resuelve los recursos extraordinarios de alzada en unificación de criterio (artículo 242 de la LGT), que vinculan a toda la Administración tributaria.

Contra las resoluciones del TEAC, sin perjuicio de algunos recursos en vía administrativa como el recurso de anulación (artículo 241 bis de la LGT) y la rectificación de errores de hecho (artículo 220 de la LGT), debe interponerse el recurso contencioso-administrativo (RCA) ante la Sala de lo Contencioso-Administrativo de la AN, salvo cuando son actos de las CCAA sobre tributos cedidos, en cuyo caso el RCA debe interponerse ante la Sala de lo Contencioso-Administrativo del TSJ que corresponda.

1.2.2. TEARLS

Los TEARLS (artículos 229 de la LGT y 30 del RGRVA) tienen competencias en el ámbito de una Comunidad Autónoma o de las Ciudades Autónomas de Ceuta o Melilla y revisan los actos tributarios de los órganos periféricos de la Administración General del Estado, así como de órganos no superiores de las CCAA referidos a tributos cedidos.

Los órganos "periféricos" son todos los que no sean "centrales" expuestos al tratar del TEAC. Por ejemplo, las liquidaciones dictadas por las Administraciones y las Dependencias Regionales y Provinciales de la AEAT.

Todos estos actos de órganos periféricos son competencia de los TEARLS, pero la complicación surge porque los actos de más cuantía (cuando supere 150.000 euros en general o 1.800.000 euros para las REAS sobre bases o valoraciones), pueden impugnarse primero ante los TEARLS y luego mediante el recurso de alzada ordinario ante el TEAC. En estos casos suele expresarse que los TEARLS resuelven en "primera instancia" (la REA) y el TEAC en "segunda instancia" (el recurso de alzada ordinario).

Para evitar que el contribuyente tenga que reclamar primero ante los TEARLS y luego recurrir ante el TEAC la LGT [artículo 229.1.b)] permite que la REA pueda interponerse directamente ante el TEAC, saltando a los TEARLS. Por ello, a veces recibe el nombre de REA "per saltum" ante el TEAC, aunque su denominación en la LGT es REA en única instancia que se interpone directamente ante el TEAC, precisamente por superar la cuantía citada.

Por ello, es muy importante la determinación de la cuantía, pero en estos casos la decisión es del contribuyente, que puede presentar primero la REA ante los TEARLS y luego el recurso de alzada ordinario ante el TEAC o, por el contrario, directamente la REA ante el TEAC.

Los TEARLS del Estado no deben confundirse con los órganos económico-administrativos de las CCAA o de los EELL. Por ello, reciben el nombre "*Regional*" (en el ámbito de una Comunidad Autónoma) o "*Local*" (en el ámbito de una Ciudad Autónoma).

En algunos TEARLS existen Salas Desconcentradas. Son los casos de Andalucía, Canarias y Castilla y León (artículo 28.3 del RGRVA)[105]. En la práctica funcionan de forma similar a un TEAR, pero en un ámbito territorial inferior, pues sólo tienen competencias sobre determinadas provincias.

La mayoría de los actos, según mi experiencia, expresa correctamente el TEA competente, por lo que aconsejo hacer caso a lo que dice el acto. En caso de duda, recomiendo interponer la REA ante los TEARLS y no al TEAC. Primero, porque la mayor parte de los actos son competencia de dichos TEARLS[106]. Segundo, porque en caso de error del contribuyente sobre la competencia remitirán al TEAC, pero si el contribuyente se refiere en la REA expresamente al TEAC, éste sólo remitirá a los TEARLS cuando no sea competente, pero no en los casos de gran cuantía, en que el TEAC puede ser competente de forma directa.

Por otro lado, los TEARLS pueden revisar sus resoluciones en casos de error de hecho mediante el procedimiento especial de rectificación de este tipo de errores (artículo 220 de la LGT) y el recurso de anulación (artículo 241 bis de la LGT).

---

[105]   Salas Desconcentradas de Granada (competencia sobre las provincias de Almería, Granada y Jaén) y Málaga (provincia de Málaga) dentro del TEAR de Andalucía, que se encarga de las restantes provincias; Sala Desconcentrada de Santa Cruz de Tenerife (competencia sobre la provincia de Santa Cruz de Tenerife) dentro del TEAR de Canarias, que se encarga de la provincia de Las Palmas; Sala Desconcentra de Burgos (competencia sobre las provincias de Ávila, Burgos, Segovia y Soria) dentro del TEAR de Castilla y León, que se encarga de la restante provincias. Durante varios años ha existido una Sala Desconcentrada en Alicante para la provincia de Alicante dentro del TEAR de la Comunidad Valenciana, pero ha sido suprimida con efectos de 01-01-2018, de acuerdo con el RD 1073/2017.

[106]   Según la Memoria de los TEAS de 2020 de un total de 189.358 entradas los TEARLS tuvieron 178.624 (94,33%) y el TEAC sólo 10.73l (5,67%), mientras que de un total de salidas de 233.238 los TEARLS tuvieron 222.773 (95,51%) y el TEAC sólo 10.465 (4,49%), VARIOS, ob. cit. (*Memoria 2020 Tribunales…*), pág. 16.

En los demás casos, los recursos son competencia del TEAC (recursos de alzada ordinario y extraordinario de alzada para la unificación de criterio de los artículos 241 y 242 de la LGT) o de la Sala de lo Contencioso-Administrativo del TSJ que corresponda mediante la interposición del RCA.

1.2.3. Funcionamiento de los TEAS

Los TEAS pueden funcionar en Pleno, Sala o mediante órganos unipersonales (artículos 231 de la LGT y 29, 30 y 32 del RGRVA).

El Pleno está formado por el Presidente, todos los Vocales y el Secretario (que es un Abogado del Estado), mientras las Salas[107] están formadas por el Presidente, un Vocal al menos (pueden ser más) y el Secretario. Estos dos casos son formas colegiadas de funcionamiento, ya que resuelven varias personas. La decisión de llevar los asuntos a Pleno y Salas, así como su configuración, corresponde al Presidente de cada TEA. Actualmente, tanto el procedimiento general, como el abreviado, pueden resolverse en Pleno o Salas.

Los órganos unipersonales constituyen otra forma de funcionamiento de los TEAS, en que una sola persona resuelve. Existen dos tipos de órganos unipersonales:

a) Órganos unipersonales por la cuantía

Son los órganos unipersonales propiamente dichos (artículo 32.1 del RGRVA) y sólo pueden resolver las REAS tramitadas por el procedimiento abreviado (artículo 245.2 de la LGT), que son las de cuantía inferior a 6.000 euros en general o 72.000 euros para bases o valoraciones.

La designación para todos los TEAS corresponde al Presidente del TEAC, que nombrará a un funcionario del TEA, normalmente un Vocal.

Por ejemplo, en el TEAC el Vocal de Recaudación se encarga de los actos recaudatorios inferiores a 6.000 euros, sin perjuicio de que dichos actos recaudatorios también puedan resolverse en Sala o Pleno por el TEAC.

---

[107]   Estas Salas son una forma de funcionamiento de cualquier TEA, a diferencia de las Salas Desconcentradas que son una forma de organización de los TEAS y sólo existen en algunos TEARLS.

b) Órganos unipersonales por tipo de resolución o acuerdo

Son órganos unipersonales que pueden resolver cuestiones incidentales o declarar el archivo o inadmisibilidad de una REA o recurso (artículos 236.6, 238.2, 239.4, 244.4 de la LGT y 32.2 y 3 del RGRVA). En estos casos da igual la cuantía y no requieren un acuerdo de designación porque la LGT ya establece, con pequeñas variaciones según los casos, que pueden ser el Presidente, Vocales y Secretario de cada TEA.

Por ejemplo, en el TEAC el Vocal de Recaudación puede declarar la inadmisión de la REA interpuesta contra un acto recaudatorio de 3.000.000 de euros, por haberse presentado fuera de plazo, pero también puede hacerlo el Secretario (Abogado del Estado) del TEAC u otro Vocal. También dicha inadmisión puede hacerse por Sala o Pleno del TEAC.

La razón de que estos casos puedan resolverse de forma unipersonal y no requiera una designación expresa por el Presidente del TEAC es que son supuestos, en principio, no demasiado complicados (archivos e inadmisiones) y sólo pretende agilizar la resolución, que es más fácil cuando decide una persona, que cuando deciden varias de forma conjunta o colegiada.

1.3. Legitimados e interesados

Las personas que interponen o participan en las REAS pueden hacerlo como legitimados o como interesados, que son dos figuras distintas, aunque muchas veces pueda emplearse interesados en un sentido amplio que comprende a ambos. Por otro lado, pueden actuar a través de un representante.

Los legitimados son quienes pueden promover la REA porque son obligados tributarios o sujetos infractores o porque tienen intereses legítimos que resulten afectados. Por ello, no lo son los funcionarios y empleados públicos en general, los particulares que obran por delegación de la Administración, los denunciantes, quienes asumen obligaciones tributarias en virtud de pacto o contrato y los órganos que han dictado el acto impugnado o resultan destinatarios de los fondos gestionados por dicho acto (artículos 232.1 y 2 y DA 11ª.3 y 4 de la LGT).

Por ello, si interpone una REA alguien que no está legitimado debe inadmitirse [artículo 239.4.e) de la LGT].

Los interesados son quienes pueden comparecer una vez que la REA ha sido presentada, pues son titulares de derechos o intereses legítimos que pueden verse afectados. Esto puede producirse de dos maneras (artículos 232.3 de la LGT y 38 del RGRVA):

– El interesado tiene conocimiento de que hay una REA interpuesta que le afecta y pide comparecer al TEA. En este caso la tramitación de la REA no se retrotrae, sino que participan a partir del momento en que comparecen.

– El TEA durante la tramitación de la REA considera que existen otros interesados, por lo que lo notifica a los mismos para que formulen alegaciones. La consecuencia es que los interesados a los que se ha notificado, aunque no comparezcan y aleguen, estarán obligados por la resolución con la que finalice la REA.

A veces los interesados que comparecen o a los que el TEA notifica la existencia de la REA podían haber interpuesto la REA, aunque no lo hicieron, es decir eran legitimados.

Por ejemplo, ante una liquidación de IRPF que afecta a dos cónyuges que tributaron de forma conjunta, los dos están legitimados para interponer la REA y, por ello, lo más frecuente es que los dos la presenten firmando el mismo escrito. Sin embargo, puede ocurrir que sólo uno de los cónyuges interponga la REA y el TEA cuando detecta que el otro no ha interpuesto la REA debería notificar al mismo la existencia de dicha REA.

Por otro lado, cuando el TEA no considera evidente el derecho o interés legítimo de quien pide comparecer en una REA abrirá una "*pieza separada*"[108] para resolver sobre la participación o no de quien solicita comparecer, tras dar un plazo común de alegaciones de 10 días (hábiles) a partir del día siguiente al de la notificación a todos los interesados y el que pretende comparecer. La decisión puede impugnarse mediante un recurso contencioso-administrativo.

Los legitimados e interesados pueden actuar por ellos mismos o mediante representante (legal o voluntario), pero me remito al comentario de la representación en el capítulo segundo para evitar reiteraciones. Sin embargo, existen dos especialidades para las REAS:

– El documento que acredita la representación debe acompañar al primer escrito que no aparezca firmado por el interesado y, si no lo hace, el TEA debe subsanar (artículos 232.4 de la LGT y 3.2 del RGRVA).

– Sin embargo, la representación voluntaria se tiene por acreditada cuando ha sido admitida previamente en el procedimiento que ha dado lugar al acto impugnado (artículo 234.2 de la LGT).

---

[108] Es decir, un procedimiento separado del procedimiento principal de la REA para que, hasta que se decida, no tenga acceso a los datos o al expediente de dicha REA.

1.4. Cuantía

La cuantía de la REA depende del acto reclamado y, por ello, hay numerosas reglas (artículo 35 del RGRVA[109], porque hay muchos casos diferentes. Sin embargo, en la actualidad los más frecuentes tienen reglas específicas, lo que evita dudas. Por ello, la determinación de la cuantía no es demasiado complicada, en general, aunque existan muchas reglas.

Además, la cuantía tiene gran importancia:

- Las REAS de cuantía inferior a 6.000 euros (o 72.000 en caso de bases o valoraciones) son tramitadas por el procedimiento abreviado.

- Las REAS de cuantía igual o superior a 6.000 euros (o 72.000 en caso de bases o valoraciones) son tramitadas por el procedimiento general, pero cuando superan 150.000 euros (o 1.800.000 euros en caso de bases o valoraciones o tienen cuantía indeterminada) las resoluciones de los TEARLS pueden impugnarse ante el TEAC mediante el recurso ordinario de alzada (o el reclamante puede interponer directamente la REA ante el TEAC).

1.4.1. Regla general

La cuantía de la REA es el importe del acto o actuación (artículo 35.1 del RGRVA), pero conviene diferenciar diversos supuestos:

- Normalmente consiste en una deuda tributaria o en una sanción económica (sanción pecuniaria, como denomina el artículo 185 de la LGT, que puede ser una multa fija o proporcional).

  Por ejemplo, cuando el contribuyente declaró 4.000 euros a ingresar en la autoliquidación del IRPF del ejercicio 2018 y la AEAT dicta una liquidación de 2.400 euros (2.200 cuota y 200 de intereses), la cuantía es 2.400 euros y procede tramitar la REA por el procedimiento abreviado.

- Si el resultado de la liquidación es cero euros esa es la cuantía y no la pretensión del interesado en el marco de la comprobación inspectora, que en el caso concreto era la exclusión de ganancia patrimonial que

---

[109] En la redacción dada por el RD 1073/2017, con efectos para las REAS interpuestas a partir de 01-01-2018, que introdujo numerosas reglas, aunque algunas de ellas sólo reflejan lo que la jurisprudencia o doctrina administrativa habían concluido con la regulación anterior.

se había consignado en la declaración [TEAC 24-06-2021 RG 3821-2019 (*Tol 8871497*)].

– Los actos que no contienen o no se refieren a una cuantificación económica o son sanciones no pecuniarias tienen cuantía indeterminada.

Por ejemplo, no es de cuantía indeterminada un acto cuando el motivo de la regularización es la exclusión del régimen de estimación objetiva en el IRPF si hay una liquidación con una deuda tributaria cuantificada [TEAC 23-11-2021 RG 5563-2018-50 (*Tol 8871629*)].

– Los actos que no fijan una deuda tributaria sino sólo una base imponible o un acto de valoración (sin liquidación) tienen como cuantía la de dicha base o acto de valoración.

Por ejemplo, la cuantía de un acto tributario de una gerencia del Catastro (un órgano periférico) que determina el valor de un bien inmueble a efectos del IBI en 500.000 euros no implica una liquidación de deuda tributaria y es un acto de valoración. Por ello, no es posible interponer recurso de alzada ordinario ante el TEAC (la cuantía supera 150.000 euros, pero la misma es para actos que determinen una deuda tributaria, no igualando o superando 1.800.000 euros fijado para los casos de bases o valoraciones).

1.4.2. Reglas especiales

Estas reglas, sobre casos concretos, facilitan la determinación de la cuantía en supuestos que, por alguna razón, plantean dificultades en la práctica.

a) *Minoración o denegación de una devolución o compensación*

En los actos que minoran o deniegan una devolución o compensación, la diferencia entre la devolución o compensación solicitada y la reconocida por el acto tributario más, en su caso, el importe que resulte a ingresar.

Por ejemplo, cuando el contribuyente solicitó 4.000 euros a devolver en la autoliquidación del IRPF del ejercicio 2018 y la AEAT dicta una liquidación de 2.400 euros (2.200 cuota y 200 de intereses), la cuantía es 6.400 euros (4.000 + 2.400) y procede tramitar la REA por el procedimiento general.

b) Disminución de bases imponibles negativas

En los actos que disminuyen bases imponibles negativas declaradas por el obligado tributario, la base imponible negativa regularizada por la Administración, pero si el acto también determina una deuda tributaria a ingresar, el mayor de las dos. Si se había pedido una devolución, para determinar la mayor de los dos habrá que tener en cuenta la devolución solicitada y la reconocida por el acto tributario más, en su caso, el importe a ingresar. Ahora bien, si los importes comparados determinan distinta vía de recurso o procedimiento se tiene por mayor importe el que supera la cuantía necesaria para el recurso de alzada y, en su defecto, el que supere la cuantía establecida para el procedimiento abreviado, aunque en términos absolutos sean inferiores.

Estos casos no son frecuentes en la práctica, al menos dentro del total de las REAS interpuestas cada año, pero afectan a entidades de gran capacidad económica y bases de importante cuantía, por lo que el RGRVA ha establecido una regla, para evitar las dudas que existían previamente.

c) Diligencia de embargo

En las diligencias de embargo, el importe por el que se sigue la ejecución.

d) Acuerdos de derivación de responsabilidad

En los acuerdos de derivación de responsabilidad, el importe objeto de dicha derivación.

e) Sanciones pecuniarias

En las sanciones, el importe con anterioridad a la aplicación de las posibles reducciones.

Por ejemplo, en un acuerdo sancionador por una infracción del artículo 191 de la LGT con una sanción resultante de 7.000 euros en que se practica una reducción por conformidad del 30% por 2.100 euros, la sanción reducida es 4.900 euros. Sin embargo, la cuantía es 7.000 euros y procede tramitar la REA por el procedimiento general.

f) Devolución de ingresos indebidos, rectificación de autoliquidaciones o compensaciones

En los actos que finalizan solicitudes de devolución de ingresos indebidos, de rectificación de una autoliquidación o de compensación, la diferencia entre lo solicitado y lo reconocido, pero si la solicitud no permitiera concretar la cantidad la cuantía es indeterminada.

Por ejemplo, cuando el contribuyente declaró 4.000 euros a devolver en la autoliquidación del IRPF del ejercicio 2018, pero pide la rectificación de la misma para que la AEAT reconozca una devolución adicional de 5.000 euros y la AEAT sólo reconoce una devolución adicional de 4.000 euros, la cuantía es de 1.000 euros.

El TEAC ha aclarado que cuando se impugna un acuerdo de resolución de solicitud de rectificación de autoliquidación, hay que estar a la diferencia entre lo pedido por el interesado y lo reconocido por la Administración y, en el caso de que el reclamante no fije cuantía en la solicitud de devolución y se refiera a una cantidad en la base imponible, se atenderá a la cuantía que resulte omitida en la base o a la cuantía de lo que el reclamante pretenda modificar en la base [TEAC 01-06-2020 RG 5343-2018 (*Tol 8476125*)].

El TEAC también ha aclarado que si el obligado tributario presenta para un mismo período de liquidación una solicitud de devolución de ingresos indebidos del IVMDH por las cuotas soportadas en las facturas emitidas por su proveedor y una solicitud de rectificación de su autoliquidación si se realiza en una misma REA la cuantía es la correspondiente a la diferencia entre el importe solicitado y lo devuelto por la Administración en cada uno de los períodos de liquidación por cada uno de los procedimientos [TEAC 20-11-2018 RG 5702-2015 (*Tol 8476721*) y 17-09-2020 RG 757-2018 (*Tol 8161646*)].

g) Sólo se impugnan algunos componentes de la deuda tributaria

En la REA que sólo impugna determinados componentes de la deuda tributaria (artículo 58 de la LGT), el componente o la suma de los componentes impugnados.

Por ejemplo, cuando el contribuyente declaró 4.000 euros a ingresar en la autoliquidación del IRPF del ejercicio 2018 y la AEAT dicta una liquidación de 6.200 euros (5.800 cuota y 400 de intereses), si la REA sólo impugna los intereses la cuantía es 400 euros y procede tramitar por el procedimiento abreviado.

Sin embargo, dentro de la cuota tributaria (que es un elemento de la deuda) no puede diferenciarse una parte, aunque el motivo de la REA sólo esté referido a un aspecto de la regularización y no al total. La razón probablemente es que, en caso contrario, ello complicaría de forma notable la determinación de la cuantía para los contribuyentes y los TEAS.

Por ejemplo, cuando el contribuyente declaró 15.000 euros a ingresar en su autoliquidación del IRPF del ejercicio 2018 y la AEAT dicta una liquidación de 6.200 euros (5.800 cuota y 400 de intereses), porque no ha declarado una ganancia de patrimonio y es incorrecta la deducción de 100 euros por donativos a una entidad, aunque esté de acuerdo con la ganancia de patrimonio y sólo impugne porque la liquidación no permite la deducción, la cuantía es 6.200 euros.

1.4.3. Actos que incluyan varias deudas

Es muy frecuente que los actos tributarios incluyan varias deudas, bases, valoraciones o actos de otra naturaleza y la cuantía corresponde a la de mayor importe (deuda, base, valoración o acto) impugnado, sin que proceda la suma de todas.

Por ejemplo, liquidación de un procedimiento inspector dictada por un órgano periférico de la AEAT por el IRPF de los ejercicios 2017 (80.000 cuota y 15.000 de intereses) y 2018 (60.000 cuota y 5.000 intereses) con un resultado total a ingresar de 160.000 euros. Si se impugna todo, la cuantía de la REA es 95.000 euros (correspondiente al ejercicio 2017 que tiene el mayor importe) y no es posible interponer recurso de alzada ordinario ante el TEAC.

Cuando en el acto tributario existan varios pronunciamientos y sólo alguno contenga o esté referido a una cuantificación económica, la cuantía es indeterminada.

Por otro lado, cuando hay varias REAS acumuladas la cuantía es la que corresponde a la REA que tenga mayor cuantía de las acumuladas. En un supuesto en que en ninguno de los períodos impositivos comprobados la cuantía de la regularización excede de 150.000 euros, ni tampoco los acuerdos sancionadores acumulados, el TEAR debió resolver en única instancia, poniendo fin a la vía administrativa y no procede admitir el recurso de alzada ordinario interpuesto [TEAC 07-06-2018 RG 2751-2015 (*Tol 6877758*)].

1.4.4. Actuaciones u omisiones de particulares

En las REAS sobre actuaciones u omisiones de los particulares, la cuantía es la pretensión del reclamante, es decir lo que solicita.

Por ejemplo, si el empresario repercute un IVA por una operación de 1.400.000 al tipo del 10% (140.000 euros) y el repercutido considera que el tipo es el 21% (294.000 euros), la cuantía es 154.000 euros (294.000 - 140.000) y puede interponer la REA directamente ante el TEAC.

1.5. Acumulación

La acumulación sólo busca que las REAS (en sentido amplio, incluyendo los recursos en vía económico-administrativa) tengan una tramitación y resolución única, para facilitar el trabajo al reclamante y al TEA y, sobre todo, evitar resoluciones contradictorias.

Sin embargo, la regulación actual (artículos 230 de la LGT y 37 del RGRVA[110]) plantea algunas dificultades y no está claro que resulte satisfactoria. La razón está en la existencia del recurso de alzada ordinario ante el TEAC que revisa las resoluciones de los TEARLS de más cuantía, lo que introduce distorsiones en la acumulación. Así, asuntos íntimamente relacionados, cuando no se acumulan, pueden ser resueltos por distintos TEAS y, por ello, hay casos de acumulación obligatoria, aunque la LGT también contempla la acumulación voluntaria o potestativa.

1.5.1. Acumulación obligatoria

En estos supuestos la acumulación no depende de la voluntad del reclamante, ni del TEA, sino que debe realizarse de forma obligatoria y, además, determina la competencia del mismo órgano económico-administrativo para resolver todas las REAS acumuladas, salvo el caso en que la acumulación afecte a varios interesados (artículo 230.4 de la LGT).

---

[110] El artículo 230 de la LGT fue modificado por la Ley 34/2015, con efectos para las REAS interpuestas desde 12-10-2015, tratando de mejorar la regulación original de la LGT. El artículo 57 de la LPACAP no parece aplicable con carácter supletorio en vía económica-administrativa, al existir regulación específica, siendo una muestra de que la acumulación no plantea especiales problemas cuando afecta a procedimientos que debe tramitar y resolver el mismo órgano. En cuanto al artículo 37 del RGRVA ha sido redactada por el RD 1073/2017, pero las modificaciones han sido mínimas.

Esto es muy importante porque provoca que el TEAC pueda resolver una REA de una cuantía que no supera 150.000 euros (o 1.800.000 euros para bases o valoraciones) porque está acumulada a otra que si supera dicha cuantía.

Por ejemplo, liquidación por el IS del ejercicio 2018 de una entidad dictada por un órgano periférico de la AEAT, como el Jefe de la Dependencia de Gestión de Vigo, por cuantía de 200.000 euros contra la que se interpone una REA directamente ante el TEAC. En este caso, si dicho órgano impone también una sanción tributaria de 75.000 euros, como consecuencia de la deuda tributaria determinada en la liquidación, la REA interpuesta por la entidad debe acumularse obligatoriamente por el TEAC y dar lugar a una misma resolución, lo solicite o no la entidad. Por ello, si dicha entidad presenta la REA ante el TEAR de Galicia, éste remitirá la misma al TEAC para que acumule.

Las REAS que deben acumularse obligatoriamente son las interpuestas en los siguientes supuestos (artículo 240.1 de la LGT):

a) Por un mismo interesado relativas al mismo tributo

La LGT exige que deriven del mismo procedimiento. En este caso la acumulación implica la competencia para resolver todas las acumuladas y corresponde al TEAC si es competente para una de ellas y en otros casos al TEA competente para la REA que primero se interpuso.

Parece claro que no son acumulables las REAS contra distintos tipos de procedimiento (por ejemplo, comprobación limitada e inspección), aunque sean interpuestas por el mismo interesado y versen sobre el mismo tributo.

Así, si el obligado tributario presenta para un mismo período de liquidación una solicitud de devolución de ingresos indebidos del IVMDH por las cuotas soportadas en las facturas emitidas por su proveedor y solicitud de rectificación de su autoliquidación si se realiza en dos REAS no cabe la acumulación, aunque correspondan al mismo interesado y tributo, porque derivan de dos procedimientos diferentes [TEAC 20-11-2018 RG 5702-2015 (*Tol 8476721*)].

También entiendo que son acumulables de forma obligatoria las REAS resultantes del mismo tipo de procedimiento, aunque mediante procedimientos concretos iniciados y terminados de forma separada en la misma o distintas fechas.

Por ejemplo, la liquidación dictada por el IVA del primer trimestre del ejercicio 2018 por un órgano periférico de la AEAT como el Jefe de la Dependencia de Gestión de Cáceres por cuantía de 200.000 euros contra la que se interpone una REA directamente ante el TEAC. En este caso, si el mismo órgano dicta otra liquidación por el IVA del segundo trimestre del ejercicio 2018 por cuantía de 100.000 euros, la REA debe acumularse por el TEAC y no puede resolverse por el TEAR de Extremadura.

b) Por varios interesados relativas al mismo tributo

La LGT exige que deriven de un mismo expediente, planteen idénticas cuestiones y deban ser resueltas por el mismo órgano económico-administrativo. Por ello, en este caso la acumulación también es obligatoria, pero no puede alterar la competencia del órgano administrativo.

Las limitaciones son mayores, porque no sólo las cuestiones deben ser idénticas, sino derivar del mismo expediente, que entiendo es el mismo procedimiento concreto iniciado y finalizado en fechas determinada.

Por ejemplo, un socio de una entidad interpone una REA ante el TEAR de Cataluña para que resuelva en primera instancia contra una liquidación dictada y notificada el 21-02-2022 por el IRPF del ejercicio 2018 por un órgano periférico de la AEAT, como es el Jefe de la Dependencia de Gestión de Barcelona, por cuantía de 200.000 euros, que tiene su origen en una ganancia por la transmisión de sus participaciones a otra entidad. Si otro socio de la misma entidad interpone ante el mismo TEAR una REA contra la liquidación dictada y notificada el 24-02-2022 por el mismo órgano, también por IRPF del ejercicio 2018, por una ganancia idéntica por transmisión de participaciones, pero cuantía de 100.000 euros, no se puede acumular a la REA del otro socio. La razón es que no provienen del mismo expediente, ya que cada socio ha sido objeto de un procedimiento de comprobación distinto, siendo competente para resolver la REA interpuesta también el TEAR de Cataluña, pero a diferencia de la otra en única instancia, es decir, este segundo socio no podrá luego interponer recurso de alzada ante el TEAC contra la resolución del TEAR.

c) Por varios interesados contra un mismo acto o actuación

Este caso no estaba previsto de forma expresa en la regulación precedente y su finalidad es clara, porque las REAS afectan a un mismo acto o actuación. En este caso la acumulación implica la competencia para resolver todas las acumuladas y corresponde al TEAC si es competente para una de ellas y en otros casos al TEA competente para la REA que primero se interpuso.

d) *Contra una sanción si se hubiera presentado REA contra la deuda tributaria de la que derive*

Es el caso más frecuente[111], pero sólo afecta a la REA interpuesta contra una sanción tributaria que deriva de la deuda tributaria determinada en una liquidación previamente objeto de REA, pero no si la sanción es distinta, aunque esté relacionado con el mismo procedimiento (por ejemplo, sanción del artículo 203 de la LGT por resistencia a las actuaciones de la Administración tributaria).

La acumulación implica la competencia para resolver todas las acumuladas y corresponde al TEAC si es competente para una de ellas y en otros casos al TEA competente para la REA contra la deuda tributaria.

Esta obligación de acumulación subsiste incluso aunque haya sido resuelta una de las REAS, pues el TEAC entiende que la falta de acumulación supone un defecto de forma invalidante. Por ello, concluida la REA contra la liquidación, aunque no puede acumularse, si puede evitarse el carácter invalidante del defecto atribuyendo la competencia al TEA al que hubiera correspondido resolver de haberse producido la acumulación [TEAC 12-12-2018 RG 8691-2015 (*Tol 7879984*)].

1.5.2. Acumulación potestativa

El TEA puede acumular otras REAS que considere que deben ser objeto de resolución unitaria cuando existan conexión entre ellas, siempre que lo motive (artículo 240.2 de la LGT), aunque afecten a distintos tributos y reclamantes, pero siempre que el TEA que acumule tenga competencia para resolver todas las REAS.

Por ejemplo, si el socio de una entidad al que hice mención en el previo ejemplo sobre acumulación obligatoria referida a varios interesados inter-

---

[111] La norma de acumulación en el artículo 230.1.d) de la LGT aplica en la vía económico-administrativa la obligación de acumular en general los recursos o reclamaciones contra la deuda tributaria y contra la sanción derivada de la misma, que establece el artículo 212.1 de la LGT, siendo competente el órgano que conozca la impugnación contra la deuda.

pone una REA ante el TEAR de Cataluña para que resuelva en primera instancia contra una liquidación dictada y notificado el 21-02-2022 por el IRPF del ejercicio 2018 por un órgano periférico de la AEAT, como es el Jefe de la Dependencia de Gestión de Barcelona, pero la cuantía es de 120.000 euros (en vez de 200.000), puede pedir la acumulación de la REA que presenta el otro socio de cuantía 100.000 euros, porque ambas REAS son competencia del TEAR de Cataluña en única instancia. Lo mismo ocurriría, aunque se refirieran las REAS a distintos tributos o las cuestiones no fueran idénticas, siempre que el TEAR entendiera que entre ambas REAS existe conexión.

Esta acumulación es muy flexible porque basta que exista la repetida conexión, es decir, algo que las relacione y que lleva a que convenga resolver en una única resolución, pero no puede alterar la competencia para resolver[112].

Por ejemplo, liquidación dictada a un contribuyente por el IRPF del ejercicio 2018 por cuantía de 30.000 euros que regulariza el régimen de estimación objetiva y la liquidación dictada por el IVA del mismo ejercicio por cuantía de 15.000 euros que regulariza el régimen simplificado, ya que dichos regímenes de IRPF e IVA están normalmente coordinados.

Por otro lado, la acumulación pueden solicitarla los reclamantes (a instancia de parte) o tener la iniciativa el TEA (de oficio), si bien en este último caso si la acumulación afecta a varios reclamantes previamente debe el TEA notificar para que en el plazo de 5 días (hábiles) manifiesten lo que deseen acerca de la procedencia o no de la acumulación.

La decisión, que debe estar motivada, corresponde siempre al TEA, que puede dejar sin efecto la acumulación cuando entienda conveniente la resolución separada

---

[112] Con la normativa original de la LGT no estaba prevista la acumulación potestativa y cuando el TEAR acumulaba REAS referidas a diferentes tributos y resolvía de forma acumulada, alterando la competencia del TEAC para resolver, debían retrotraerse las actuaciones al momento anterior a dictar la resolución, para que dicho TEAR desacumulara y acumulase sólo las referidas al mismo tributo, junto con sus sanciones respectivas, dictando diferentes resoluciones y dando el pie de recurso que resulte procedente en cada una de ellas atendiendo a que se dicten en única o primera instancia en función de la cuantía mayor de las REAS acumuladas correspondientes a cada tributo [TEAC 10-02-2020 RG 4671-2018 (*Tol 8476179*)]. Con la nueva normativa tampoco resulta posible la acumulación potestativa de REAS de diferentes tributos cuando alteren la competencia para resolver.

1.5.3. Procedimiento

El procedimiento para acumular o dejar sin efecto la acumulación previamente realizada tiene pocas reglas (artículo 37 del RGVA):

- El TEA, en cualquier momento previo a la terminación, acordará a instancia de parte o de oficio, la acumulación o dejará sin efecto la acumulación acordada, sin que en ningún caso se retrotraigan las actuaciones ya producidas o iniciadas en la fecha del acuerdo o de la solicitud.

- Denegada o dejada sin efecto la acumulación, cada REA proseguirá su tramitación, con envío al TEA competente si fuera distinto, sin que sea necesario un nuevo escrito de interposición, ratificación o convalidación. En cada uno de los nuevos expedientes administrativos figurará copia cotejada de todo lo actuado.

Estas reglas están presuponiendo que la acumulación o el acuerdo que deja sin efecto una acumulación previamente acordada estarán plasmados en un acuerdo, que debería notificarse a los interesados. Sin embargo, nada parece impedir que la acumulación o el dejar sin efecto la acumulación pueda hacerse directamente en la resolución que termina las REAS, al menos cuando la acumulación es obligatoria, pues sólo exige dictar un acuerdo cuando el mismo es previo a la resolución. Si la acumulación es potestativa convendría dictar un acuerdo previo de acumulación, aunque parece que también sería posible acumular en la resolución si es solicitada por los reclamantes, debiendo motivarse en la resolución que existe conexión y precisamente que había sido solicitada por los mismos.

Una vez acumuladas las REAS la tramitación a partir de dicho momento es única para todas ellas, por lo que no hay que repetir trámites realizados en una REA.

Por ejemplo, si antes del acuerdo de acumulación de dos REAS se había puesto de manifiesto una de ellas, sólo es necesario poner de manifiesto la otra y no las dos a la vez, pero si antes del acuerdo no se había puesto de manifiesto ninguna REA hay que poner de manifiesto de forma conjunta las REAS acumuladas.

Los acuerdos de acumulación o que dejan sin efecto una acumulación son actos de trámite y no serán recurribles (artículo 230.3 de la LGT), es decir, de forma independiente, pero la acumulación puede discutirse, como los demás actos de trámite, al recurrir la resolución que finaliza la REA.

Desde el punto de vista práctico cabe preguntarse las consecuencias cuando el TEA no ha acumulado REAS que debían acumularse obligatoriamente o ha acumulado las que no debía acumular. Si no altera la competencia para resolver del órgano económico-administrativo, no parece que el defecto tenga trascendencia, especialmente si era posible la acumulación potestativa, aunque no estaría motivada mediante un acuerdo. Por el contrario, si altera la competencia entiendo que debería anularse la resolución para que pueda resolver el TEA competente, pero no considero que suponga la nulidad de pleno derecho.

1.6. Normas generales

La LGT, al regular el procedimiento general económico-administrativo regula una serie de aspectos comunes, con la denominación de normas generales (artículo 234). Sin embargo, no sólo son aplicables a dicho procedimiento, sino también al abreviado, así como a los recursos en vía económico-administrativa. Además, ponen de relieve lo que significa actualmente la vía económico-administrativa y, por ello, creo que merece la pena examinarlas antes de analizar la presentación de las REAS. Voy a destacar las cuatro normas siguientes:

Primera, que he comentado al tratar la legitimación y los interesados, la representación voluntaria se tendrá por acreditada cuando hubiera sido admitida en el procedimiento en que se dictó el acto impugnado (artículo 234.2 de la LG), sin necesidad de aportar uno de los medios establecidos legalmente. Esto pone de relieve no sólo que las REAS son recursos administrativos, sino la conexión esencial con el previo procedimiento de aplicación de los tributos o de imposición de sanciones en el que se dictó el acto impugnado.

Segunda, el procedimiento se impulsará de oficio con sujeción a los plazos establecidos, que no serán susceptibles de prórroga, ni precisarán que se declare su finalización (artículo 234.3 de la LGT). Esto diferencia claramente las REAS de los recursos judiciales y, además, manifiesta la simplificación que se persigue en la vía económico-administrativa, ya que no es posible la prórroga de los plazos, a diferencia de lo que ocurre en la LPACAP.

Tercera, las notificaciones no presentan especialidades significativas respecto a las demás de la LGT (artículo 234.4 de la LGT), pues serán electrónicas para los obligados a interponer las REAS de forma electrónica, que son los obligados a relacionarse electrónicamente en la LGT y la LPACAP, mientras que para los demás se aplican las normas de la LGT. Esto vuelve a diferenciar claramente las REAS de los recursos judiciales y, por otro lado, aproxima a las notificaciones en los demás procedimientos tributarios.

Cuarta, el procedimiento es gratuito (artículo 234.5 de la LGT). La LGT contempla la posibilidad de condena en costas, pero la expresión puede confundir, porque es muy diferente de las costas judiciales y está prevista para casos muy limitados. Por otro lado, no ha sido aplicado en la práctica y, además, el TS anuló la regulación reglamentaria que cuantificaba las costas [STS 03-06-2019 recurso 84/2018 (*Tol 7271656*)]. En mi opinión, aunque en esta obra no puedo profundizar en este punto, la gratuidad de las REAS es esencial y cualquier medida que la excepcione, aunque tenga buena intención, debe evitarse.

2. PRESENTACIÓN DE LA RECLAMACIÓN

La REA debe presentarse en el plazo de un mes y tiene un contenido obligatorio, como ocurre con el recurso de reposición. Además, como especialidades, a veces también es obligatorio interponer en la sede electrónica y hay casos en que el órgano que dictó el acto puede anularlo con ocasión de la interposición de la REA.

2.1. Plazo

El plazo es de un mes para todas la REAS, con independencia que se tramiten por el procedimiento general o el abreviado (artículos 235.1 y 245.3 de la LGT), que es el mismo plazo del recurso de reposición. Además, la forma de computar el plazo y lo que puede hacer el contribuyente cuando ha pasado el plazo de un mes lo he comentado con detalle en el capítulo segundo de esta obra, para todo tipo de recursos. En todo caso, destaco que el plazo es improrrogable, es decir, que no se puede ampliar. Además, el transcurso del mismo provoca que el acto pase a ser firme y consentido y sólo pueda revisarse por los mecanismos especiales o extraordinarios.

Las REAS tienen dos peculiaridades frente al recurso de reposición:

- Pueden interponerse contra el acto expreso o presunto de aplicación de los tributos o de imposición de sanciones tributarias, como dicho recurso de reposición, pero pueden presentarse también contra el acuerdo expreso o presunto del recurso de reposición previamente presentado.

- Pueden interponerse contra actuaciones de particulares, lo que no es posible en el recurso de reposición.

2.1.1. Plazo en caso de acto expreso

En la impugnación de actos expresos, incluido el acuerdo que resuelve un recurso de reposición, comienza a contarse a partir del día siguiente al de la notificación del acto y termina el mismo día en que se produjo la notificación, pero del mes siguiente, aplicándose las reglas de la LPACAP. Por ello, recuerdo que si el último día del plazo es inhábil en el Municipio o Comunidad Autónoma donde reside el contribuyente o tenga su sede el órgano administrativo, el plazo termina el siguiente día que sea hábil. Además, si el mes correspondiente no tiene un día con el mismo número que el de la notificación el plazo termina el último día del mes.

Por ejemplo, si se notifica el acto el 20-04-2022 el primer día es el 21-04-2022 y el último día el 20-05-2022 (viernes y hábil).

La importancia práctica de presentar dentro de plazo es enorme porque cuando se hace después el TEA no examinará el fondo del asunto (ni siquiera si lo que se alega es la prescripción), sino que inadmitirá la REA por extemporánea (es decir por haberse presentado fuera de plazo).

Es un plazo que no puede ampliarse (es decir, improrrogable), por lo que, si existiera alguna dificultad, en vez de pedir la prórroga del plazo (que será denegada), conviene interponer la REA y luego completar lo que falte mediante un escrito complementario.

El caso típico que conduce a confusión a muchos contribuyentes es la búsqueda de pruebas que apoyen su argumentación. Por ejemplo, un contribuyente extranjero residente en España y que necesita pedir a otro país documentos en su apoyo y, además, traducirlos. En este caso, conviene presentar la REA dentro del plazo de 1 mes diciendo que se aportarán pruebas posteriormente (lo ideal sería acompañar una copia de la petición de las pruebas acompañando a la REA).

Si ha pasado el plazo el contribuyente sólo podrá utilizar contra el acto (que pasa a ser "*firme*" por no haberse reclamado en plazo) los procedimientos especiales de revisión (artículos 217 a 221 de la LGT) o el recurso extraordinario de revisión (artículo 244 de la LGT), pero sus causas o circunstancias están muy limitadas y es difícil que pueda entrarse en el fondo a través de estos mecanismos especiales o extraordinarios, salvos casos raros.

El acto impugnado, tras haberse presentado un recurso de reposición, es el acuerdo o resolución que resuelve dicho recurso. En este caso, la REA impugna dicho acuerdo, pero también, a la vez, el previo acto recurrido en reposición o acto subyacente.

Finalmente, hay que evitar el error de interponer la REA el mismo día de la notificación, pues el plazo empieza el día siguiente. En todo caso, si se presenta el mismo día parece haberse flexibilizado la posición administrativa que consideraba que el recurso no estaba en plazo (era "*pretemporáneo*", es decir presentado antes de plazo), pero para mayor seguridad conviene interponer la REA a partir del día siguiente a la notificación.

2.1.2. Plazo en caso de silencio administrativo

También el contribuyente puede presentar una REA cuando la Administración no ha dictado el acto en el plazo correspondiente, incluido el acuerdo que resuelve el recurso de reposición. El plazo de un mes se cuenta a partir del día siguiente a aquel en que se produzcan los efectos del silencio administrativo y termina el mismo día de aquel en que se produzcan los efectos del silencio, pero del mes siguiente, aplicándose las reglas de la LPACAP.

La Administración en caso de silencio administrativo durante años mantenía la posición de que pasado el citado plazo de un mes la REA estaría fuera de plazo y, por tanto, sería extemporánea. Sin embargo, como comenté al tratar el recurso de reposición en caso igualmente de acto presunto, dicha posición parece haberse flexibilizado, entendiendo que el plazo no empieza si no se han notificado al contribuyente los recursos procedentes, indicando el plazo y órgano ante el que se interpone [TEAC 18-04-2013 RG 3351/2010 (*Tol 3914599*) referido a un REA directamente ante el TEAC que podía haberse presentado en primera instancia ante el TEAR o TEAL]. Desde el punto de vista práctico, esto supone que el contribuyente interpondría en plazo la REA porque, al no resolver de forma expresa, no fueron notificados los recursos pertinentes.

En todo caso, el contribuyente no está obligado a interponer la REA, pues puede limitarse a esperar a que la Administración dicte el acto expreso y, además, puede recordar a la Administración que debe resolver.

Si el contribuyente ha interpuesto la REA, pero antes de la resolución por el TEA, el órgano administrativo dicta el acto expreso, no es posible presentar una nueva REA. Es decir, tras una primera REA contra el acto presunto, no puede presentar una segunda REA contra el acto expreso, pero puede presentar alegaciones ante el TEA en relación con dicho acto expreso[113].

---

[113]   Es una novedad introducida en el artículo 235.1 de la LGT por la Ley 34/2015, pues previamente nada impedía interponer una REA contra el acto expreso y lo lógico es que se acumulara contra la previa REA contra el acto presunto.

Por ello, el órgano que dicta el acto expreso debe notificarlo al interesado y remitirlo al TEA, advirtiendo en la notificación a dicho interesado que el acto expreso se considerará impugnado ante el TEA, aunque si da la razón al interesado la REA finalizará por satisfacción extraprocesal que dictará dicho TEA[114]. En la notificación del acto expreso concederá el plazo de un mes, a contar desde el día siguiente a la notificación, para que dicho interesado pueda formular ante el TEA alegaciones, pero si no lo hace supone la conformidad con la repetida satisfacción extraprocesal.

Dicho de forma más sencilla, contra el acto "expreso" el contribuyente no puede interponer otra REA (pues ya se presentó una previa por silencio), pero puede alegar ante el TEA todo lo que entienda conveniente.

2.1.3. Plazo en caso deudas periódicas y notificación colectiva

Es el caso de deudas tributarias que no se notifican individualmente al contribuyente y la notificación es colectiva para todos los contribuyentes. Los ejemplos típicos son el IBI o el IAE.

El plazo también es de un mes, a contar desde el día siguiente al de finalización del período voluntario de pago.

2.1.4. Plazo en caso de actuaciones de particulares

En la impugnación de actuaciones de particulares el plazo es también de un mes, pero como no hay acto administrativo, ni propiamente notificación del mismo, existen reglas específicas respecto a desde cuando se computa.

En el caso de la realización u omisión de la retención o ingreso a cuenta, de la repercusión reclamada o de la sustitución derivada de las relaciones entre el sustituto y el contribuyente el plazo empieza a contar desde el día siguiente a aquél en que quede constancia. Entiendo que ello deberá acreditarlo el reclamante al presentar la REA, acompañando las pruebas oportunas, que dependerán de cada caso (email, correo certificado, etc.).

En las obligaciones de facturación el plazo empezará a contar transcurrido un mes desde que se haya requerido formalmente el cumplimiento de

---

[114]   Cuando el acto expreso da la razón al contribuyente la REA pierde su objeto. Por ejemplo, cuando interpuso recurso de reposición contra una liquidación que no fue resuelta en plazo y, tras la interposición de la REA, el acuerdo estima totalmente el recurso y anula la liquidación.

dicha obligación. Entiendo igualmente que ello deberá acreditarlo el reclamante al presentar la REA, acompañando justificante del previo requerimiento formal.

2.2. *Contenido*

El escrito de interposición de la REA, no tiene que ajustarse a un modelo obligatorio. Por ello, puede redactarse por el contribuyente con sus propias palabras, pero también puede utilizar los formularios que existen[115], en libros en papel o electrónicos o en aplicaciones informáticas y, finalmente, las Administraciones tributarias proporcionan también para las REAS, sobre todo en sus sedes electrónicas. En todo caso, al igual que en el recurso de reposición, la ventaja de utilizarlos es que incluyen el contenido requerido para el recurso y los reclamantes cometerán menos errores.

El contenido tiene una parte que es común a todos medios de revisión, pero otra que es específica de la REA.

2.2.1. Contenido común a todos los medios de revisión

El contenido común lo he comentado, en general, en el capítulo segundo de esta obra y, de forma resumida, en el capítulo tercero al tratar del recurso de reposición, por lo que me remito a dichos comentarios. Recuerdo la importancia del designar el domicilio a efectos de notificaciones desde el punto de vista práctico y que, cuando existe algún defecto, el TEA debe requerir la subsanación (el artículo 54 del RGRVA remite expresamente al artículo 2.2).

2.2.2. Contenido específico para la REA

La normativa exige, si bien de forma dispersa, varios aspectos:

– La mención a que es una REA.

---

[115] En VARIOS, *Formularios Tributarios*, ob. cit., págs. 443 a 478, diferencia según procedimientos y según se impugnen actos administrativos o actuaciones entre particulares. Por ejemplo, cuando se impugnan actos administrativos diferencia por el procedimiento general sin alegaciones [págs. 454 a 455. Formulario V.14 (*Tol 7387114*)] o con alegaciones [págs. 463 a 464. Formulario V.16 (*Tol 7387113*)] y por el procedimiento abreviado [págs. 475 a 476. Formulario V.20 (*Tol 7389382*)].

– La mención al órgano al que se dirige la REA (artículo 235.3 de la LGT).

– Las alegaciones y documentos o pruebas que apoyen, que sólo es obligatoria en caso de procedimiento abreviado (artículo 235.2 y 246.1 de la LGT).

– Copia del acto impugnado, que sólo es obligatoria en el procedimiento abreviado (artículo 246.1 de la LGT.

– Contenido de la REA contra una actuación de particulares (artículo 235.2 y 4 de la LGT).

La solicitud de suspensión de la ejecución del acto no sólo no es obligatoria, sino que no debería incluirse en el escrito de interposición de la REA. Requiere un escrito independiente (artículo 40.2 del RGRVA), aunque es muy frecuente en la práctica que los reclamantes la incluyan en dicho escrito, sin que parezca tener consecuencias prácticas perjudiciales para el mismo.

Por otro lado, la normativa no exige que el reclamante incluya la cuantía de la REA, aunque tenga gran trascendencia. Sin embargo, recomiendo que la ponga, al menos cuando sea fácil de determinar, pues puede facilitar la tramitación de la REA y, en caso de error, nunca puede perjudicar al reclamante, sino que el TEA debería explicar las razones por las que entiende que la cuantía es distinta.

a) La mención a que es una REA

Esta mención es lógica, aunque no viene expresada de forma clara en la normativa. Puede parecer poco relevante, pero es muy importante desde el punto de vista práctico, sobre todo cuando el contribuyente redacta el propio recurso. En este caso, recomiendo poner en mayúsculas y al comienzo que es una REA y, además, dentro del texto citar la normativa que lo regula (por ejemplo, artículos 228 y siguientes de la LGT), para que la Administración la tramite rápidamente y no cometa errores.

b) La mención al órgano al que se dirige la REA

En la REA contra un acto tributario es el órgano que dictó el acto, al que debe ir dirigida dicha REA (artículo 235.3 de la LGT). Este órgano remitirá la REA al TEA competente en el plazo de un mes, junto con el expediente administrativo del acto, que será electrónico[116], al que podrá incorporar un informe si lo considera conveniente.

Las razones que explican que la REA vaya dirigida al órgano que dictó el acto y no al TEA (salvo en el caso de actuaciones entre particulares) son, a mi juicio, las dos siguientes:

- Facilita y agiliza la remisión del expediente administrativo del acto al TEA, que era un problema crónico antes de la LGT de 2003 y que, desde entonces, ha mejorado notablemente.

- Cuando la REA contiene alegaciones y no se ha presentado previamente recurso de reposición permite que el propio órgano que dictó el acto lo pueda anular, que es una medida de la LGT de 2003 para disminuir la conflictividad, que luego comentaré.

Por tanto, la REA contra un acto tributario debe incluir el órgano al que va dirigida (el órgano que dictó el acto) y el TEA competente para resolver (que es parte del contenido común). En caso de que el contribuyente redacte la REA recomiendo que ponga claramente en el encabezamiento, además de que es una REA, que va dirigida al órgano de la Administración que dictó el acto (que es fácil porque viene expresado en el propio acto que se reclama) para que resuelva un TEA determinado (que es el competente para resolver). Distinto de los dos es el órgano o más bien el registro en el que la REA se presenta físicamente, que puede ser cualquiera previsto en la LPACAP, aunque en algunos casos debe presentarse en la sede electrónica del órgano.

Si el reclamante no pone el TEA competente o comete un error casi nunca tiene trascendencia práctica, ya que el órgano que dictó el acto sabe cuál es. El único problema práctico surge en la REA dictada por un órgano periférico (o no superior) cuando la cuantía es superior a 150.000 euros (o 1.800.000 en caso de bases o valoraciones) en que el reclamante puede interponer la REA ante los TEARLS en primera instancia o directamente ante el TEAC en única instancia.

---

[116] La AEAT desde hace tiempo enviaba a los TEAS expedientes electrónicos, lo que el artículo 235.3 de la LGT, en la redacción dada por la Ley 34/2015 contemplaba como una posibilidad, pero el artículo 70.2 de la LPACAP establece que el expediente tendrá formato electrónico y el artículo 70.3 de la LPACAP que la remisión del expediente electrónico se hará de acuerdo con lo previsto en el Esquema Nacional de Interoperabilidad y las correspondientes Normas Técnicas.

c) Alegaciones y pruebas

Sólo es obligatorio incluir o acompañar alegaciones y pruebas con la REA en el procedimiento abreviado, es decir, REAS de cuantía inferior a 6.000 euros (o 72.000 euros en caso de bases o valoraciones). Como ocurre en el recurso de reposición, la posible puesta de manifiesto del expediente se produce en el plazo de un mes para interponer la REA ante el órgano que dictó el acto.

En el procedimiento general el reclamante tiene dos posibilidades (artículo 235.2 de la LGT):

– La primera, limitarse a expresar que se tenga por interpuesta la REA. Lo normal es que, además, solicite la puesta de manifiesto del expediente por el TEA para presentar alegaciones y pruebas.

– La segunda, acompañar alegaciones y pruebas, siendo posible igualmente que solicite la puesta de manifiesto del expediente por el TEA para presentar más si fuera conveniente.

La decisión por una u otra posibilidad en dicho procedimiento general depende mucho de las circunstancias e, incluso preferencias, del contribuyente o su asesor. Por ejemplo, cuando se quiere impedir que el órgano que dictó el acto lo pueda anular con ocasión de la REA no conviene presentar alegaciones y pruebas con el escrito de interposición, salvo que previamente se hubiera interpuesto recurso de reposición. Por otro lado, en los casos en que no existe tiempo para redactar las alegaciones y localizar pruebas es totalmente adecuado presentar, en el plazo de un mes, la REA y luego habrá más tiempo para alegar tras la puesta de manifiesto por el TEA. Finalmente, si el reclamante desea la rápida resolución, no conviene la puesta de manifiesto, porque normalmente retrasa la tramitación.

En general, recomiendo presentar alegaciones y pruebas con el escrito de interposición, siempre que sea posible, pues hay casos en que, incluso si se pide la puesta de manifiesto, el TEA puede resolver sin proceder a la misma (artículo 236.5 de la LGT).

No voy a comentar más aspectos de las alegaciones y pruebas, pues entiendo aplicable lo que expuse en el capítulo tercero al tratar de las mismas en el recurso de reposición. En el caso del procedimiento abreviado, si el contribuyente desea examinar el expediente administrativo para formular alegaciones, debe comparecer durante el plazo de interposición para que el órgano administrativo que dictó el acto lo ponga de manifiesto (artículo 246.1 de la LGT).

d) Copia del acto impugnado

En el procedimiento abreviado hay que acompañar una copia del acto impugnado, pero su falta no tiene consecuencias prácticas. Incluso cuando no pueda identificarse el acto, debido a la falta de dicha copia, el TEA debe subsanar requiriendo la identificación de dicho acto y, en su caso, la copia.

En el procedimiento general no viene exigido, pero recomiendo acompañarla.

e) Contenido de la REA contra una actuación de particulares

En la REA interpuesta contra una actuación de otro particular no hay acto administrativo, lo que implica dos especialidades en su contenido:

– Debe identificar a la persona recurrida y su domicilio y adjuntar todos los antecedentes que obren a disposición del reclamante o en registros públicos (artículo 235.2 de la LGT).

– Debe dirigirse al TEA competente para resolver (artículo 235.4 de la LGT), por lo que coinciden el órgano al que se dirige y el órgano competente para resolver.

2.3. Interposición obligatoria en la sede electrónica

Los reclamantes que estén obligados a recibir por medios electrónicos comunicaciones y notificaciones, que he examinado al comentar las notificaciones en el capítulo segundo, están obligados a interponer la REA en la sede electrónica del órgano que haya dictado el acto (artículo 234.5 de la LGT[117]). Es importante destacar que esta obligación está prevista para la REA propiamente dicha, con independencia de su tramitación por el procedimiento general o abreviado.

Los órganos que dictan los actos impugnados tienen formularios en su registro electrónico y el reclamante debe rellenarlo y firmarlo y acompañar los documentos anexos que entienda conveniente (por ejemplo, pruebas

---

[117] Modificación introducida en la LGT por la Ley 34/2015, con efecto para las REAS presentadas a partir de 12-10-2015. Previamente la Orden EHA/2784/2009, de 8 de octubre, que parece que sigue estando vigente, regula la interposición telemática de REAS, reflejando unos modelos.

documentales)[118]. En caso de que el órgano no tuviera disponible dicho formulario o, incluso, registro electrónico, el reclamante debería presentar la REA en papel dirigida al órgano que dictó el acto.

La cuestión práctica es qué ocurre si el reclamante, a pesar de estar obligado a presentar de forma obligatoria en la sede electrónica del órgano que dictó el acto, lo presenta en papel o en otro registro electrónico. No es fácil dar una respuesta, pero entiendo que el TEA debería requerir la subsanación y no limitarse a inadmitir, pero para evitar riesgos innecesarios recomiendo a los reclamantes obligados que interpongan en la sede electrónica.

2.4. Posibilidad de anulación por el órgano que dictó el acto

La REA permite anular el acto al órgano que lo dictó, cuando acompañe alegaciones y no haya presentado previamente el reclamante un recurso de reposición (artículo 235.3 de la LGT). La razón de esta posibilidad de anulación, que no es una revocación, ni tampoco un recurso de reposición, es dar una oportunidad para que de forma rápida el órgano que dictó el acto pueda reconsiderarlo a la vista de las alegaciones, ahorrando trabajo a los TEAS. Sin embargo, ha sido muy poco utilizada en la práctica, por lo menos en el ámbito de la AEAT, aunque es un mecanismo que permitiría anular los actos que incurren en defectos más significativos.

Esta posibilidad de anulación total o parcial debe producirse en el plazo de 1 mes para remitir la REA y el expediente administrativo al TEA, debiendo remitir a dicho TEA el nuevo acto dictado con el escrito de interposición de la reclamación. El acto de anulación no es recurrible de forma independiente y existen diversos casos de anulación (artículo 52.3 del RGRVA), pero si el reclamante está conforme con la anulación lo normal es que no solicite la resolución de la REA y el TEA se limitará archivar.

---

[118] En el momento de escribir estas líneas (durante el mes de abril de 2022) la AEAT diferencia en su sede electrónica la posibilidad de presentar REA contra actos de gestión tributaria, de inspección, recaudación, de aduanas e IIEE y de la declaración de prescripción del derecho a la devolución.

3. SOLICITUD DE SUSPENSIÓN

La interposición de una REA no suspende (artículo 233.1 de la LGT). Por ello, para evitar que la Administración ejecute el acto, el reclamante debe solicitar y conseguir la suspensión.

Sin embargo, esta regla general tiene dos importantes excepciones:

– En primer lugar, las sanciones tributarias, pues la interposición de la REA las suspende de forma automática sin necesidad de aportar garantías (artículo 233.1 de la LGT).

Esto provoca que algunos contribuyentes interpongan REA contra la sanción para conseguir la suspensión automática y no porque estén en contra de la sanción, como también ocurre con el recurso de reposición en el caso de sanciones.

– En segundo lugar, los actos que fueron impugnados previamente mediante un recurso de reposición y, tras la solicitud, quedaron suspendidos aportando las garantías tasadas, siguen suspendidos al interponer la REA, siempre que los efectos de dichas garantías alcancen a la vía económico-administrativa (artículo 39.1 del RGRVA).

Esta segunda excepción trata de evitar molestias a los contribuyentes que interponen recurso de reposición y creen que va a ser desestimado, para que no tengan que solicitar la suspensión al interponer la REA, siempre que las garantías alcancen a la vía económico-administrativa. En la práctica, algunos contribuyentes que obtienen un aval o finanza solidaria de una entidad bancaria lo que hacen es pedir que la misma alcance al recurso de reposición, la REA e, incluso, al RCA.

Expuesto lo anterior, las posibilidades de suspensión tras interponer una REA son tres:

Primera, la suspensión automática con garantías tasadas. Es parecida a idéntica posibilidad de suspensión en el recurso de reposición, pero el órgano competente para resolver la suspensión no es el órgano que dictó el acto, sino el órgano de recaudación que establezca la norma de organización específica.

Segunda, la suspensión con prestación de otras garantías distintas de las tasadas. También es competente el órgano de recaudación que establezca la norma de organización específica y está prevista para el caso en que el contribuyente no puede aportar las garantías tasadas de la suspensión automática, pero sí otras garantías.

Tercera, la suspensión sin garantías o también llamada suspensión por el TEA, ya que en estos casos la competencia para resolver la suspensión es del mismo TEA competente para la REA y está prevista cuando la ejecución del acto pudiera causar perjuicios de imposible o difícil reparación o se aprecie que al dictar el acto se ha podido incurrir en error de hecho.

Estas tres posibilidades de suspensión están previstas legalmente, pero sobre todo se desarrollan reglamentariamente con detalle[119]. Por ello, después de exponer la presentación de la solicitud de suspensión común a todas, las comentaré separadamente, pero advierto que la suspensión con garantías tasadas es mucho más frecuente en la práctica, siendo mucho menos habitual con otras garantías o por el TEA.

A algunos obligados les sorprende que muchas decisiones sobre suspensión en vía económico-administrativa correspondan a órganos de recaudación de la Administración que dictó el acto impugnado, en vez de a los TEAS. Esto es fruto de una larga evolución histórica, en que los TEAS han ido perdiendo competencias respecto a la suspensión de la ejecución de los actos que se impugnan ante dichos TEAS.

Además, existen casos de suspensión previstos en una norma específica, que no requieren ninguna intervención del TEA (artículo 39.4 del RGRVA). Por ejemplo, cuando la REA es interpuesta por órganos estatales, autonómicos o locales (artículo 12 y disposición adicional cuarta de la Ley 52/1997 y artículo 173.2 de la LRHL) o en caso de tasación pericial contradictoria (artículo 135.1 de la LGT).

Por otro lado, a diferencia de lo que ocurre con la suspensión de la ejecución del acto impugnado en el recurso de reposición, que he comentado en el capítulo tercero, la suspensión en vía económico-administrativa no está pensando solamente en deudas tributarias, aunque siguen siendo el caso más frecuente y gran parte de la normativa está dedicada a las mismas. Sobre los actos de contenido negativo me remito al citado capítulo tercero en cuanto a la jurisprudencia existente.

Finalmente, no hay que confundir la suspensión de la ejecución del acto impugnada mediante la REA, con que el propio procedimiento económico-administrativo pueda suspenderse en ciertos casos, pues ello supone que el TEA no continúa tramitando dicho procedimiento durante un tiempo. Por

---

[119]   En los artículos 43 a 47 del RGRVA. Además, para la AEAT y los TEAS del Estado hay que tener en cuenta la Resolución de 21-12-2005, que dedica el Apartado Cuarto a la suspensión de la ejecución de los actos objeto de REA.

ejemplo, cuando se plantea un procedimiento amistoso (artículo 2 bis del RGRVA). El que el procedimiento económico-administrativo se "*suspenda*" no impide que continúe la suspensión de la ejecución del acto previamente conseguida.

3.1. Aspectos comunes a los diversos casos de suspensión

La suspensión en vía económico-administrativa tiene unos aspectos comunes que son aplicables a los diversos casos de suspensión. El RGRVA utiliza el nombre de reglas generales (artículos 40 a 42) para algunos de ellos, pero también conviene referirse al mantenimiento de la suspensión en vía administrativa y judicial (artículo 233.10 y 11 de la LGT) y a la finalización de la suspensión (artículo 233.12 de la LGT).

3.1.1. Solicitud de suspensión

La presentación de la solicitud de suspensión puede hacerse al tiempo de interponer la REA o en un momento posterior, mediante un escrito independiente de dicha REA, dirigido al órgano que dictó el acto (artículo 40.2 del RGRVA). Si presenta defectos, como luego iré exponiendo al hilo de cada tipo de suspensión, podrá requerirse su subsanación por la Administración, en el plazo de diez días (hábiles) desde la notificación del requerimiento, que deberá ser contestado mediante el correspondiente escrito de subsanación[120]. En caso de que no se haga, determinará el archivo y que la solicitud se tenga por no presentada.

Si no existe una REA, la solicitud de suspensión carece de eficacia y no es necesario acuerdo expreso de inadmisión. Por ello, cuando la REA no afecta a la totalidad de la deuda tributaria, la suspensión se refiere a la parte reclamada, quedando obligado el reclamante a ingresar la cantidad restante (artículo 233.7 de la LGT[121]). Por ejemplo, cuando la REA sólo impugna los intereses y no la cuota de una liquidación, la suspensión sólo puede afectar a dichos intereses.

Desde el punto de vista práctico, recomiendo presentar la solicitud al mismo tiempo que la REA para evitar despistes, pero en un escrito indepen-

---

[120]   Por ejemplo, VARIOS, *Formularios Tributarios*, ob. cit., págs. 551 a 552 [formulario V.41. (*Tol 3968899*)].

[121]   La redacción no ha variado, pero antes de las modificaciones realizadas por la Ley 11/2021 era el apartado 6.

diente, como exige la normativa. Sin embargo, no parece que tenga conse-cuencias prácticas si se presenta en el mismo escrito.

La solicitud de suspensión debe acompañarse de los documentos que justifican que concurren los requisitos necesarios de la suspensión, de una copia de la reclamación interpuesta y, además, deben aportarse necesaria-mente unos documentos (artículo 40.2 del RGRVA). Sin embargo, como estos últimos varían según el caso de suspensión, los comentaré al analizar cada caso.

3.1.2. Garantías de la suspensión

Puede extrañar que el RGRVA regule en las reglas generales las garan-tías de la suspensión, pues existen supuestos de suspensión de la ejecución que no están condicionados a la aportación de garantía. Sin embargo, la mayoría de las suspensiones implican garantías, por lo que hay aspectos relacionados con dichas garantías que son comunes a todos los supuestos de suspensión en vía económico-administrativa:

- Las garantías aportadas para la suspensión quedarán, a los efectos de su eventual ejecución, a disposición del órgano competente para la recaudación del acto reclamado y deben cubrir el importe de la obli-gación impugnada, intereses de demora y los recargos que procede-rían en caso de ejecución de la garantía. Por ello, los intereses cuando la garantía consista en depósito de dinero o valores públicos serán de seis meses para el procedimiento abreviado, un año para el procedi-miento general en única instancia y dos años cuando la resolución sea susceptible de recurso de alzada ordinario (artículo 41.1 del RGRVA).

- Además, la garantía aportada queda afecta al pago de la nueva cuota o cantidad resultantes y los intereses de demora cuando la resolución estime parcialmente y deba dictarse una nueva liquidación (artículo 41.2 del RGRVA). En el caso de obligaciones conexas si la REA afecta a una deuda tributaria que, a su vez, ha determinado el reconocimien-to de una devolución a favor del obligado tributario, las garantías aportadas para obtener la suspensión garantizarán asimismo las can-tidades que deban reintegrarse como consecuencia de la estimación total o parcial (artículo 41.2 del RGRVA).

- Como el órgano que dictó el acto objeto de REA puede haber adop-tado una medida cautelar previa, debe comunicar de forma inmediata al órgano competente para resolver sobre la suspensión la existencia de la medida cautelar y su fecha de caducidad (artículo 41.3 del RGRVA).

3.1.3. Efectos de la concesión o denegación de la suspensión

La suspensión concedida tendrá efectos desde la fecha de la solicitud de suspensión (artículo 42.1 del RGRVA) y no desde la concesión.

La denegación de la suspensión debe notificarse y los efectos para los actos referidos a una deuda tributaria dependen del período de ingreso en que estaba la deuda al solicitar la suspensión (artículo 42.2 del RGRVA):

- Período voluntario de ingreso. En este caso, la notificación de la denegación iniciará el plazo de ingreso en período voluntario y procede liquidar interés de demora, que dependerán de si se ingresa o no la deuda en el nuevo plazo.

- Período ejecutivo. En este caso, la notificación de la denegación inicia el procedimiento de apremio, en caso de que no estuviera iniciado previamente.

3.1.4. Mantenimiento de la suspensión en vía administrativa y judicial

Las conexiones entre la suspensión de la ejecución del acto impugnado en vía económico-administrativa y la producida, en su caso, en el previo recurso de reposición o en el posterior RCA están reguladas expresamente (artículo 233.10 y 11 de la LGT)[122] y tienen gran interés práctico.

Por ello, si el obligado interpuso un previo recurso de reposición en el que solicitó y obtuvo la suspensión con garantías tasadas de la ejecución del acto, la suspensión continúa si las garantías alcanzan a la vía económico-administrativa, evitando molestias al reclamante (que no tiene que solicitar) y a la Administración (que no tiene que tramitar). Si la REA trata sobre una sanción tributaria la suspensión fue automática en el previo recurso de reposición por la mera interposición del recurso de reposición y lo mismo ocurre al interponer la REA.

Además, la suspensión producida en vía económico-administrativa continúa durante la tramitación de todas las instancias. Es decir, conseguida la

---

[122]   La redacción no ha variado, pero son los apartados 10 y 11 tras las modificaciones realizadas por la Ley 11/2021, aunque originalmente estaban en los apartados 7 y 8 y tras la Ley 34/2015 en los apartados 8 y 9.

suspensión en una REA en primera instancia ante el TEAR continúa en el recurso de alzada ordinario ante el TEAC, si bien siempre que las garantías alcancen a los diversos procedimientos. La LGT de forma expresa establece que no suspende la interposición del recurso extraordinario de revisión (artículo 233.14 de la LGT), pero no dice nada sobre el recurso de anulación, ni tampoco lo hace el RGRVA.

Cuestión distinta es que, una vez dictada resolución por un TEAR o TEAL en una REA en primera instancia, la interposición del recurso de alzada ordinario ante el TEAC no suspende dicha resolución, pero pueden pedirla los Directores Generales o de Departamento cuando concurran determinadas circunstancias (artículo 241.3 de la LGT).

Finalmente, la suspensión concedida en vía económico-administrativa continúa tras la resolución cuando el interesado interpone un RCA, siempre que cumpla unos requisitos y hasta que el órgano judicial resuelva el incidente de medidas cautelares. Como la suspensión en el RCA corresponde al órgano judicial, esta medida de mantenimiento de la suspensión concedida en vía económico-administrativa lo único que pretende es evitar la ejecución en perjuicio del contribuyente mientras el órgano judicial no ha resuelto el incidente. Para evitar repeticiones me remito a lo que expongo en el capítulo sexto.

3.1.5. Finalización de la suspensión

La suspensión de la ejecución del acto en vía económico-administrativa, salvo los casos de mantenimiento expuestos, dura hasta la resolución de la REA, pues dicha suspensión está ligada lógicamente a que exista una REA pendiente de resolver.

Los efectos de la finalización de la suspensión están ligados con el sentido de la propia resolución de la REA y el tipo de acto impugnado. Por ello, si dicho acto tiene contenido económico (por ejemplo, una deuda tributaria, que es el caso más frecuente):

– Cuando la resolución anula totalmente y no procede dictar un nuevo acto, la Administración debe devolver las garantías y reembolsar el coste de las mismas.

– Cuando anula parcialmente el acto o lo confirma totalmente, es decir debe ingresarse total o parcialmente el importe derivado del acto impugnado, además de dicho ingreso por el obligado proceden intereses de demora por el período de suspensión, pero se excepciona en las sanciones tributarias y, aunque no sean sanciones, por el tiempo en que el TEA ha superado el plazo que tenía para resolver y notificar (artículo 233.12 de la LGT)[123].

Es muy importante destacar que, cuando la resolución confirma el acto impugnado, la notificación de dicha resolución inicia los plazos de ingreso en período voluntario si el acto estaba suspendido en período voluntario de ingreso, mientras si estaba suspendido en período ejecutivo supone la continuación o inicio del procedimiento de apremio, según hubiera sido o no notificada la providencia de apremio antes de la fecha de efectos de la suspensión (artículo 66.6 del RGRVA).

Esta norma tiene gran interés desde el punto de vista práctico, aunque no está regulada dentro la suspensión, sino en la ejecución. Implica que ni el TEA, ni los órganos de recaudación, tienen que notificar los plazos de ingreso en período voluntario (artículo 62.2. de la LGT) para que el contribuyente esté obligado a ingresar dentro de los mismos. Sin embargo, desde hace años las resoluciones de los TEAS del Estado incluyen dentro de la propia resolución una nota informativa con los plazos de ingreso para evitar equivocaciones al contribuyente.

Por ejemplo, un contribuyente recibe una liquidación de IVA por 1.000 euros dictada por la AEAT, que es notificada el 20-01-2022. Suponiendo que interpone una REA el 15-02-2022 y ese mismo día solicita la suspensión con una garantía automática y que el TEA resuelve el 10-06-2022, desestimando y confirmando la liquidación, si notifica el 14-06-2022 tiene de plazo de ingreso en período voluntario hasta el 20-07-2022, pues según la LGT (artículo 62.2) notificada una deuda en período voluntario entre el día 1 y 15 de cada mes el plazo de ingreso es hasta el 20 del mes posterior y, si éste día fuera inhábil, hasta el inmediato hábil siguiente.

3.2. Suspensión con garantías tasadas

La suspensión automática con aportación de garantías tasadas (artículo 233.1 y 2 de la LGT) es el caso más frecuente desde el punto de vista práctico y las garantías son las mismas que en el recurso de reposición. Por ello, para evitar repeticiones, me remito a lo que expongo sobre las mismas en el capítulo cuarto dedicado a dicho recurso.

---

[123] La redacción no ha variado, pero es el apartado 12 tras las modificaciones realizadas por la Ley 11/2021, aunque originalmente estaba en el apartado 9 y tras la Ley 34/2015 en el apartado 10.

Las sanciones tributarias se suspenden de forma automática sin garantía por la interposición en tiempo y plazo de la REA, si bien no se aplica a determinadas responsabilidades por el pago de sanciones tributarias en ciertos casos (artículo 39.3 del RGRVA[124] para los casos del artículo 42.2 de la LGT). Ahora bien, la suspensión de la sanción solicitada se produce, aunque la REA se interponga fuera de plazo, hasta que el TEA confirme que está fuera de plazo y, por ello, los órganos de recaudación, so pretexto de ser extemporánea una impugnación, no pueden proceder al apremio de las sanciones impugnadas [TEAC 29-05-2014 RG 734/2014/50 (*Tol 4606632*)].

3.2.1. Solicitud

Además de lo comentado en general para todos los casos de suspensión, en la suspensión automática con garantías tasadas [artículo 40.2.a) del RGRVA] la solicitud[125] debe ir acompañada necesariamente del documento en que se formalice la garantía que debe incorporar las firmas de los otorgantes legitimadas por fedatario público, por comparecencia ante la Administración autora del acto o generadas mediante un mecanismo de autentificación electrónica. Este documento puede ser sustituido por la imagen electrónica del mismo cuando el proceso de digitalización garantice su autenticidad e integridad.

3.2.2. Procedimiento

El procedimiento es relativamente sencillo (artículo 43 del RGRVA) precisamente por la naturaleza de las garantías. La competencia para tramitar y resolver corresponde al órgano de recaudación que determine en la norma de organización específica. En la práctica, el reclamante no tiene que preocuparse, porque la solicitud está dirigida al órgano que dictó el acto, que remitirá al órgano competente.

Conviene destacar algunos aspectos:

- Si no se acompaña la garantía, la solicitud no surtirá efectos suspensivos y se tendrá por no presentada, sin necesidad de resolución expresa, pues basta archivar la solicitud y notificar al interesado.

---

[124]   Redacción dada por el RD 1073/2017
[125]   Por ejemplo, VARIOS, *Formularios Tributarios*, ob. cit., págs. 534 a 536 [formulario V.38. (*Tol 7389368*)].

– Si el documento que formaliza la garantía presenta defectos, debe requerirse su subsanación en el plazo de diez días (hábiles) desde la notificación del requerimiento.

– Si la solicitud adjunta garantía bastante, la suspensión se entiende acordada desde la fecha de la solicitud sin necesidad de resolución, aunque dicha circunstancia debe notificarse al interesado.

– Contra la denegación de la suspensión el interesado puede interponer un incidente[126] en la REA relativa al acto cuya suspensión se solicita. La resolución que pone término al incidente no es susceptible de recurso en vía administrativa, pero si mediante RCA.

3.3. Suspensión con otras garantías distintas

La suspensión con aportación de otras garantías (artículo 233.3 de la LGT) es menos frecuente porque exige justificar que no se pueden aportar las tasadas y no es habitual que un obligado pueda aportar otro tipo de garantías y no las tasadas. Estas garantías pueden ser de cualquier tipo y debe valorarse su idoneidad por el órgano competente para decidir la suspensión, pero el ejemplo típico es la constitución de un derecho real, como la hipoteca sobre un bien inmueble.

3.3.1. Solicitud

Además de lo comentado en general para todos los casos de suspensión, en la suspensión con otras garantías [artículo 40.2.b) del RGRVA] la solicitud[127] debe:

– Justificar la imposibilidad de aportar las garantías tasadas. Normalmente basta aportar dos justificantes de imposibilidad de obtener aval o fianza solidaria de dos entidades de crédito cuando uno sea de la entidad con la que el obligado opera habitualmente[128].

---

[126] Suele denominarse incidente de suspensión para distinguirlo de otros incidentes en vía económico-administrativa. El plazo sería de 15 días y se presentaría ante el órgano que denegó la suspensión. Por ejemplo, VARIOS, *Formularios Tributarios*, ob. cit., pág. 555 [formulario V.43. (*Tol 3968898*)].

[127] Por ejemplo, VARIOS, *Formularios Tributarios*, ob. cit., págs. 539 a 541 [formulario V.39. (*Tol 7389367*)].

[128] Para la AEAT, el Apartado Cuarto.1.9 de la Resolución de 21-12-2005 considera justificada la imposibilidad de aportar garantías tasadas cuando el solicitante aporte un

– Detallar la naturaleza y garantías que se ofrecen, los bienes o derechos sobre los que se constituirá y su valoración por un perito con titulación suficiente o preferentemente por una empresa o profesional inscrito en el registro correspondiente a especialistas en la valoración de determinados bienes si lo hubiese.

La solicitud suspende cautelarmente el procedimiento de recaudación relativo al acto recurrido si la deuda se encontraba en período voluntario en el momento de la solicitud, pero no impide la continuación de las actuaciones si la deuda se encontraba en período ejecutivo, sin perjuicio de la anulación posterior en caso de que la suspensión fuese concedida finalmente.

3.3.2. Procedimiento

El procedimiento es más complicado (artículos 44 y 45 del RGRVA) porque la naturaleza de las otras garantías exige primero tramitar la solicitud hasta que se conceda o deniegue la suspensión y luego, si se concede, constituir la garantía. También la competencia para tramitar y resolver corresponde, como sucedía con la suspensión automática con garantías tasadas, al órgano de recaudación que determine en la norma de organización específica.

Conviene destacar algunos aspectos:

– Si la solicitud presenta defectos, debe requerirse su subsanación en el plazo de diez días (hábiles) desde la notificación del requerimiento.

– La resolución o acuerdo que otorga la suspensión detallará la garantía que debe constituirse y el plazo para ello.

– Contra la denegación de la suspensión el interesado puede interponer un incidente[129] en la REA relativa al acto cuya suspensión se solicita. Mientras tanto se mantiene la suspensión cautelar hasta la resolución por el TEA del incidente [TEAC 28-06-2018 RG 6638/2015 (*Tol 6877747*) y 27-09-2018 RG 43/2016 (*Tol 6877765*)]. La resolución

---

certificado de la imposibilidad de obtener aval o fianza solidaria expedidos en el mes anterior a la presentación de la solicitud de suspensión de dos entidades de crédito siempre que una de ellas sea con la que opera habitualmente el obligado, una copia certificada del libro mayor de tesorería que refleje la insuficiencia de saldo disponible para constituir un depósito en efectivo cuando el obligado deba llevar contabilidad y la declaración del solicitante de que no es titular de valores públicos.

129 Por ejemplo, VARIOS, *Formularios Tributarios*, ob. cit., pág. 555 [formulario V.43. (*Tol 3968898*)].

que pone término al incidente no es susceptible de recurso en vía administrativa, pero sí mediante RCA.

– Concedida la suspensión, la garantía debe constituirse en el plazo de dos meses a partir del día siguiente a la notificación del acuerdo que concede la suspensión y la eficacia de la suspensión está condicionada a la formalización de la garantía, que debe ser objeto de aceptación por el órgano administrativo. Además, se detallan las consecuencias de la falta de formalización, diferenciando si la solicitud de suspensión se presentó en período voluntario o en período ejecutivo.

3.4. Suspensión sin garantía o suspensión por el TEA

La suspensión por el TEA es posible sin garantías, de forma total o parcial, en varios supuestos: cuando la ejecución pudiera causar perjuicios de imposible o difícil reparación (artículo 233.4 de la LGT); cuando se aprecie que al dictar el acto puede haberse incurrido en error aritmético, material o de hecho (artículo 233.5 de la LGT); y cuando en actos que no tengan por objeto una deuda tributaria o cantidad líquida se justifique que la ejecución pudiera causar perjuicios de imposible o difícil reparación (artículo 233.13 de la LGT[130]). No son supuestos que en la práctica ocurran con frecuencia, sobre todo si se tiene un concepto restrictivo de lo que significan los perjuicios de imposible o difícil reparación.

El error material, aritmético o de hecho es también utilizado para el procedimiento especial de revisión por dicho tipo de errores (artículo 220 de la LGT), por lo que me remito a lo que expongo en relación con el mismo en el capítulo quinto. Los contribuyentes tienen la tendencia a considerar que el acto tributario sólo incurre en errores de este tipo (error de hecho en sentido amplio), pero con frecuencia muchos de ellos sólo podrían ser errores jurídicos (o de Derecho), que no permiten la suspensión por el TEA sin garantías. Para que el error material, aritmético o de hecho pueda ser eficaz a los efectos de suspensión por el TEA es preciso que el error tenga notoria y manifiestamente un carácter material o aritmético, sin que en ningún caso pueda considerarse como error de hecho aquel cuya apreciación requiera acudir a la aplicación o interpretación de norma jurídica alguna, debiéndose, además, deducir de forma manera manifiesta y notoria [TEAC

---

[130] La redacción no ha variado, pero es el apartado 13 tras las modificaciones realizadas por la Ley 11/2021, aunque originalmente estaba en el apartado 10 y tras la Ley 34/2015 en el apartado 11.

04-12-2007 RG 2371/2007 (*Tol 8871465*)]. Por ello, recomiendo que el contribuyente no acuda a la solicitud de suspensión por este tipo de errores, salvo que tenga muy claro que se trata de un error de hecho y no de un error de Derecho.

El concepto de perjuicios de imposible o difícil reparación es más difícil de concretar y los TEA son muy restrictivos, en general. Así, las dificultades económicas o patrimoniales no suponen por sí solas la existencia de perjuicios de imposible o difícil reparación [TEAC 19-04-2006 RG 109/2006 (*Tol 955441*)]. Por ello, los contribuyentes suelen apoyarse en sentencias sobre las medidas cautelares y la suspensión en el ámbito de la jurisdicción contencioso-administrativa, pero la regulación es diferente.

La mayoría de los actos tributarios están referidos a deudas tributarias y, cuando no se ingresan, comienza el procedimiento recaudatorio en vía ejecutiva si ha pasado el período voluntario. Por ello, no parece fácil que la ejecución cause perjuicios de "*imposible*" reparación, ya que si el TEA, finalmente, dicta una resolución favorable al contribuyente, obtendrá la devolución de las cantidades recaudadas más los intereses de demora. Más difícil es determinar cuando la falta de suspensión de la ejecución puede suponer perjuicios de "*difícil*" reparación, porque la devolución del ingreso con intereses, en algunos casos, no consigue reparar de forma suficiente los perjuicios sufridos. En todo caso, habrá que evaluar caso a caso y no es fácil dar criterios generales.

Por ejemplo, un contribuyente que realice una actividad económica y, la falta de suspensión de la ejecución pudiera provocar que la misma no pueda continuar, quizás pudiera encuadrarse en los perjuicios de difícil reparación.

Otro ejemplo, examinado por el TEAC, considera que no procede la suspensión con dispensa de garantía por perjuicios de difícil o imposible reparación de una manera directa o automática por el hecho de que una entidad esté incursa en concurso de acreedores dónde la posibilidad de ejecutar el patrimonio del deudor no es absoluta mientras que los efectos de la suspensión como consecuencia de la interposición de un recurso o reclamación van más allá de la mera interdicción de ejecución de los bienes que integran el patrimonio del reclamante, impidiendo la exigencia del pago a posibles responsables o sucesores, a los que, por el contrario, no les serían de aplicación las interdicciones sobre ejecución patrimonial establecidas en la Ley Concursal que solo afectarían al concursado. Igualmente, tampoco puede basarse en perjuicios de difícil o imposible reparación en la medida en que es el Juez de lo Mercantil el que debe velar por que las ejecuciones que pudieran derivarse del acto administrativo recurrido no causen perjuicios ni a los acreedores ni al propio concursado [TEAC 19-10-2011 RG 2289/2011 (*Tol 6428893*) y 19-10-2011 RG 2365/2011 (*Tol 6428894*)].

3.4.1. Solicitud

Además de lo comentado en general para todos los casos de suspensión, en la suspensión por el TEA [artículo 40.2.c) y d) del RGRVA] la solicitud[131] debe:

– Acreditar que la ejecución puede causar perjuicios de imposible reparación, cuando se base en la misma y, si la solicitud de suspensión sin garantías es parcial, detallar las que se ofrezcan.

– Justificar la concurrencia del error aritmético, material o de hecho, cuando se base en este tipo de error.

3.4.2. Procedimiento

El procedimiento es más complicado (artículos 46 y 47 del RGRVA) que en otros tipos de suspensión económico-administrativa porque exige la participación del TEA, que es el competente para tramitar y resolver. La solicitud debe dirigirse al órgano que dictó el acto impugnado, como en los demás casos de suspensión en vía económico-administrativa, que la remitirá al TEA. La regulación contempla dos fases:

Primera, de admisión a trámite:

– Si la solicitud presenta defectos, el TEA debe requerir su subsanación en el plazo de diez días (hábiles) desde la notificación del requerimiento.

– La inadmisión supone que la solicitud se tiene por no presentada a todos los efectos, es decir, ello implica que no ha tenido efectos suspensivos. El acuerdo de inadmisión a trámite no puede recurrirse en vía administrativa, pero sí mediante RCA.

– Tradicionalmente los TEAS inadmitían a trámite cuando no podían deducir de la documentación incorporada la existencia de perjuicios o de error de hecho. Sin embargo, el TS señaló que si los documentos no presentan defectos o los mismos han sido subsanados el TEA debe

---

131   Por ejemplo, VARIOS, *Formularios Tributarios*, ob. cit., págs. 549 a 550 [formulario V.40. (*Tol 7389364*)].

admitir a trámite la solicitud y desestimar en cuanto al fondo [STS 21-12-2017 recurso 496/2017 (*Tol 6461919*)]. No obstante, lo anterior, desde 11-07-2021 (artículo 233.6 de la LGT[132]) el TEA puede volver a inadmitir a trámite cuando no pueda deducir, de la documentación aportada en la solicitud de suspensión o de la existente en el expediente administrativo, la existencia de indicios de los perjuicios de difícil o imposible reparación o la existencia de error aritmético, material o de hecho.

Por ello, procede inadmitir a trámite la solicitud de suspensión, al no haber aportado la entidad reclamante elemento, dato, documento o prueba alguna dirigido a probar los perjuicios de difícil o imposible reparación o la existencia de error aritmético, material o de hecho, sin que el TEA deba suplir en modo alguno las eventuales deficiencias sustantivas de los escritos de solicitud o la falta de material probatorio [TEAC 18-10-2021 RG 05836-2021-01 (*Tol 8871599*) y 18-10-2021 RG 5879-2021-1 (*Tol 8871616*)].

Por ejemplo, si la solicitud sólo expresa que pueden producirse perjuicios de imposible o difícil reparación, pero ni da razones, ni aporta documentación, ni hay nada en el expediente, puede inadmitirse por el TEA.

Segunda, de concesión o denegación de la suspensión:

- Admitida a trámite la solicitud de suspensión, el TEA podrá solicitar informe al órgano competente para la recaudación del acto reclamado sobre las garantías que pudieran haberse ofrecido si la solicitud de suspensión sin garantías fue parcial y sobre la existencia de otros bienes.

- La resolución sobre suspensión será notificada al interesado y al órgano de recaudación competente y, contra la denegación, podrá interponer RCA.

- Si la dispensa de garantía ha sido parcial, la garantía ofrecida por el resto deberá constituirse ante el órgano competente para la recaudación.

- El TEA podrá modificar la resolución que concedió la suspensión cuando aprecie que no se mantienen las condiciones que motivaron la misma, cuando las garantías aportadas para la dispensa parcial hubieran perdido valor o efectividad o cuando conozca de la existencia de otros bienes o derechos susceptibles de ser entregados en garantía

---

[132] Redacción dada por la Ley 11/2021.

que no hubieran sido conocidos en el momento de dictar la resolución sobre la suspensión.

4. RECLAMACIONES TRAMITADAS POR EL PROCEDIMIENTO GENERAL

La LGT al regular el procedimiento general económico-administrativo distingue entre normas generales, el procedimiento en única o primera instancia y los recursos. Sin embargo, dichas normas generales y los recursos (salvo el recurso de alzada ordinario ante el TEAC) son comunes también al procedimiento abreviado. Por ello, las normas comunes las analicé brevemente en un epígrafe anterior de este capítulo y los recursos los comentaré después de exponer el procedimiento abreviado.

Las REAS tramitadas por el procedimiento general económico-administrativo son las que reflejé previamente al comentar los TEAS. De forma resumida, son todas aquellas cuya cuantía es igual o superior a 6.000 euros (72.000 euros en caso de bases o valoraciones), es decir las que no deben tramitarse por el procedimiento abreviado.

El TEAC y los TEARLS utilizan este procedimiento, pero en los TEARLS pueden tramitarse en única o primera instancia, aunque ello no tiene consecuencias prácticas respecto a los trámites concretos, sino sólo sobre los recursos que pueden presentarse una vez resueltas.

- Los TEARLS tramitan en primera instancia las REAS cuya cuantía supere 150.000 euros (o 1.800.00 euros en caso de base o valoraciones) y, sin perjuicio del recurso de anulación en vía económico-administrativa, son susceptibles de recurso de alzada ordinario ante el TEAC. Las restantes son tramitadas en única instancia y, sin perjuicio del citado recurso de anulación, deben impugnarse mediante RCA ante el TSJ correspondiente.

- El TEAC siempre tramita en única instancia, incluso las REAS que se interponen directamente ante el mismo, pero que podían haberse interpuesto previamente ante los TEARLS. Por ello, sin perjuicio del recurso de anulación, deben impugnarse mediante RCA ante la AN (o ante el TSJ en caso de que se refieran a tributos cedidos por el Estado).

En este epígrafe, dedicado al procedimiento general, no voy a referirme a los aspectos comunes a todas las REAS, ni a la presentación, puesto que los he examinado previamente. Sólo voy a exponer la tramitación propiamente dicha y la resolución, pero adelanto que la tramitación en la mayoría de los casos es muy sencilla, a diferencia de los recursos judiciales. Realmente la única especialidad que existe en muchos supuestos es la puesta de manifiesto por el TEA.

Además, hay que destacar que es posible prescindir de todos los trámites (artículo 236.5 de la LGT) del procedimiento y de la propia remisión del expediente cuando de las alegaciones formuladas en el escrito de interposición o de los documentos adjuntados por el interesado resulten acreditados todos los datos necesarios para resolver o éstos puedan tenerse por ciertos, o cuando de aquéllos resulte evidente un motivo de inadmisibilidad.

4.1. Puesta de manifiesto para realizar alegaciones y aportar pruebas

La principal especialidad del procedimiento general, frente al procedimiento abreviado, es que el escrito de interposición puede limitarse a solicitar que se tenga por interpuesta la REA (artículo 235.2 de la LGT), sin presentar alegaciones o pruebas. Por ello, en este caso, así como cuando el reclamante solicitó expresamente la puesta de manifiesto a pesar de presentar alegaciones y pruebas, una vez recibido y, en su caso, completado el expediente administrativo, el TEA lo pondrá de manifiesto por el plazo de un mes para que el reclamante pueda presentar alegaciones y pruebas (artículo 236.1 de la LGT).

El expediente administrativo es electrónico, como se comentó en el capítulo segundo, lo que provoca que la puesta de manifiesto tenga especialidades:

- Está prevista la posibilidad de que pueda hacerse por medios electrónicos, informáticos y telemáticos, pero todavía no está operativa[133].

- El expediente electrónico se pone a disposición del reclamante y demás interesados en la sede del TEA y pueden acudir a la misma para obtener una copia a su costa (descargándola en un pendrive que proporciona el interesado) o pueden visionarlo.

En el plazo de un mes a contar desde día siguiente a la notificación del escrito del TEA que pone de manifiesto no sólo puede consultarse el expe-

---

[133] Esta posibilidad, según la disposición transitoria 7.d) de la Ley 34/2015, entrará en vigor cuando se establezca en Orden Ministerial y cuando escribo estas líneas (durante el mes de abril de 2022) todavía no se ha dictado.

diente electrónico, sino que deben presentarse las alegaciones y pruebas[134], pero hay que tener en cuenta:

- Los obligados a interponer la REA de forma electrónica, también deben presentar por la misma vía las alegaciones, pruebas y cualquier otro escrito. En caso de deficiencia técnica imputable a la Administración tributaria que imposibilite la realización del trámite por vía electrónica, el TEA adoptará las medidas oportunas para evitar perjuicios al interesado, pudiendo, entre otras, conceder un nuevo plazo, prorrogar el anteriormente concedido o autorizar que se realice por otros medios.

- La presentación de alegaciones no es obligatoria y ello no impide que el TEA pueda entrar en el fondo del asunto, pues el TEA puede evaluar todas las cuestiones de hecho y de derecho que ofrezca el expediente, hayan sido o no planteadas por los interesados, pero sin que en ningún caso pueda empeorar la situación inicial del reclamante (artículo 237 de la LGT). Por ello, la falta de presentación de escrito de alegaciones en el procedimiento económico-administrativo no determina por sí sola la caducidad del procedimiento, ni puede interpretarse como desistimiento tácito, al poder el TEA hacer uso de las facultades revisoras que establece el artículo 237 de la LGT [TEAC 19-04-2006 RG 1653/2005 (*Tol 955458*) y TEAC 05-05-2006 RG 82/2004 (*Tol 970438*)].

- No es posible la prórroga del plazo para presentar alegaciones, pues en todos los procedimientos económico-administrativos (artículo 234.2 de la LGT) se excluye la prórroga [TEAC 04-05-2006 RG 4132/2004 (*Tol 970405*)].

- Nada impide que, pasado el plazo del mes, los interesados puedan realizar alegaciones complementarias o aportar pruebas, siempre antes de que el TEA resuelva. Lo mismo ocurre, aunque no haya existido puesta de manifiesto, porque los interesados pueden presentar alegaciones y pruebas, aunque no puedan pedir la puesta de manifiesto fuera del escrito de interposición.

---

134   Por ejemplo, VARIOS, *Formularios Tributarios*, ob. cit., pág. 469 [formulario V.18. (*Tol 7389384*)].

4.2. *Otros trámites*

En el procedimiento general están contemplados otros trámites, pero no suelen ser frecuentes en la práctica. Voy a referirme a trámites propiamente dichos realizados por el TEA (por ejemplo, los regulados expresamente en el artículo 236.2 a 4 de la LGT), pero también a trámites consecuencia de escritos del contribuyente (por ejemplo, la presentación de cuestiones incidentales del artículo 236.6 de la LGT), pero sin pretender que la exposición sea completa. De todas maneras, estos trámites no son obligatorios para el TEA, siempre que pueda entrar a resolver la REA sin producir indefensión, ni tampoco para los interesados, pero deben tramitarse cuando se planteen. En algunos de estos casos los interesados podrán presentar escrito de alegaciones[135].

Por otro lado, algunos de ellos son consecuencia de las especialidades de la REA, como ocurre en las REAS contra las actuaciones entre particulares.

4.2.1. Subsanación de defectos

Cuando el escrito de interposición de la REA no reúne los requisitos, salvo el domicilio, el TEA requerirá para que los defectos se subsanen en el plazo de 10 días (hábiles), contados a partir del día siguiente de la notificación del requerimiento, mediante escrito de subsanación[136]. La falta de atención a dicho requerimiento determinará el archivo de las actuaciones y se tendrá por no presentada la REA (artículos 2.2, 3.2 y 54 del RGRVA).

Sin embargo, cuando el defecto consista en que el reclamante no haya identificado el domicilio que debe señalar a efectos de notificaciones no se produce la subsanación, pero las notificaciones podrán practicarse en el domicilio fiscal del interesado, si el TEA tuviera constancia del mismo, previamente a la notificación por anuncio en el BOE. Todo ello con independencia de que las notificaciones se practiquen por medios electrónicos en los casos en los que exista obligación de relacionarse de esta forma con la Administración (artículo 50 del RGRVA).

---

[135] Por ejemplo, VARIOS, *Formularios Tributarios*, ob. cit., págs. 484 a 485 [formulario V.24. (*Tol 7389380*)].

[136] Por ejemplo, VARIOS, *Formularios Tributarios*, ob. cit., págs. 488 a 489 [formulario V.26. (*Tol 7389378*)].

4.2.2. Completar el expediente administrativo

El TEA puede solicitar al órgano que dictó el acto impugnado que complete el expediente administrativo por iniciativa del TEA (de oficio) o por petición de cualquier interesado (artículo 55 del RGRVA).

a) Completar el expediente a iniciativa del TEA

El TEAC establece que la falta de inclusión en el expediente remitido a los TEAS por el órgano que ha dictado el acto impugnado de los documentos en los que la Administración ha fundamentado su regularización, no constituye un mero defecto formal, sino una falta de justificación de la realización del hecho imponible o de su dimensión económica, extremos cuya prueba recae sobre la Administración, lo que constituye un defecto material o sustantivo que da lugar a la anulación de la liquidación sin orden de retroacción. La falta de cumplimiento por parte de la Administración autora del acto impugnado de su obligación legal de remitir un expediente completo a los TEAS no puede intentar verse suplida con el intento de imponer a los TEAS la obligación, no prevista ni por la Ley ni por el reglamento, de requerir la remisión de los posibles documentos que puedan integrar el expediente, obligación de requerimiento que únicamente se prevé para el caso de un incumplimiento absoluto de su obligación de remisión por parte de la Administración [TEAC 15-07-2016 RG 4562/2014 (*Tol 5775476*) en unificación de criterio, así como de forma similar TEAC 22-02-2018 RG 2190/2013/50 (*Tol 6523471*)].

Sin embargo, dicha doctrina no parece que impida que el TEA pueda pedir de oficio al órgano que dictó el acto que complete el expediente, sino más bien que no está obligado a pedir de oficio que se complete, incluso si ello supone la anulación de la liquidación sin orden de retroacción. La doctrina tradicional del TEAC ha considerado la posibilidad de completar el expediente como una facultad del TEA, que no apreció que el expediente estuviera incompleto de oficio, ni en el escrito de alegaciones de la reclamante se había solicitado que se completara el expediente, sino que se limitó a manifestar que en éste faltaban documentos [TEAC 09-06-2009 RG 4937/2008 (*Tol 1621957*) y TEAC 09-06-2009 RG 4938 (*Tol 1621958*)].

b) Completar el expediente a iniciativa del interesado

La petición del interesado[137] sólo puede realizarse una vez durante el plazo de alegaciones mediante escrito al efecto que suspende el trámite de alegaciones. Si el TEA acepta la solicitud se dirigirá al órgano que dictó el acto y, una vez recibido los antecedentes o la declaración de que estos no existen o no forman parte del expediente, dará un nuevo plazo de alegaciones por un mes. Si se deniega la solicitud, se reanudará el plazo de alegaciones por el plazo que restase en el momento de la solicitud.

En las REAS contra actuaciones u omisiones entre particulares en materia tributaria no es posible solicitar que se complete el expediente, pues no hay expediente, ni acto, sino una actuación u omisión de otro particular.

4.2.3. Notificación a la persona recurrida en las actuaciones de particulares

En las REAS referidas a actuaciones entre particulares el TEA notificará la interposición de la REA a la persona recurrida para que comparezca[138], adjuntando antecedentes, en el plazo de un mes a partir del día siguiente al de la notificación. La personación posterior no podrá perjudicar al recurrente ni reabrir trámites o plazos concluidos con anterioridad (artículos 236.2 y 56 del RGRVA).

4.2.4. Petición de informes

El TEA podrá solicitar informe al órgano que dictó el acto impugnado, al objeto de aclarar las cuestiones que lo precisen, pero también a cualesquiera otros órganos cuando lo considere necesario o conveniente. Recibido el informe lo pondrá de manifiesto a los interesados para que, en el plazo de 10 días (hábiles) a partir del día siguiente a la notificación puedan presentar alegaciones. Los períodos para remitir estos informes, con el máximo de dos meses, no se incluirán a efectos del plazo máximo para notificar la resolución (artículos 236.3 de la LGT y 57.2 y 3 del RGRVA).

---

[137]   Por ejemplo, VARIOS, *Formularios Tributarios*, ob. cit., págs. 471 a 472 [formulario V.19. (*Tol 7389383*)].

[138]   Mediante escrito de comparecencia. Por ejemplo, VARIOS, *Formularios Tributarios*, ob. cit., págs. 479 a 450 [formulario V.22. (*Tol 7389374*)].

4.2.5. Pruebas

Normalmente no existe un trámite específico para las pruebas, sino que las mismas pueden aportarse con los escritos de interposición o alegaciones o, incluso, posteriormente mediante escrito complementario y la regulación trata de simplificar la aportación de pruebas y su examen por el TEA (artículos 236.4 de la LGT y 57.1 y 3 del RGRVA).

Las pruebas en el procedimiento económico-administrativo son documentales (documentos públicos o privados) o se convierten en documentales, dado que las pruebas testificales, periciales y las consistentes en declaración de parte se realizarán mediante acta notarial o ante el secretario del TEA o el funcionario en quien el mismo delegue que extenderá el acta correspondiente. Podría existir algún caso rarísimo en que las pruebas debieran practicarse ante el TEA, en cuyo caso tendría que darse un trámite específico. Sin embargo, personalmente, en los veinte años que llevo trabajando en los TEAS no he visto ningún supuesto.

Por otro lado, el TEA no podrá denegar la práctica de pruebas relativas a hechos relevantes, pero la resolución que concluya la reclamación no entrará a examinar las que no sean pertinentes para el conocimiento de las cuestiones debatidas, bastando con que dicha resolución incluya una mera enumeración de las mismas y decida sobre las no practicadas. El TEA podrá dictar resoluciones que acuerden o denieguen la práctica de pruebas, que tienen el carácter de actos de trámite y no son recurribles, pero también puede en la resolución de la REA decidir sobre las pruebas.

Además, el TEA puede solicitar o realizar de oficio pruebas, pero en este caso las pondrá de manifiesto a los interesados para que, en el plazo de 10 días (hábiles) a partir del día siguiente a la notificación puedan presentar alegaciones.

4.2.6. Comparecencia de otros interesados

En un procedimiento económico-administrativa previamente iniciado puedan comparecer[139], todos los titulares de derechos o intereses legítimos que puedan resultar afectados, sin que la tramitación haya de retrotraerse y quedando vinculados los interesados a quienes se haya notificado la exis-

---

[139]   Mediante escrito de comparecencia. Por ejemplo, VARIOS, *Formularios Tributarios*, ob. cit., págs. 482 a 483 [formulario V.23. (*Tol 3968756*)].

tencia de la REA por la resolución que se dicte. Por ejemplo, los herederos por fallecimiento de personas físicas o los sucesores de personas jurídicas.

Cuando se persone un posible interesado y no resulte evidente su derecho o interés legítimo el TEA abrirá una pieza separada, como comenté previamente al tratar los legitimados e interesados.

4.2.7. Cuestiones incidentales

Cualquier interesado puede plantear cuestiones incidentales mediante el correspondiente escrito[140]. Son las que, sin constituir el fondo del asunto, están relacionadas con el mismo o con la validez del procedimiento y deben resolverse previamente a la tramitación de la REA. El ejemplo típico, muy poco frecuente en la práctica, es la recusación de algún miembro del TEA.

Las cuestiones incidentales son previas y necesarias para la tramitación y no pueden aplazarse. Hay un plazo de 15 días (hábiles) para presentar a contar desde el día siguiente al que se tenga constancia fehaciente del hecho o acto que las motive. El TEA podrá resolverlas actuando de forma unipersonal y la resolución que ponga término al incidente no será susceptible de recurso, sin perjuicio de que pueda suscitarse nuevamente en el recurso que proceda contra la resolución de la REA (artículos 236.6 de la LGT y 58 RGRVA).

4.2.8. Presentación por el reclamante de copia de la REA al TEA para que se tramite

Como la REA está dirigida al órgano que dictó el acto impugnado, puede ocurrir que no lo haya remitido al TEA. En este caso, muy raro, basta que el reclamante presente mediante escrito[141] ante el TEA la copia sellada del escrito de interposición de la REA para que se pueda tramitar y resolver (artículo 235.3 de la LGT).

---

[140]   Por ejemplo, VARIOS, *Formularios Tributarios*, ob. cit., págs. 494 a 495 [formulario V.29. (*Tol 7389375*)].
[141]   Por ejemplo, VARIOS, *Formularios Tributarios*, ob. cit., págs. 492 a 493 [formulario V.28 (*Tol 7389376*)].

4.3. *Resolución*

La resolución en sentido estricto (artículo 239 de la LGT) es una de las formas de terminación del procedimiento, pues también puede producirse por acuerdo de archivo motivado, como consecuencia de renuncia o desistimiento del reclamante[142], caducidad de la instancia o satisfacción extraprocesal. Este acuerdo podrá ser adoptado a través de órganos unipersonales (artículo 238 de la LGT). Sin embargo, en muchos casos se utiliza resolución en sentido amplio, que engloba la resolución en sentido estricto y el acuerdo de archivo.

Desde el punto de vista práctico conviene que el reclamante conozca algunos aspectos para la mejor defensa de sus intereses. De forma resumida, voy a destacar los que considero de mayor interés:

- La resolución[143] podrá ser estimatoria, desestimatoria o declarar la inadmisibilidad. Cuando es estimatoria podrá anular total o parcialmente el acto impugnado por razones de derecho sustantivo o por defectos formales[144]. Si aprecia defectos formales que hayan disminuido las posibilidades de defensa del reclamante, producirá la anulación del acto en la parte afectada y ordenará la retroacción de las actuaciones al momento en que se produjo el defecto formal (artículo 239.3 de la LGT).

- Se declarará la inadmisibilidad, que el TEA podrá realizar de forma unipersonal: a) Cuando se impugnen actos o resoluciones no susceptibles de reclamación o recurso en vía económico-administrativa; b)

---

[142]   Para lo que presentará el escrito correspondiente. Por ejemplo, VARIOS, *Formularios Tributarios*, ob. cit., págs. 496 a 497 [formulario V.30. (*Tol 7389373*)].

[143]   Está formada por antecedentes de hecho y fundamentos de derecho, según el artículo 239.2 de la LGT, pero previamente tiene un encabezamiento con los datos básicos y termina con la decisión, que a veces recibe el nombre de "*fallo*" o parte dispositiva, tras la que se incluyen los recursos y una nota informativa sobre la suspensión y los plazos de ingreso finalizada la suspensión.

[144]   El análisis por el TEA de las cuestiones formales debe realizarse previamente a las de fondo. Por ello, si la falta de motivación impide al TEA pronunciarse sobre el fondo y anula el acto por dicho motivo, ordenando que sea sustituido por otro debidamente motivado, debe abstenerse de realizar pronunciamientos sobre las cuestiones de fondo, por el principio de prioridad lógica de las cuestiones formales invalidantes de los actos administrativos y para evitar incurrir en una intromisión en la competencia de los órganos de aplicación. Si se aprecia un defecto formal del acto impugnado causante de indefensión, además de la procedencia de la retroacción para subsanar el defecto procedimental, deben tenerse por no realizados los pronunciamientos sobre el fondo [TEAC 28-02-2022 RG 4981-2020 (*Tol 8882313*)].

Cuando la reclamación se haya presentado fuera de plazo; c) Cuando falte la identificación del acto o actuación contra el que se reclama; d) Cuando la petición contenida en el escrito de interposición no guarde relación con el acto o actuación recurrido; e) Cuando concurran defectos de legitimación o de representación; y f) Cuando exista un acto firme y consentido que sea el fundamento exclusivo del acto objeto de la reclamación, cuando se recurra contra actos que reproduzcan otros anteriores definitivos y firmes o contra actos que sean confirmatorios de otros consentidos, así como cuando exista cosa juzgada (artículo 239.4 de la LGT).

– Existen normas específicas cuando las resoluciones tratan sobre actuaciones de particulares, la obligación de expedir factura y obligaciones conexas (artículo 239.5 a 7 de la LGT).

– El plazo para resolver o notificar es de un año en el procedimiento general desde la interposición de la REA. Si pasa el plazo y el TEA no ha notificado, el reclamante puede considerar desestimada la REA a efectos de interponer el recurso procedente (silencio negativo), pero sigue la obligación de resolver y notificar para el TEA. Además, deja de devengarse el interés de demora por el tiempo que exceda del plazo fijado en caso de suspensión (artículo 240 de la LGT).

– El TEA puede resolver en Pleno o Sala, con carácter general. Sin embargo, en el caso de archivo e inadmisibilidad también puede resolver de forma unipersonal.

5. RECLAMACIONES TRAMITADAS POR EL PROCEDIMIENTO ABREVIADO

Las REAS tramitadas por el procedimiento abreviado[145] son las que reflejé previamente al comentar los TEAS. Es decir, aquellas cuya cuantía no supere 6.000 euros (72.000 euros en caso de bases o valoraciones). Siempre se resuelven en única instancia por el TEAC o los TEARLS.

En este epígrafe, no voy a referirme a los aspectos comunes a todas las REAS, ni a la presentación, puesto que los he examinado previamente, sino sólo a la tramitación y resolución. Sin embargo, la tramitación es mínima,

---

[145] La reforma de la LGT por la Ley 34/2015 modificó profundamente el procedimiento abreviado.

pues ni siquiera está prevista la puesta de manifiesto por el TEAC, como ocurre en el procedimiento general. Además, en la resolución resulta aplicable buena parte de lo señalado para el procedimiento general. La razón es que se aplican las mismas normas del procedimiento general en única o primera instancia, en defecto de regulación expresa (artículo 245.3 de la LGT).

5.1. Tramitación

En la mayoría de las REAS del procedimiento abreviado la tramitación es puramente interna por el TEA, sin que tenga reflejo en trámites en que participe el reclamante. La razón es que en el procedimiento abreviado no existe puesta de manifiesto por el TEA, sino que el reclamante presenta las alegaciones y pruebas con el escrito de interposición y debe acompañar copia del acto impugnado, como he comentado al examinar previamente el contenido de la REA.

Por ello, reitero que si el contribuyente desea consultar el expediente para realizar alegaciones y pruebas debe acudir al órgano que dictó el acto en el plazo de un mes para interponer la REA. Es decir, la puesta de manifiesto es previa a la interposición, como ocurre con el recurso de reposición, sin que la falta de alegaciones o pruebas sea subsanable.

Esto no impide que el reclamante pueda presentar alegaciones posteriormente, siempre que no se haya resuelto, pero lo que no puede hacer es pedir la puesta de manifiesto al TEA. Así, en el procedimiento abreviado las alegaciones formuladas con posterioridad a la presentación del escrito de interposición de la REA deben ser examinadas por el TEA a menos que hubiera dictado la resolución que finaliza el procedimiento [TEAC 22-01-2021 RG 3375-2019 (*Tol 8459195*)].

Pueden existir otros trámites, como ocurre en el procedimiento general, pero son más raros en la práctica, dada la escasa cuantía. Por otro lado, algunos de ellos no resultan posibles en el procedimiento abreviado (por ejemplo, no se puede pedir se complete el expediente, puesto que no ha habido puesta de manifiesto previa).

El TEA puede resolver, incluso antes de recibir el expediente administrativo del órgano que dictó el acto, cuando de la documentación presentada por el reclamante resulten acreditados todos los datos necesarios para resolver (artículo 247.1 de la LGT).

5.2. Resolución

El procedimiento abreviado también termina por resolución o acuerdo de archivo:

- Son aplicables las normas del procedimiento general (artículo 238 y 239 de la LGT).

- El plazo para resolver o notificar es de seis meses para el procedimiento abreviado desde la interposición de la REA. Si pasa el plazo y el TEA no ha notificado el reclamante puede considerar desestimada la REA a efectos de interponer el recurso procedente (silencio negativo), pero sigue la obligación de resolver y notificar para el TEA. Además, deja de devengarse el interés de demora por el tiempo que exceda del plazo fijado en caso de suspensión (artículo 247.2 y 3 de la LGT).

- El TEA puede resolver mediante órgano unipersonal, pero también en Sala o Pleno[146].

6. REVISIÓN ADMINISTRATIVA DE LA RESOLUCIÓN DE LA RECLAMACIÓN

La resolución, entendida en sentido amplio que incluye el acuerdo de archivo, puede revisarse en vía económico-administrativa mediante algunos recursos, tanto si la REA fue tramitada por el procedimiento general, como si lo fue por el abreviado, con la única excepción del recurso de alzada ordinario ante el TEAC, que sólo es posible para algunas resoluciones dictadas por el procedimiento general. Por ello, he preferido analizar los recursos de forma global, pero advierto que la LGT incluye entre ellos el recurso contra la ejecución (artículo 241 ter de la LGT). Sin embargo, no supone propiamente un recurso contra una resolución o acuerdo del TEA, sino contra un acto de ejecución de una previa resolución, por lo que lo comento de forma separada posteriormente.

Además, las resoluciones pueden revisarse en vía administrativa mediante los procedimientos especiales de revisión de la LGT, salvo el de revocación. De todos ellos, destaca en la práctica el procedimiento de rectificación

---

[146]	La LGT en su regulación original había diseñado un procedimiento abreviado para resolver sólo mediante órganos unipersonales, pero la profunda reforma realizada por la Ley 34/2015 permite que el procedimiento abreviado pueda resolverse en Pleno o Sala.

de errores (artículo 220 de la LGT), al que remite de forma expresa la normativa reguladora de los TEAS (artículo 229 de la LGT).

6.1. *El recurso de anulación*

El recurso de anulación (artículo 241 bis de la LGT)[147] pretende que el propio TEA pueda corregir su resolución, a petición del interesado, cuando se han producido una serie de errores especialmente graves. Por tanto, no sólo supone anular la previa resolución, sino dictar una nueva que tenga un contenido distinto.

Por ejemplo, si la resolución inadmitió porque el TEA entendía que la REA se había interpuesto fuera de plazo, el recurso de anulación lo que pretende es que el TEA anule la previa resolución porque dicha REA estaba en plazo y entre en el fondo del asunto.

Durante algún tiempo ha sido frecuente que, cuando concurría uno de estos casos, el TEA dictara una única resolución que resolviera el recurso de anulación, con la anulación de la previa resolución o acuerdo, pero al mismo tiempo resolviendo sobre el fondo del asunto. Sin embargo, actualmente se dicta una resolución del recurso de anulación que se limita, si procede, a estimar el recurso de anulación y, por ello, anula la previa resolución. Posteriormente, se dicta una nueva resolución que es la que entra en el fondo del asunto.

6.1.1. Resoluciones recurribles

Todas las dictadas por los TEAS, incluidos los acuerdos de archivo, salvo que resuelva un previo recurso de anulación o un recurso extraordinario de revisión.

6.1.2. Plazo

El plazo es de 15 días (hábiles) a partir del día siguiente al de notificación de la resolución, mediante el escrito de interposición del recurso[148].

---

[147] Antes de la reforma realizada por la Ley 34/2015 estaba regulado en el artículo 239.6 de la LGT de forma muy similar a la actual.

[148] Por ejemplo, VARIOS, *Formularios Tributarios*, ob. cit., págs. 511 a 512 [formulario V.34. (*Tol 7389370*)].

6.1.3. Motivos del recurso

Son exclusivamente los tres siguientes:

– Cuando se haya declarado incorrectamente la inadmisibilidad de la reclamación.

– Cuando se hayan declarado inexistentes las alegaciones o pruebas oportunamente presentadas en la vía económico-administrativa. No basta la falta de referencia a las mismas o que no se hayan reflejado con la exactitud que el interesado considera que hubiera sido necesario, sino que la resolución debe mencionar de forma expresa que no existen alegaciones y pruebas. Además, son las pruebas y alegaciones presentadas ante el TEA y no otras anteriores con ocasión del acto impugnado.

– Cuando se alegue la existencia de incongruencia completa y manifiesta de la resolución. Por ello, la incongruencia[149] debe ser completa o total, sin que sea suficiente que se deje de contestar a una alegación de las varias presentadas o no se conteste con la extensión y claridad que el reclamante considera que hubiera sido necesario. Además, debe ser manifiesta, es decir, tiene que ser clara y evidente y apreciarse de forma inmediata, sin que requiera una detallada argumentación jurídica.

6.1.4. Legitimación

Pueden interponer el recurso todos los legitimados e interesados en la previa resolución que se recurre.

6.1.5. Tramitación y resolución

Los aspectos más destacables son los siguientes:

– El escrito de interposición incluirá las alegaciones y adjuntará las pruebas pertinentes.

– La competencia corresponde al mismo TEA y, dentro del mismo, al órgano (Pleno, Sala u órgano unipersonal) que dictó la resolución.

– El plazo para resolver y notificar es de un mes, entendiéndose desestimado si pasa dicho plazo.

---

[149] Es la falta de relación o correspondencia entre lo pedido y lo resuelto.

– Cuando la resolución del TEAR o TEAL impugnada mediante el recurso de anulación es susceptible de recurso de alzada ordinario ante el TEAC, está previsto que el plazo para interponer dicho recurso de alzada ordinario comienza a contar a partir del día siguiente al de la notificación de la resolución del recurso de anulación, pero si el recurso de anulación se interpone fuera de plazo no causará ningún efecto sobre los plazos del recurso de alzada ordinario.

La resolución del recurso de anulación sólo podrá impugnarse en el mismo recurso que pudiera proceder contra la resolución impugnada en el recurso de anulación, pero si se dicta resolución expresa una vez transcurrido el plazo del recurso de anulación, esta resolución podrá ser impugnada de forma independiente (artículo 60.2 a 4 del RGRVA).

Por ello, cuando se interpone de forma simultánea recurso de anulación y recurso de alzada ordinario debe inadmitirse este último. El recurso de alzada, en su caso, deberá interponerse una vez dictada resolución en el procedimiento abierto por la interposición del recurso de anulación, o bien si se produce silencio administrativo desde el momento en que se consideran producidos los efectos del mismo a fin de interponer los recursos pertinentes [TEAC 21-03-2018 RG 1147/2017 (*Tol 6569222*)].

6.2. *El recurso de alzada ordinario*

Este recurso, que resuelve el TEAC, es un recurso de gran tradición en la vía económico-administrativa y permite a dicho TEAC revisar las resoluciones de los TEARLS de más cuantía. La característica más destacada es que no sólo lo pueden interponer los recurrentes que estén disconformes con la resolución del TEAR o TEAL, sino también determinados Directores Generales y de Departamento para lograr la anulación de una resolución favorable al obligado.

Por ejemplo, si la Dependencia Regional de Inspección de Murcia de la AEAT dicta una liquidación de 300.000 euros y el contribuyente interpone una REA ante el TEAR de la Región de Murcia y consigue una resolución que estima totalmente y anula la liquidación, el Director del Departamento de Inspección de la AEAT puede recurrirla y, a pesar de las alegaciones en contra del contribuyente, conseguir su anulación por el TEAC.

Aunque esta obra, como he señalado en varias ocasiones, no es el lugar adecuado para realizar críticas o propuestas de mejora de la regulación, en este caso haré una excepción, pues hace muchos años que soy partidario de la supresión de este recurso, pero no porque pueda empeorar la situación del contribuyente[150], sino por otras razones. Así, considero que es un recurso que no tiene demasiado sentido en el sistema tributario actual, refleja una cierta desconfianza respecto a los TEARLS, complica notablemente la normativa económico-administrativa (la regulación de la cuantía y la acumulación sería probablemente más sencilla si no existiera este recurso) y, sobre todo, dado el retraso en resolver que aqueja a la vía económico-administrativa no resulta razonable que los asuntos de más entidad económica y, normalmente, más complicados puedan verse primero por un TEAR o TEAL y luego por el TEAC. En mi opinión bastaría que lo viera uno de estos TEAS, que probablemente sería preferible que fueran los TEARLS, para evitar problemas de cuantía y acumulación.

6.2.1. Resoluciones recurribles

Son recurribles únicamente las resoluciones de los TEARLS, incluidos los acuerdos de archivo, dictadas en primera instancia. Es decir, las de cuantía superior a 150.000 euros (1.800.000 euros en caso de bases o valoraciones).

6.2.2. Plazo

El plazo es de un mes a contar desde el día siguiente al de la notificación de la resolución, mediante el escrito de interposición del recurso[151].

En caso que pueda entenderse desestimada por silencio administrativo (acto presunto), pues los TEARLS no ha resuelto expresamente, los plazos para la interposición de recursos no empiezan a correr si al interesado no se le ha notificado los recursos procedentes, plazos y los órganos ante los cuales pueden ser interpuestos.

---

[150] No existe propiamente una "*reformatio in peius*" prohibida por el artículo 237.1 de la LGT, pues la situación no empeora como consecuencia del recurso del contribuyente, sino debido a un recurso de alguien distinto, un Director, que está previsto legalmente. Por ello, en el ejemplo expuesto, si el TEAC detectara que la liquidación correcta debiera haber sido 500.000 euros y no los 300.000 iniciales liquidados por la AEAT no puede empeorar respecto a la situación inicial en vía económico-administrativa, es decir los repetidos 300.000 euros, pero si respecto a los cero euros que consideraba el TEAR o TEAL al anular la liquidación.

[151] Por ejemplo, VARIOS, *Formularios Tributarios*, ob. cit., págs. 504 a 506 [formulario V.32. (*Tol 7389372*)].

Por otro lado, si se interpone recurso de anulación se suspende el plazo para interponer el recurso de alzada ordinario (artículo 241 bis.5 de la LGT)

6.2.3. Motivos del recurso

Puede interponerse por cualquier motivo, ya que no existe ninguna limitación.

6.2.4. Legitimación

Pueden interponer el recurso los interesados, pero también determinados Directores Generales de los Ministerios de Economía y Hacienda y Directores de Departamento de la AEAT en materias de su competencia, así como los órganos equivalentes o asimilados de las CCAA y Ceuta y Melilla en materia de su competencia.

6.2.5. Tramitación y resolución

Los aspectos más destacables son los siguientes:

- El recurso va dirigido al TEAR o TEAL que dictó la resolución que, en el plazo de 1 mes remitirá el recurso, junto con el expediente de aplicación de los tributos y el de la reclamación, al TEAC, que es el competente para resolver el recurso.

- El recurso contendrá las alegaciones y pruebas cuando el recurrente hubiera estado personado en primera instancia. Ahora bien, según constante jurisprudencia del TS, que se considera aplicable al ámbito de la revisión administrativa, no resulta admisible que el reclamante en segundas instancias reitere o reproduzca literalmente el escrito de alegaciones presentado previamente ante el Tribunal de primera instancia, pues se desnaturaliza la función del recurso de alzada. En estos casos, bastaría resolver reproduciendo los argumentos recogidos por la resolución dictada en primera instancia que se enjuicia, si se consideran ajustados a Derecho [TEAC 24-05-2017 RG 1070/2014 (*Tol 6427554*)].

- Sin embargo, cuando el legitimado para recurrir no hubiera estado personado en primera instancia (por ejemplo, el Director General o de Departamento competente) el TEAR o TEAL pondrá de manifiesto los expedientes de aplicación de los tributos y de la REA para que en el plazo de un mes pueda realizar alegaciones. Luego traslada las alegaciones al reclamante personado en primera instancia y a los demás personados para que en el plazo de otro mes puedan formular alegaciones[152] y posteriormente enviará el expediente al TEAC. Las únicas pruebas admisibles son las que no pudieron aportarse en primera instancia y la práctica de las mismas tiene la misma regulación de las pruebas en el procedimiento general en única o primera instancia.

– Es posible suspender la ejecución de la resolución del TEAR o TEAL a petición de los Directores cuando presentan este recurso[153] y la mera petición suspende hasta que el TEAC decida sobre la suspensión. La suspensión debe basarse en indicios racionales de que el cobro de la deuda que finalmente pudiese resultar exigible se podría ver frustrado o gravemente dificultado, no siendo necesaria la aportación de garantía, lo que se motivará en la solicitud y se aportará un informe. La suspensión, cautelar o definitiva, impedirá que se devuelvan las cantidades que se hubieran ingresado y que se liberen las garantías que se hubieran constituido por el interesado en la REA en primera instancia para obtener la suspensión del acto recurrido. Además, quedarán subsistentes y mantendrán su eficacia los actos del procedimiento recaudatorio que se hubiesen dictado para garantizar el pago de la deuda tributaria. Sin embargo, cuando la ejecución de la resolución impugnada pudiese determinar el reconocimiento del derecho a una devolución tributaria, procederá dicha ejecución previa prestación por parte del obligado tributario de alguna de las garantías tasadas (artículos 241.3 de la LGT y 61.2 del RGRVA).

– El plazo para resolver y notificar es de un año desde la interposición del recurso. Si pasa el plazo y el TEAC no ha notificado, el recurrente puede considerar desestimada el recurso a efectos de interponer el recurso procedente (silencio negativo), pero sigue la obligación de resolver y notificar del TEAC. Además, deja de devengarse el interés de demora por el tiempo que exceda del plazo fijado en caso de que suspensión (artículo 241.4 de la LGT, que remite al 240 de la LGT).

---

[152]   Por ejemplo, VARIOS, *Formularios Tributarios*, ob. cit., págs. 507 a 508 [formulario V.33. (*Tol 7389371*)].
[153]   Es una novedad introducida por la Ley 34/2015.

6.3. El recurso extraordinario de alzada para unificación de criterio.

Este recurso, que resuelve el TEAC, es un recurso que también tiene gran tradición en la vía económico-administrativa y permite a dicho TEAC revisar las resoluciones de los TEARLS que no son susceptibles del recurso de alzada ordinario, pero sin afectar al caso concreto. Como indica su nombre, sólo unifica criterio. Por ello, no lo pueden interponer los recurrentes, sino sólo determinados Directores Generales o de Departamento.

Por ejemplo, si la Dependencia Regional de Inspección de Murcia de la AEAT dicta una liquidación de 30.000 euros y el contribuyente interpone una REA ante el TEAR de la Región de Murcia y consigue una resolución que estima totalmente y anula la liquidación, el Director del Departamento de Inspección de la AEAT puede recurrirla. Sin embargo, no para conseguir la anulación de la misma, sino para que el citado TEAR y el resto de la Administración pueda aplicar en adelante el criterio que establezca el TEAC.

Este recurso no suele ser objeto de críticas, a diferencia de lo que ocurría con el recurso de alzada ordinario, pues lo único que pretende es lograr que toda la Administración tributaria siga un criterio jurídico único, al menos hasta que digan otra cosa los Tribunales de lo Contencioso-Administrativo y, en especial, el TS al resolver un recurso de casación.

Esto provoca que el reclamante que interpuso la REA que dio lugar a la resolución del TEAR o TEAL impugnada mediante este recurso extraordinario no tenga demasiado interés práctico porque no verá afecta la resolución que le favorece. Sin embargo, en cuanto unifica criterio en adelante para todos los órganos de la Administración tributaria, puede tener trascendencia en el futuro para dicho reclamante, así como también para todos los demás obligados.

Además, pueden dictarse resoluciones en unificación de criterio promovidas por el Presidente del TEAC o la Vocalía Coordinadora del TEAC, a iniciativa propia o de los Presidentes de los TEARLS y de los Vocales del TEAC[154], cuando existan resoluciones de los TEARLS que apliquen criterios distintos a los contenidos en resoluciones de otros TEARLS o que revistan especial trascendencia. No suponen propiamente un recurso de este tipo y, por ello, no está previsto que puedan alegar los interesados, aunque terminan con una resolución en Sala o Pleno del TEAC. Previamente, se dará

---

[154] Artículo 229.1.d) segundo párrafo de la LGT, que es una novedad introducida por la Ley 34/2015.

trámite de alegaciones por plazo de un mes, contado desde que se les comunique el acuerdo de promoción de la resolución en unificación de criterio, a los Directores Generales del Ministerio de Hacienda y a los Directores de Departamento de la AEAT y a los órganos equivalentes o asimilados de las CCAA y Ceuta y Melilla respecto a las materias de su competencia.

6.3.1. Resoluciones recurribles

Son recurribles únicamente las resoluciones de los TEARLS, incluidos los acuerdos de archivo, dictadas en única instancia, es decir, las de cuantía inferior o igual a 150.000 euros (1.800.000 euros en caso de bases o valoraciones).

6.3.2. Plazo

En el plazo de 3 meses contados desde el día siguiente al de la notificación de la resolución. Si la resolución del TEAR o TEAL no ha sido notificada al Director legitimado para recurrir el plazo se cuenta desde el momento en que dicho órgano tenga conocimiento del contenido esencial de la misma por cualquier medio.

6.3.3. Motivos del recurso

Las resoluciones de los TEARLS impugnadas deben ser gravemente dañosas y erróneas, no sigan la doctrina del TEAC o apliquen criterios distintos a los empleados por otros TEARLS.

Trata de potenciar la seguridad jurídica a través de la unificación de criterios interpretativos y aplicativos del ordenamiento. Por ello, no basta con indicar simplemente que la resolución recurrida es dañosa y errónea, sino que resulta necesario que exista un claro sentido con el que unificar criterio para resolver una duda interpretativa de trascendencia [TEAC 09-04-2015 RG 1473-2014 (*Tol 4895710*)].

Este recurso no es la medida impugnatoria adecuada para proceder a revisar la resolución de un TEAR que contiene la valoración de culpabilidad de una conducta tributaria individual y concreta [TEAC 20-09-2012 RG 5812/2011 (*Tol 2654521*) y TEAC 20-09-2012 RG 2299/2012 (*Tol 2654485*)].

No es necesario para unificar criterio que la resolución estime, sino que basta que unifique un criterio para toda la Administración tributaria [TEAC

10-09-2015 RG 4185/2014 (*Tol 6427488*) y 22-09-2015 RG 3253/2011/51 (*Tol 5509657*)].

6.3.4. Legitimación

Pueden interponer el recurso sólo determinados Directores Generales de los Ministerios de Economía y Hacienda y Directores de Departamento de la AEAT en materias de su competencia, así como los órganos equivalentes o asimilados de las CCAA y Ceuta y Melilla en materia de su competencia.

6.3.5. Tramitación y resolución

De forma resumida:

– El recurso va dirigido al TEAR o TEAL que dictó la resolución, que en el plazo de 1 mes remitirá el recurso, junto con el expediente de aplicación de los tributos y el de la REA, al TEAC que es el competente para resolver el recurso.

– Los interesados en la resolución del TEAR o TEAL recurrida pueden presentar escrito de alegaciones[155].

– El TEAC resolverá el recurso en el plazo de tres meses[156] y respetará la situación jurídica particular derivada de la resolución recurrida, limitándose a fijar el criterio, que vincula a toda la Administración tributaria (al menos del Estado y las CCAA en cuanto se refiera a tributos cedidos por el Estado).

6.4. El recurso extraordinario para la unificación de doctrina

Este recurso no ha sido utilizado desde que se creó por la LGT de 2003, salvo en un caso que terminó con la resolución de 24-11-2010 RG 4138/2010 (*Tol 6429135*) dictada por la Sala Especial de Unificación de Doctrina. Por ello, no tiene interés práctico y sólo voy a exponerlo de forma brevísima y sin citar las numerosas críticas que ha generado, que creo no merece la pena exponer en esta obra.

---

[155] Por ejemplo, VARIOS, *Formularios Tributarios*, ob. cit., págs. 523 a 524 [formulario V.36. (*Tol 7389365*)].

[156] Antes de la Ley 34/2015 era de seis meses.

6.4.1. Resoluciones recurribles

Todas las del TEAC en materia tributaria

6.4.2. Plazo

En el plazo de tres meses desde la notificación de la resolución al Director General de Tributos del Ministerio de Hacienda.

6.4.3. Motivos del recurso

Basta que el recurrente esté en desacuerdo con la resolución impugnada.

6.4.4. Legitimación

Puede interponer el recurso el Director General de Tributos del Ministerio de Hacienda.

6.4.5. Tramitación y resolución

El recurso es resuelto en el plazo de seis meses por una Sala Especial de Unificación de doctrina formada por ocho personas (el Presidente y tres Vocales del TEAC, el Director General de Tributos recurrente, el Director General de la AEAT, el Director del Departamento de la AEAT afectado y el Presidente del Consejo para la Defensa del Contribuyente).

La resolución respetará la situación jurídica particular derivada de la resolución recurrida, estableciendo la doctrina aplicable y vincula a toda la Administración tributaria, incluido el TEAC.

7. REVISIÓN DE ACTOS QUE EJECUTAN UNA PREVIA RESOLUCIÓN. EL RECURSO CONTRA LA EJECUCIÓN

La ejecución de las resoluciones económico-administrativas no constituye propiamente revisión, sino una consecuencia de una previa revisión por los TEAS. Sin embargo, como en algunos casos dicha ejecución plantea dificultades, porque el afectado cree que no ha sido realizada correctamente, existe un recurso específico, denominado recurso contra la ejecución (artículo 241 ter de la LGT), a través del cual se revisa precisamente el acto de ejecución.

El acto de ejecución no es realmente un acto que finaliza un procedimiento de aplicación de los tributos o imposición de sanciones, sino que ejecuta una resolución económico-administrativa que, a su vez, revisó un previo acto de aplicación de los tributos o de imposición de sanciones.

7.1. Ejecución de resoluciones

La ejecución de resoluciones administrativas no está contemplada de forma sistemática en la LGT, pero fue regulada con detalle y de forma separada en el RGRVA[157] pensando, sobre todo, en las resoluciones económico-administrativas. La razón es que la ejecución de las resoluciones (o acuerdos) del recurso de reposición debería sería fácil, ya que han sido dictadas por el propio órgano que, en principio, va a ejecutar y que también dictó el previo acto. La ejecución de las resoluciones de procedimientos especiales de revisión tampoco debería suscitar demasiadas dificultades, en cuanto resuelve el propio órgano (por ejemplo, en la rectificación de errores de hecho) o un superior jerárquico (por ejemplo, en la nulidad de pleno derecho). La ejecución de sentencias (resoluciones judiciales) puede resultar más difícil, pero tiene una regulación detallada en la LJCA y está encomendada a los propios órganos judiciales, como expondré brevemente en el capítulo sexto.

Por ello, los problemas prácticos surgen al ejecutar las resoluciones económico-administrativas porque los TEA no forman parte de la línea jerárquica del órgano de los órganos que dictaron el acto y los encargados de ejecutar y, además, no tienen una verdadera potestad de ejecución.

Como no pretendo explicar con detalle la ejecución de las resoluciones en general, sólo voy a destacar algunos aspectos muy básicos (contemplados en diversos apartados del artículo 66 del RGRVA):

- Las resoluciones que finalizan los medios de revisión deben ser ejecutadas en sus propios términos, pero si está suspendida la ejecución y se mantiene no se puede ejecutar.

---

[157] Dedicaba un título V totalmente separado a la ejecución de resoluciones, con un capítulo II para el reembolso del coste de las garantías y un capítulo I para la ejecución de resoluciones propiamente dichas, diferenciando tres secciones referentes a normas generales, normas especiales para resoluciones económico-administrativas y normas especiales para resoluciones judiciales.

- Los actos resultantes de la ejecución de una resolución económico-administrativa deben ser notificados en el plazo de un mes desde que la resolución tenga entrada en el registro del órgano competente para la ejecución.

- Los actos de ejecución no forman parte del procedimiento en el que tuvo su origen el acto objeto de impugnación y que dio lugar a la resolución que se ejecuta.

- En ejecución son aplicables las disposiciones generales del derecho administrativo sobre transmisibilidad, conversión de actos viciados, conservación de actos y trámites y convalidación.

- Los detalles de la ejecución dependen de que se resuelva sobre el fondo y se anule total o parcialmente (artículo 66.3 RGRVA), exista vicio de forma y no se entre sobre el fondo (artículo 66.4 del RGRVA), estime totalmente y no sea necesario un nuevo acto (artículo 66.5 del RGRVA) o confirme el acto impugnado (artículo 66.6 del RGRVA).

7.2. Recurso contra la ejecución

La Ley 34/2015 ha introducido un nuevo artículo 241 ter en la LGT, dentro de la subsección dedicada a los recursos en vía económico-administrativa, que regula el novedoso recurso contra la ejecución, aplicable a los recursos de ejecución que se interpongan a partir de 12-10-2015. Este nuevo recurso viene a sustituir, aunque con nueva denominación y una regulación algo distinta, al previo incidente de ejecución regulado en los apartados 1 a 3 del artículo 68 del RGRVA, que han sido suprimidos por el Real Decreto 1073/2017.

7.2.1. Resoluciones recurribles

Los actos de ejecución de una previa resolución económico-administrativa (en una REA o cualquier otro recurso en vía económico-administrativa).

Estos actos, como he señalado, no son realmente actos de aplicación de los tributos o de imposición de sanciones y, por ello, contra los mismos no es posible presentar recurso de reposición (artículo 241 ter.7 de la LGT).

7.2.2. Plazo

En el plazo de un mes a contar desde el día siguiente al de la notificación del acto impugnado (artículo 241 ter.4 de la LGT), mediante escrito de interposición[158].

7.2.3. Motivos del recurso

Cualquier disconformidad con los actos dictados en ejecución de una resolución económico-administrativa (artículo 241 ter.2 de la LGT), teniendo en cuenta que dichos actos de ejecución deben ajustarse exactamente a los pronunciamientos de la resolución (artículo 241 ter.1 de la LGT).

Sin embargo, deben tratarse de cuestiones realmente planteadas en la ejecución y no de volver a discutir temas decididos en la resolución que se ejecuta o que podían haberse planteado en la REA de dicha resolución, que lo único que provocan es la inadmisión del recurso (artículo 241 ter.8 de la LGT).

7.2.4. Legitimación

Los interesados y, puesto que nada dice la LGT expresamente, hay que entender que serán todos los legitimados e interesados afectados por la previa resolución que se ejecuta.

7.2.5. Tramitación y resolución

De forma resumida:

- La tramitación se efectuará a través del procedimiento abreviado, salvo que la resolución hubiera ordenado la retroacción de actuaciones, en cuyo caso se seguirá el procedimiento abreviado o general que proceda según la cuantía de la REA inicial. El plazo para resolver y notificar será de seis meses si procede el procedimiento abreviado y de un año en caso de procedimiento general (artículo 241 ter.5 de la LGT).

---

[158] Por ejemplo, VARIOS, *Formularios Tributarios*, ob. cit., págs. 516 a 517 [formulario V.35. (*Tol 7389369*)].

– La competencia corresponde al órgano del TEA que hubiera dictado la resolución que se ejecuta y la resolución del recurso de ejecución podrá establecer los términos concretos en que haya de procederse para dar cumplimiento (artículo 241 ter.3 de la LGT).

– El TEA declarará la inadmisibilidad del recurso contra la ejecución respecto de aquellas cuestiones que se planteen sobre temas ya decididos por la resolución que se ejecuta, sobre temas que hubieran podido ser planteados en la reclamación cuya resolución se ejecuta o cuando concurra alguno de los supuestos generales de inadmisibilidad de las REAS (artículo 241 ter.8 de la LGT).

– No se admitirá la suspensión del acto recurrido cuando no se planteen cuestiones nuevas respecto a la resolución que se ejecuta (artículo 241 ter.6 de la LGT).

7.3. Aclaración de resoluciones económico-administrativas

Está regulado en el artículo 68 del RGRVA, que mantiene el contenido del previo apartado 4 que, dada la supresión de los demás apartados por el Real Decreto 1037/2017 pasa a constituir el contenido exclusivo del precepto reglamentario. Por tanto, sigue refiriéndose a que los órganos que tengan que ejecutar las resoluciones de los órganos económico-administrativos podrán solicitar al TEA una aclaración de la resolución. Cabe destacar que en vía económico-administrativa no se encuentra prevista la petición de aclaración de la resolución o acuerdo al TEA por el interesado.

7.4. Extensión de las resoluciones económico-administrativas

La resolución económico-administrativa se puede extender a todos los actos posteriores a la interposición de la REA que sean en todo idénticos al citado en el escrito de interposición de la REA inicial (artículo 69 del RGRVA) mediate la correspondiente solicitud[159], pero en la práctica no es utilizada, quizás porque los contribuyentes prefieren interponer REAS contra los nuevos actos reclamaciones, pero también por las limitaciones de la regulación:

---

[159] Por ejemplo, VARIOS, *Formularios Tributarios*, ob. cit., págs. 498 a 499 [formulario V.31. (*Tol 3968896*)].

- El plazo de solicitud es de un mes, a contar desde el siguiente al de notificación de la resolución, referida los documentos en los que consten los nuevos actos, actuaciones y omisiones.

- El acuerdo de ejecución que declara la extensión es dictado por el mismo TEA, funcionando en Pleno, Sala u órgano unipersonal como en la REA inicial, relacionando todos los actos, actuaciones y omisiones a los que la resolución debe extender sus efectos y los efectos alcanzan también a los recursos procedentes.

Lo que pretendía la normativa es establecer un mecanismo similar al de la extensión de efectos de las sentencias, que se comenta en el capítulo sexto, pero es más limitado y, por ello, es raro en la práctica.

8. ESPECIALIDADES AUTONÓMICAS Y LOCALES

Las especialidades de las CCAA y EELL en vía económico-administrativa las comenté en el capítulo primero de esta obra al examinar la revisión de actos tributarios por las diversas Administraciones tributarias, por lo que me remito al mismo.

De forma muy breve, las CCAA tienen órganos económico-administrativos propios con denominación muy variadas y regulación específica[160], pero muchas veces influida por la regulación de la LGT.

Las CCAA de régimen común tienen órganos económico-administrativos propios para la revisión de sus tributos propios. Sin embargo, la revisión económico-administrativa de los tributos cedidos sigue correspondiendo a los TEAS del Estado, aunque era posible que las CCAA pudieran asumir la competencia de revisión económico-administrativa, no se ha implantado en la práctica.

Las CCAA de régimen foral tienen órganos económico-administrativos propios para todos sus tributos. Así, existe un Tribunal Económico-Administrativo Foral de Navarra, que es un órgano autonómico y no debe confundirse con el TEAR de Navarra, que es un órgano estatal. En el País Vasco, existen en Álava el Organismo Jurídico Administrativo de Álava (que es el nombre oficial del Tribunal Económico-Administrativo del Territorio Histórico de Álava), en Bizkaia el Tribunal Económico-Administrativo Foral

---

[160] Para una exposición básica, pero referida a todas las CCAA, me remito a VARIOS, *Memento Procedimientos* tributarios 2022-2023, ob. cit., págs. 1258 a 1271.

de Bizkaia y en Gipuzkoa el Tribunal Económico-Administrativo Foral del Territorio Histórico de Gipuzkoa, que son órganos autonómicos diferentes del TEAR del País Vasco, que es un órgano estatal.

En los EELL sólo existen órganos económico-administrativos propios cuando se trata de Municipios de Gran Población, con regulación específica. En algún caso también está influida por la regulación estatal. En los restantes sólo existe el recurso de reposición obligatorio previamente a la interposición del RCA.

Capítulo Quinto
OTROS MECANISMOS DE REVISIÓN EN VÍA ADMINISTRATIVA

La revisión en vía administrativa no sólo puede realizarse mediante el recurso de reposición (comentado en el capítulo tercero) y las REAS (comentadas en el capítulo cuarto), que serían los recursos normales u "*ordinarios*", sino también mediante otros mecanismos[161]. La LGT regula los procedimientos especiales de revisión (artículos 216 a 221) y el recurso extraordinario de revisión ante el TEAC (artículo 244) para los actos dictados por la Administración General del Estado, pero también existen especialidades en los mecanismos utilizados por las CCAA y EELL, como ocurre con los recursos ordinarios.

Las Administraciones tributarias no suelen proporcionar datos estadísticos sobre la utilización práctica de este tipo de mecanismos[162], pero aparentemente su número es bastante reducido, al menos en comparación con los recursos de reposición o las REAS, aunque el procedimiento especial de rectificación de errores de hecho es utilizado con bastante frecuencia.

Desde el punto de vista teórico reciben menos atención que las REAS, pero bastante más que el recurso de reposición[163]. La razón es que tienen gran interés desde el punto de vista jurídico y, por ello, atraen el análisis de los estudiosos en temas tributarios, aunque sean poco empleados desde el punto de vista práctico.

---

[161] La LGT no utiliza esta expresión, pero la empleo para tratar de incluir tanto los procedimientos especiales, como el recurso extraordinario de revisión que resuelve el TEAC. La palabra "*mecanismos*" abarcaría tanto procedimientos como recursos.

[162] En el ámbito del Ministerio de Hacienda las Memorias de la Administración tributaria no proporcionan información. En el momento de escribir estas líneas (durante el mes de abril de 2022) la última publicada en Internet corresponde al año 2019 y sólo refleja 2.362.449 "recursos" resueltos en 2019, sin que aclare si, entre ellos, están los procedimientos especiales, VARIOS, Memoria de la Administración tributaria 2019, ob. cit, pág. 558.

[163] Existen algunas monografías dedicadas en exclusiva a los procedimientos especiales. Por ejemplo, RODRÍGUEZ MÁRQUEZ, J., *La revisión de oficio en la Nueva Ley General Tributaria ¿Una vía para solucionar los conflictos entre Administración y contribuyentes*, Thomson Aranzadi, Cizur Menor (Navarra), 2004. Además, se exponen en los numerosos libros dedicados a la revisión tributaria en general.

Los diversos mecanismos son muy diferentes. Es decir, tienen una naturaleza y alcance muy variado, pero la característica fundamental es que no son ordinarios, lo que provoca que tengan algunos rasgos comunes:

1º Los plazos para iniciar la revisión son amplios (aunque el recurso extraordinario de revisión tiene un plazo de tres meses), mientras en los recursos ordinarios el plazo de interposición es muy breve (un mes).

2º La Administración puede iniciarlos, a diferencia de los recursos ordinarios que comienzan a petición de los contribuyentes. Sin embargo, estos mecanismos especiales o extraordinarios también pueden iniciarse o promoverse por el contribuyente (salvo la declaración de lesividad de actos anulables).

3º La revisión puede realizarse en perjuicio de los contribuyentes, al menos en la declaración de nulidad de pleno derecho, la declaración de lesividad y la rectificación de errores de hecho. Esto no es posible en los recursos ordinarios, en los que no puede empeorar la situación del contribuyente que recurre, al regularse legalmente la prohibición de la *reformatio in peius* (artículo 223.4 de la LGT para el recurso de reposición y artículo 237.1 de la LGT para las REAS). Sin embargo, la revocación debe hacerse siempre en beneficio de los interesados y no parece fácil que la devolución de ingresos indebidos pueda perjudicar a los contribuyentes. Finalmente, el recurso extraordinario de revisión aparentemente puede perjudicar al contribuyente, al menos cuando es iniciado por la Administración, pero no cuando sea iniciado por dicho contribuyente.

La LPACAP regula la *"revisión de oficio"* (artículos 106 a 111), con figuras similares a las tributarias. Sin embargo, la LGT tiene especialidades y, como regla, hay que acudir a lo regulado expresamente en la misma y no a la LPACAP, que sólo tiene carácter supletorio.

Ahora bien, algunos aspectos de la LPACAP parecen aplicables, debido a que no existe regulación específica tributaria:

– La posibilidad de suspender (artículo 108), al menos para la declaración de nulidad y lesividad por el órgano competente para declararla, cuando pudieran causar perjuicios de imposible o difícil reparación.

– Los límites a la revisión (artículo 110), pues no es posible cuando por prescripción de acciones, por el tiempo transcurrido o por otras circunstancias, su ejercicio resulte contrario a la equidad, a la buena fe, al derecho de los particulares o a las leyes.

Por el contrario, en mi opinión, la existencia de un procedimiento especial de revocación en la LGT (artículo 219), que se desarrolla reglamentariamente, impide acudir a la revocación de la LPACAP (artículo 109.1), que no tiene procedimiento. Es cierto que la Administración (por ejemplo, la AEAT) utilizó la regulación previa a la LPACAP (Ley 30/1992) para revocar y que esto incluso fue aceptado en vía judicial [AN 23-10-2001 recurso 390/1999 (*Tol 5260952*)], pero fue previamente a la nueva LGT que reguló un procedimiento específico para la revocación tributaria.

1. ¿CUÁNDO CONVIENE UTILIZAR ESTOS MECANISMOS?

Los mecanismos especiales o extraordinarios pueden iniciarse o promoverse, en general, por los contribuyentes, pero también pueden iniciarse por la Administración (iniciación de oficio). En todo caso, la primera cuestión que el contribuyente debe evaluar es cuándo conviene utilizarlos. La respuesta teórica sería muy sencilla, es decir, sólo cuando le beneficie, pero esto no ayuda a decidir desde el punto de vista práctico en qué supuestos es ventajoso para el contribuyente.

Por ello, aunque implique tener en cuenta algunos aspectos de la regulación de estos mecanismos que analizo posteriormente, paso a contestar a este interrogante con más detalle, comenzando con la recomendación de que, como regla, no son útiles o posibles si se ha interpuesto un recurso ordinario en plazo y terminando con que no constituyen una segunda posibilidad en vía administrativa con carácter general.

1.1. *Cuando no se ha presentado recurso de reposición o REA en plazo*

Al final del capítulo segundo de esta obra, ya adelanté que parece preferible presentar un recurso ordinario, es decir, el recurso de reposición o la REA, si el contribuyente está en el plazo de un mes desde la notificación del acto impugnado, en vez de un mecanismo extraordinario o especial en vía administrativa.

La razón es que el contribuyente que presenta un recurso ordinario puede conseguir la anulación del acto si tiene un vicio de nulidad de pleno derecho o incurre en los supuestos de revocación. También a través del recurso ordinario puede conseguir la rectificación de un error de hecho del acto, la devolución de ingresos indebidos o la anulación o modificación del acto que incurra en alguna de las circunstancias del recurso extraordinario de revisión. La única excepción es la declaración de lesividad, pero no es un mecanismo a favor del contribuyente, sino que la Administración declara lesivo el acto en perjuicio del interesado para luego impugnarlo a través de un RCA y tratar de conseguir que una sentencia judicial lo anule.

Por tanto, salvo la declaración de lesividad, que lógicamente no desea el contribuyente, ni tampoco puede iniciar, todo lo que el contribuyente puede conseguir a través de los procedimientos especiales de revisión o el recurso extraordinario de revisión, puede igualmente obtenerlo a través de un recurso ordinario, pero de forma más fácil.

Por ello, reitero que, desde el punto de vista práctico, como regla general, sólo conviene acudir a un mecanismo extraordinario cuando ha transcurrido el plazo de un mes desde la notificación del acto para el recurso ordinario. Por ejemplo, si el contribuyente recibe la notificación de un acto que incurre en un vicio de nulidad de pleno derecho, en el plazo de un mes debería presentar el recurso de reposición o la REA alegando precisamente la nulidad de pleno derecho, en vez de iniciar un procedimiento del artículo 217 de la LGT, aunque a través del mismo pueda conseguir también la anulación del acto.

1.2. Posibilidad de simultanear con el recurso ordinario

Aunque recomiendo al contribuyente presentar el recurso ordinario cuando está en plazo, voy a analizar si conviene, desde el punto de vista práctico, simultanear dicho recurso con los mecanismos especiales o extraordinarios, aunque adelanto que jurídicamente sólo es posible en algunos casos.

En general, desaconsejo presentarlos a la vez cuando están basados en la misma fundamentación. La razón es que duplica el trabajo de la Administración, sin que el contribuyente consiga normalmente un beneficio, dado que es incorrecto en algunos casos (declaración de nulidad de pleno derecho y recurso extraordinario de revisión) e innecesario en casi todos los demás supuestos. Voy a exponer algunas posibilidades:

- Nulidad de pleno derecho: El contribuyente que ha presentado también un recurso ordinario en plazo, sólo conseguirá la inadmisión del procedimiento especial de nulidad de pleno derecho, que está previsto para los actos que ponen fin a la vía administrativa o no hayan sido recurridos en plazo. Por ello, si ha interpuesto un recurso ordinario en plazo, el procedimiento de nulidad debe inadmitirse.

- Recurso extraordinario de revisión: El contribuyente que ha presentado un recurso ordinario en plazo, también conseguirá la inadmisión del recurso extraordinario de revisión, que sólo puede interponerse contra actos firmes (un acto contra el que se ha recurrido en plazo no es firme).

- Revocación: El contribuyente que presenta un escrito para que la Administración inicie un procedimiento de revocación, pero también ha interpuesto un recurso de reposición, lo que provocará es que en la resolución del recurso de reposición se analicen las circunstancias de la revocación y no que se inicie dicho procedimiento de revocación.

  Además, el órgano que dictó el acto resolverá el recurso de reposición rápidamente, porque el plazo para resolver o notificar es de un mes. Si da la razón y anula el acto, no necesita iniciar un procedimiento de revocación. Si confirma el acto, la razón es porque considera que es correcto y, por tanto, no concurriría ninguna de las causas de revocación. Sólo en caso de que presentara REA en plazo y, a la vez, un escrito promoviendo que la Administración iniciara el procedimiento de revocación, podría iniciarse este procedimiento, pero es poco probable desde el punto de vista práctico, porque la Administración puede en algunos casos anular el acto (sin necesidad de acudir al complejo procedimiento de revocación) conforme a la posibilidad de anulación prevista para el órgano que dictó el acto cuando se interpone una REA o remitir un informe que facilite al TEA la anulación del acto (ambos previstos en el artículo 235.3 de la LGT).

- Rectificación de error de hecho: El contribuyente que al mismo tiempo ha presentado un recurso de reposición basado en el error de hecho, provocará que el acuerdo que resuelve el recurso de reposición (en el plazo es de un mes para resolver y notificar) examine el posible error de hecho y, si existe, lo reconocerá en la resolución del recurso de reposición, mientras que, si entiende que no lo hay, lo rechazará. En cuanto a la solicitud de rectificación (el plazo es de seis meses para resolver y notificar) la archivará o se limitará a reiterar lo mismo que ha expresado en el acuerdo que resuelve el recurso de reposición.

  Si inicia el citado procedimiento especial de rectificación de error de hecho, pero presenta una REA en plazo, puede lograr que el órgano que dictó el acto rectifique el error de hecho, si es que entiende que existe, enviando la resolución de la rectificación al TEA para que la tenga en cuenta al resolver la REA. Si el órgano que dictó el acto considera que no hay error de hecho, dictará una resolución desestimatoria, que es impugnable con un recurso de reposición o una REA y lo lógico es que el TEA que se encuentra con una REA contra el acto inicial y otra REA contra la denegación de la rectificación los acumule o, en su defecto, diga lo mismo. En todo caso, en muchos supuestos provoca más trabajo para los órganos administrativos, que no parece necesario.

– Devolución de ingresos indebidos: Lo expuesto para la rectificación de errores parece aplicable, en gran medida, cuando el contribuyente solicita la devolución de ingresos indebidos y, a la vez, interponer recurso de reposición o REA, dando igualmente en la mayoría de las ocasiones más trabajo a los órganos administrativos.

1.3. No constituyen una segunda posibilidad de revisión en vía administrativa

Una vez aclarado que no recomiendo acudir a los mecanismos especiales o extraordinarios cuando el contribuyente puede presentar un recurso ordinario y que, salvo casos raros, no es posible o no es aconsejable simultanearlos, me queda advertir que dichos mecanismos no constituyen realmente una segunda posibilidad o, incluso, una tercera cuando el contribuyente ha presentado primero el recurso de reposición y luego la REA.

Esto no significa que no sugiera examinar si es posible acudir a estos mecanismos, tras una resolución de un recurso de reposición o de una REA que no hayan sido impugnadas mediante el recurso administrativo o judicial correspondiente. Además, hay casos en que el mecanismo está precisamente diseñado para ello. Por ejemplo, si una liquidación regularizaba una ganancia de patrimonio por la transmisión de un bien consecuencia de una compraventa y no se impugna la liquidación. Sin embargo, si la compraventa fuera impugnada en la vía civil por la otra parte dando lugar a una sentencia civil que anula la misma, lógicamente es recomendable interponer el recurso extraordinario de revisión en el plazo correspondiente porque ha aparecido un documento esencial, que es la sentencia civil, que pone de manifiesto que la liquidación fue improcedente, pues si no hay compraventa no puede haber ganancia derivada de la misma.

Sin embargo, desaconsejo que el contribuyente intente conseguir la anulación por estos mecanismos cuando claramente no concurran los requisitos de los mismos, porque es perjudicial para los contribuyentes, incluido quien inicia o promueve la anulación del acto que le afecta. En efecto, si la Administración tiene que analizar y resolver casos que no cumplen las exigencias legales, podrá dedicar menos esfuerzos en tareas que beneficiarían a todos los contribuyentes (por ejemplo, mejorar la información o asistencia o descubrir contribuyentes que defraudan), lo que al final perjudica a todos, incluso al contribuyente concreto que acude sin justificación razonable a los citados mecanismos.

2. LOS PROCEDIMIENTOS ESPECIALES DE LA LGT

La LGT dedica un capítulo específico (capítulo II del título V) a los procedimientos especiales de revisión, realizando una enumeración de los mismos (artículo 216) y regulando la revisión de actos nulos de pleno derecho (artículos 217), la declaración de lesividad de actos anulables (artículo 218), la revocación (artículo 219), la rectificación de errores (artículo 220) y la devolución de ingresos indebidos (artículo 221). Hay que tener en cuenta, además, el desarrollo reglamentario en el RGRVA y las normas comunes de la LGT aplicables a la revisión, que he expuesto en el capítulo primero de esta obra. Por otro lado, recuerdo que hay una serie de cuestiones básicas que he desarrollado con detalle en el capítulo segundo y que recomiendo tener en cuenta.

Los actos revisables por estos procedimientos sólo son los dictados por órganos administrativos cuando estén expresamente previstos para cada procedimiento, siempre que cumplan las exigencias previstas para dichos procedimientos, que son muy diferentes. No obstante, advierto que realmente la declaración de lesividad no revisa el acto (es un procedimiento previo a la revisión que realiza el órgano judicial) y la devolución de ingresos indebidos, en general, tampoco revisa actos, sino que reconoce que determinadas cantidades ingresadas al Tesoro Público son indebidas y, por ello, procede su devolución. Por otro lado, como ocurre con todos los medios de revisión tributarios en vía administrativa, no pueden revisarse los actos cuando existan sentencia judicial firme (artículo 213.3 de la LGT).

2.1. Revisión de actos nulos de pleno derecho

Este procedimiento especial permite anular los actos que tengan los vicios o defectos más graves, que están englobados en la expresión nulidad absoluta (o nulidad de pleno derecho), frente a vicios menos graves (nulidad relativa o anulabilidad regulada en el artículo 48 de la LPACAP, que es aplicable de forma supletoria).

La LGT regula un plazo de duración del procedimiento desde su inicia-ción (para resolver y notificar), que es de un año (artículo 217.6), pero no establece un plazo para poder declarar la nulidad de pleno derecho. Según la LPACAP (artículo 106.1 y 2 que en este punto debe entenderse supleto-rio) puede realizarse en cualquier momento (es decir, incluso pasado el pla-zo de prescripción de cuatro años), sin perjuicio de los límites que establece la propia LPACAP (artículo 110).

El contribuyente, en defensa de sus intereses, tiene la tendencia a consi-derar que todo defecto del acto implica la nulidad de pleno derecho, pero advierto que jurídicamente esto sólo sucede en casos limitados enumerados legalmente. Por ello, en numerosas ocasiones el contribuyente inicia un pro-cedimiento especial para la revisión de actos de nulo de pleno derecho y la Administración lo rechaza, incluso mediante una mera inadmisión, en casos en que claramente no existe nulidad de pleno derecho.

2.1.1. Actos revisables

Los actos que pueden revisarse por este procedimiento son todos los dic-tados por los órganos tributarios (incluidas las resoluciones de los TEAS), cuando hayan puesto fin a la vía administrativa o no hayan sido recurridos en plazo e incurran en nulidad de pleno derecho.

Los actos que ponen fin a la vía administrativa son aquellos contra los que se han interpuesto todos los recursos posibles en vía administrativa. Por ejemplo, una liquidación de IRPF de 1.000 euros a ingresar dictada por el Jefe de la Dependencia de Gestión de Teruel de la AEAT no pone fin a la vía administrativa. Si el contribuyente interpone una REA ante el TEAR de Aragón, la resolución del TEAR que desestima pone fin a la vía administra-tiva[164] y es susceptible de revisarse por el procedimiento especial de nulidad de pleno derecho. Por ello, mientras está pendiente de resolver una REA no puede solicitarse la revisión de oficio, pues no son vía alternativas, ni simul-táneas [SAN 30-06-2006 recurso 710/2003 (*Tol 981636*)]. Por otro lado, el TS ha negado que pueda simultanearse el recurso contencioso-adminis-trativo y el procedimiento de nulidad de pleno derecho [STS 06-10-2001 recurso 550/2000 (*Tol 4916433*)].

Los actos que no hayan sido recurridos en plazo, son aquellos contra los que no se han interpuesto los recursos ordinarios (recurso de reposición o

---

[164] Sin perjuicio de que el contribuyente pueda interponer el recurso de anulación del artí-culo 241 bis de la LGT ante el TEAR.

REA) y, por ello, son actos firmes y consentidos, dado que los contribuyentes u obligados han dejado transcurrir los plazos para la interposición de dichos recursos.

Por el contrario, no podrá acudirse a este procedimiento especial para las declaraciones, autoliquidaciones o comunicaciones de los obligados tributarios, pues no son actos administrativos, ni para las actuaciones de otros particulares (por ejemplo, retenciones o repercusiones), que tampoco son actos administrativos.

Tampoco está prevista en la LGT la declaración de nulidad de las disposiciones administrativas generales en materia tributaria, que vulneren la CE, las leyes u otras disposiciones de rango superior (artículo 47.2 de la LPACAP). Es aplicable de forma supletoria, sin perjuicio de que sólo pueda iniciarse de oficio (artículo 106.2 de la LPACAP) y no a instancia del interesado, que deberá impugnar la disposición administrativa mediante el correspondiente RCA o impugnando los actos administrativos (como los TEAS están vinculados por la disposición administrativa será en el RCA contra la resolución del TEA donde indirectamente impugnarán dicha nulidad).

La LGT (artículo 217.1) enumera de forma idéntica[165] a la LPACAP (artículo 47.1) los casos o causas de nulidad de pleno derecho, que paso a comentar con detalle.

a) *Actos que lesionen los derechos y libertades susceptibles de amparo constitucional*

En estos casos, que no son muy numerosos en la práctica, el ciudadano puede acudir al procedimiento especial de revisión de actos nulos de pleno derecho, para facilitar en la propia vía administrativa la anulación del acto, pero también puede acudir al procedimiento especial de la LJCA de protección de los derechos fundamentales y al recurso de amparo ante el TC que comento en el capítulo sexto.

Por ejemplo, la liquidación del ISD a un no residente en España en base a una ley declarada no conforme al Derecho de la Unión Europea, que es firme por no haber sido recurrida en plazo antes de la sentencia del TJUE, lesiona derechos fundamentales en cuanto consagra una situación de dife-

---

[165]   Puede ser discutible si es conveniente que la LGT copie literalmente la LPACAP, pues bastaría una simple remisión a la misma. En este punto la LGT, como en otros, tiene una función didáctica y lo importante desde el punto de vista práctico es que no existan diferencias entre ambas normas.

rencia de trato discriminatoria entre los residentes y los no residentes (con quebrantamiento del artículo 14 de la CE) en cuanto al régimen de beneficios fiscales previstos para los residentes por razón de su residencia [STS 16-07-2020 recurso 810/2019 (*Tol 8037336*)].

b) Actos dictados por órgano manifiestamente incompetente por razón de la materia o del territorio

El órgano incompetente es el que no tiene competencia[166] y este caso de nulidad no es frecuente porque la incompetencia debe producirse por razón de la materia o el territorio. Además, debe ser notoria, clara, evidente, que se manifieste de modo ostensible e incontrovertido, sin que precise de una labor previa de interpretación jurídica. No hay incompetencia manifiesta cuando la Inspección dictó el acto antes de que el TS declarara la norma que permitía a dicha Inspección dictar la liquidación [STS 16-01-2003 recurso 667/1998 (*Tol 1702584*)].

Respecto a la materia, por ejemplo, existe cuando la Dependencia Regional de Gestión de la Delegación Especial de la AEAT de Madrid dicta un acto en un procedimiento de comprobación por el ISD que corresponde a la Comunidad Autónoma de Madrid o en un procedimiento inspector que corresponde a la Dependencia Regional de Inspección de la AEAT de Madrid.

Respecto al territorio, por ejemplo, la misma Dependencia inicia un procedimiento de comprobación del IRPF de un contribuyente cuyo domicilio y residencia está en Valladolid, salvo que se haya cambiado el domicilio fiscal previamente de oficio o se haya autorizado previamente en base a una norma que lo permita.

Por el contrario, la incompetencia jerárquica no provoca la nulidad de pleno Derecho, pero pues ser corregida por la Administración (manteniendo el acto utilizando la convalidación o anulándolo acudiendo a la revocación, etc.) o impugnada por el contribuyente a través de otros medios de revisión (recurso de reposición, etc.). Por ejemplo, es el caso del recurso de reposición contra una liquidación de IRPF dictada por el Jefe de la citada Dependencia Regional que es resuelto por el Administrador de Guzmán el Bueno de la misma Delegación Especial.

---

[166]   La regulación general de la competencia de los órganos administrativos está en los artículos 8 a 14 de la LRJSP.

c) Actos de contenido imposible

Estos actos son raros en la práctica. Por ejemplo, liquidación del IRPF a un contribuyente que no existe. Se trataría de los actos inadecuados de forma total y originaria a la realidad física, en cuanto encierran una contradicción interna en sus términos por oponerse a leyes físicas inexorables o racionalmente insuperables [STS 19-05-2000 recurso 647/1995 (*Tol 1712619*)].

d) Actos constitutivos de infracción penal o que se dicten como consecuencia de ésta

Estos actos son también raros en la práctica y abarca los actos que constituyan delito[167] y los dictados como consecuencia, pues si bien el acto no sería constitutivo delito tiene su origen en una infracción penal. Es preciso que exista una sentencia penal previa (por ejemplo, sentencia que condena por prevaricación al funcionario) y no basta alegar en el procedimiento especial de revisión que se ha cometido un delito (por ejemplo, acusar al citado funcionario de prevaricación, porque lo que debería hacer el contribuyente es ir a la vía penal previamente a conseguir la anulación del acto).

e) Actos dictados prescindiendo total y absolutamente del procedimiento legalmente establecido para ello o de las normas que contienen las reglas esenciales para la formación de la voluntad en los órganos colegiados

Son los supuestos más frecuentes de nulidad de pleno derecho y realmente son varios casos englobados dentro del mismo caso o causa de nulidad:

En primer lugar, la ausencia total y absoluta del procedimiento. Es raro que no exista procedimiento (por ejemplo, liquidación de IRPF sin iniciar y tramitar un procedimiento), pero en este supuesto también está comprendida la falta de los trámites esenciales o fundamentales integrantes de un procedimiento concreto. El defecto debe tener tal naturaleza que su ausencia equivalga a la del propio procedimiento [STS 21-06-2006 recurso 5474/2001 (*Tol 987070*)]. Por ejemplo, cuando se dicta liquidación del ITPAJD sin iniciar el procedimiento tras la anulación por el TEAC de una previa liquidación[TEAC 24-11-2016 RG 6406-2013 (*Tol 5908879*)] o la omisión del trámite de audiencia en un procedimiento sancionador de con-

---

[167]   Las faltas penales han desaparecido o se han convertido en delitos leves.

trabando [TEAC 12-12-2018 RG 5988/2017 (*Tol 7879982*)]. Por ello, también se considera que se produce cuando se ha utilizado un procedimiento distinto al regulado para dictar el acto administrativo.

En segundo lugar, el incumplimiento de las reglas esenciales para la formación de la voluntad de los órganos colegiados[168]. La mayoría de los actos tributarios no son dictados por órganos colegiados, aunque ello ocurre en las resoluciones de los TEAS cuando funcionan en Pleno o Salas. Las reglas esenciales, por ejemplo, serían la convocatoria (un ejemplo de nulidad sería la falta de convocatoria), la composición[169] (un ejemplo de nulidad sería que estén formados por personas que no forman parte del órgano colegiado) o el *quorum* de asistencia[170] (un ejemplo de nulidad sería que no asistan suficientes personas del órgano colegiado).

f) Actos expresos o presuntos contrarios al ordenamiento jurídico por los que se adquieren facultades o derechos cuando se carezca de los requisitos esenciales para su adquisición

En el ámbito tributario no es un caso frecuente y básicamente está pensando en actos presuntos, es decir, los producidos por silencio administrativo positivo, si dicho acto resulta favorable al interesado, pero no reúne los requisitos esenciales. No basta la falta de un requisito, sino que el mismo sea esencial.

El contribuyente que ha adquirido una facultad o derecho (por ejemplo, un beneficio fiscal) lógicamente no tiene interés en iniciar la revisión, sino que será la Administración la que lo haga a través del inicio de oficio de un procedimiento. Ahora bien, en la práctica será raro porque la propia LGT (artículo 115.3 de la LGT para los actos de concesión o reconocimiento de beneficios fiscales) permite a la propia Administración comprobar y regula-

---

[168]   La regulación de los órganos colegiados de la Administración está en los artículos 15 a 22 de la LRJSP, pero no todas ellas abarcan aspectos esenciales cuya omisión implique la nulidad de pleno derecho.

[169]   Así, la Sala de un TEAR según el artículo 30.1 del RGRVA debe estar formada por el Presidente, un Vocal al menos y el Secretario, que es un Abogado del Estado). Por ejemplo, la Sala Primera de un TEAR determinado (dedicada al IRPF e IS) por acuerdo del Presidente del TEAR puede estar compuesta por el Presidente, tres Vocales y el Secretario (es decir, por cinco personas).

[170]   Es el número de personas necesarias para que el órgano esté constituido y varía según el órgano concreto. Por ejemplo, en la Sala Primera de un TEAR con cinco personas deben asistir al menos tres, conforme al artículo 17.2 de la LRJSP, incluidos Presidente y Secretario o quienes les suplan.

rizar en un posterior procedimiento sin necesidad de acudir a los procedimientos especiales de revisión.

g) *Cualquier otro acto que se establezca expresamente en una disposición de rango legal*

Una ley debe establecer de forma expresa dicha nulidad de pleno derecho

2.1.2. Procedimiento

El procedimiento está regulado con detalle no sólo en la LGT que establece algunos aspectos (artículo 217.2 a 7), sino en el RGRVA (artículos 4 a 6). Sin embargo, nada expresa sobre suspensión, por lo que entiendo aplicable la posibilidad de suspender de la LPACAP (artículo 108) por el órgano competente para resolver cuando la ejecución pudiera causar perjuicios de imposible o difícil reparación.

a) *Iniciación*

El procedimiento puede iniciarse por:

- Acuerdo del órgano que dictó el acto o de su superior jerárquico notificado al interesado.

- Solicitud de iniciación presentada por el interesado dirigida al órgano que dictó el acto[171].

b) *Tramitación*

El órgano que establezca la norma de organización específica[172] realiza la tramitación:

- Puede inadmitir a trámite la solicitud del interesado cuando el acto no es firme en vía administrativa, la solicitud no se basa en alguna de las causas de nulidad previstas legalmente, la solicitud carezca ma-

---

[171] Por ejemplo, VARIOS, *Formularios Tributarios*, ob. cit., págs. 410 a 411 [formulario V.3. (*Tol 3968781*)].

[172] Según OM PRE/3581/2007, los Directores de los Departamentos de Gestión, de Inspección, de Recaudación y de Aduanas e IIEE de la AEAT son órganos competentes para tramitar para los actos de la AEAT.

nifiestamente de fundamento o se hubieran desestimado en cuanto al fondo otras solicitudes sustancialmente iguales. Esta posibilidad de inadmisión a trámite sólo pretende que no haya que tramitar el procedimiento en casos en que de forma clara no procede declarar la nulidad de pleno derecho.

– Solicita al órgano que dictó el acto la remisión de una copia cotejada del expediente administrativo y un informe.

– Una vez recibida la documentación, da audiencia en el plazo de 15 días (hábiles) a partir del siguiente al de la notificación para que el interesado y demás afectados puedan alegar y presentar documentos y justificantes. El interesado puede presentar o no un escrito de alegaciones[173].

– Tras el trámite de audiencia, elabora la propuesta de resolución y la remite al órgano competente para resolver.

c) Resolución

El órgano competente para resolver en el ámbito del Estado es el Ministro de Hacienda, pero puede delegar dicha competencia (artículo 6.3 del RGRVA).

Tras recibir la propuesta de resolución pide dictamen al Consejo de Estado u órgano equivalente de la Comunidad Autónoma, si lo hubiera (artículo 6.1 del RGRVA), que debe ser favorable para declarar la nulidad de pleno derecho.

La resolución puede o no declarar la nulidad del acto y debe producirse y notificarse en el plazo máximo de un año desde la presentación de la solicitud por el interesado o la notificación al mismo del acuerdo de iniciación de oficio del procedimiento. Si se incumple (artículo 217.6 de la LGT) produce:

– La caducidad del procedimiento cuando fue iniciado por la Administración, pero no impide iniciar otro procedimiento de revisión de actos nulos.

– La desestimación, por silencio administrativo, cuando fue iniciado a solicitud del interesado.

---

[173] Por ejemplo, VARIOS, *Formularios Tributarios*, ob. cit., págs. 412 a 413 [formulario V.4. (*Tol 3968780*)].

La resolución pone fin a la vía administrativa (artículo 217.7 de la LGT), por lo que sólo puede ser recurrida en vía contencioso-administrativa (Sala de lo Contencioso-Administrativo de la Audiencia Nacional según el artículo 11.1 de la LJCA).

2.2. Declaración de lesividad de actos anulables

La declaración de lesividad (artículo 218 de la LGT) no anula el acto, sino que lo declara lesivo como paso previo a impugnarlo en vía contencioso-administrativa, que es la que anulará o no el acto administrativo. Sólo puede iniciarse por la Administración y no por el interesado que, además, suele oponerse porque el procedimiento está previsto para actos favorables al interesado, siempre que no incurran en nulidad de pleno derecho.

La LGT establece un plazo máximo para declarar la lesividad, que es de cuatro años desde que se notificó el acto (artículo 218.2 de la LGT)[174], pero también un plazo máximo de duración del procedimiento (para resolver y notificar), que es de tres meses (artículo 218.3 de la LGT).

Es un procedimiento muy raro en la práctica y que es objeto de escasos análisis teóricos. La razón de su escasa utilización es que el órgano que dictó el acto es contrario casi siempre a la anulación, el contribuyente al que favorece lógicamente será también contrario y los Tribunales de lo Contencioso-Administrativo, que una vez declarado lesivo deben resolver el recurso contencioso-administrativo, suelen ser reacios a concluir que procede anular.

Por otro lado, la existencia del procedimiento especial para declarar la lesividad constituye desde el punto de vista práctico, al menos en mi opinión, una garantía para el contribuyente. Esto puede llamar la atención, porque el procedimiento está dirigido a tratar de anular en vía contencioso-administrativa un acto favorable el interesado. Sin embargo, que la LGT establezca un procedimiento especial obliga a la Administración a seguirlo y, por ello, cuando un órgano administrativo anula un acto sin acudir al mismo, es fácil que se anule en vía económico-administrativa o judicial. Por ejemplo, el órgano inspector al dictar una liquidación no

---

[174] Aunque no lo dice la LGT de forma expresa, sería un plazo de caducidad (en sentido propio), ya que transcurrido el mismo no puede declararse la lesividad. No es un plazo de prescripción, aunque coincida el número (cuatro años) con los regulados en el artículo 66 de la LGT

puede anular un acto firme dictado por un órgano de gestión sin acudir al procedimiento correspondiente [TEAC 09-03-2010 recurso 3754/2007 (*Tol 6429017*)].

2.2.1. Actos revisables

Los actos que pueden revisarse por este procedimiento son todos los dictados por los órganos tributarios (incluidas las resoluciones de los TEAS), pero cuando sean favorables a los interesados y no incurran en nulidad de pleno derecho, pero si en cualquier infracción del ordenamiento jurídico. Sin embargo, no toda infracción distinta a la nulidad de pleno derecho puede provocar la anulación del acto, pues el defecto de forma sólo determina la anulabilidad cuando el acto no tenga los requisitos formales imprescindibles para alcanzar su fin o produzca indefensión (artículo 48.2 de la LPACAP).

Si el vicio en que incurre el acto es nulidad (nulidad de pleno derecho o nulidad absoluta) sólo puede corregirse en vía administrativa, pasados los plazos de recurso ordinario, mediante el procedimiento especial de revisión de actos nulos de pleno derecho (artículo 217 de la LGT).

Si el acto incurre en un error de hecho, aunque es una infracción del ordenamiento jurídico, no es necesario acudir a este procedimiento de declaración de lesividad, pues el error de hecho puede corregirse más fácilmente a través del procedimiento especial de rectificación de errores (artículo 220 de la LGT).

Además, si la anulación del acto que incurre en una infracción del ordenamiento jurídico es en beneficio de los interesados es posible corregirlo a través del procedimiento de revocación (artículo 219 de la LGT) y tampoco hace falta utilizar el procedimiento de lesividad.

No puede acudirse a este procedimiento especial para las declaraciones, autoliquidaciones o comunicaciones de los obligados tributarios, ni para las actuaciones de otros particulares, pues no son actos administrativos.

Por otro lado, algunos actos tributarios pueden modificarse por la Administración tributaria, aunque sea en perjuicio del contribuyente, sin necesidad de acudir a la lesividad, de acuerdo con lo establecido en la propia LGT. Por ejemplo, una vez dictada una resolución en un procedimiento de comprobación limitada puede realizarse un posterior procedimiento de comprobación limitada o inspección que incluya el objeto previamente comprobado cuando se descubran nuevos hechos o circunstancias que resulten de actuaciones distintas de las realizadas y especificadas (artículo 140.1 de la LGT).

Finalmente, no cualquier acto que incurra en una infracción del ordenamiento jurídico es susceptible de anularse en vía contencioso-administrativa tras la declaración de lesividad. Constituye un mecanismo de salvaguardia de la justicia y la equidad, para evitar que puedan dañarse los intereses de terceros cuando la naturaleza de la infracción al ordenamiento jurídico o la intensidad del daño a los intereses públicos no justifiquen la conveniencia de sacrificar los derechos individuales que se pretende [SAN 30-06-2004 recurso 933/2001 (*Tol 488237*)].

2.2.2. Procedimiento

El procedimiento está regulado brevemente en la LGT que contempla algunos aspectos (artículo 218.2 a 4) y con más detalle en el RGRVA (artículos 7 a 9). Sin embargo, nada expresa sobre suspensión, por lo que entiendo aplicable la posibilidad de suspender de la LPACAP (artículo 108) por el órgano competente para resolver cuando la ejecución pudiera causar perjuicios de imposible o difícil reparación.

a) Iniciación

El procedimiento sólo puede iniciarse por la Administración (de oficio), en concreto por el órgano que establezca la norma de organización específica, a propuesta del órgano que dictó el acto o de cualquier otro de la misma Administración Pública, pero la iniciación será notificada al interesado.

b) Tramitación

La tramitación corresponde al órgano que establezca la norma de organización específica[175], que recibirá copia cotejada del expediente administrativo, acompañada de un informe del órgano que dictó el acto. Este órgano procede a:

---

[175] En el ámbito de la AEAT la Resolución de la Presidencia de la AEAT de 03-07-2006 atribuye a determinadas Subdirecciones. Por ejemplo, en el Departamento de Inspección, la Subdirección General de Ordenación Legal y Asistencia Jurídica.

– Solicitar cualquier otro dato o antecedente que entienda necesario.

– Dará audiencia al interesado en el plazo de 15 días (hábiles) a contar desde el siguiente a la notificación de dicha audiencia para alegar y presentar documentos y justificantes. El interesado puede presentar o no un escrito de alegaciones[176].

– Terminado el trámite de audiencia, elabora la propuesta de resolución y después solicita informe del órgano con funciones de asesoramiento jurídico. Recibido dicho informe remite copia cotejada del expediente completo al órgano competente para resolver.

c) Resolución

El órgano competente para resolver en el ámbito del Estado es el Ministro de Hacienda, pero puede delegar dicha competencia (artículo 9.2 del RGRVA).

El plazo para declarar la lesividad, como antes expuse, no puede superar los cuatro años desde que se notificó el acto administrativo, pero además iniciado el procedimiento debe resolverse en el plazo de tres meses desde la notificación de dicha iniciación al interesado. Si se supera el plazo de tres meses supone la caducidad (en sentido impropio) del procedimiento, pues el órgano correspondiente archivará, pero es posible volver a iniciar otro procedimiento, si bien en el mismo debe cumplir igualmente el plazo de tres meses de duración del procedimiento y no superar el plazo de cuatro años desde que se notificó el acto administrativo.

La resolución que declara la lesividad no puede recurrirse en vía administrativa, pero tampoco en vía judicial. Dicha resolución debe remitirse, junto con copia cotejada del expediente administrativo al órgano encargado de la representación y defensa en juicio de la Administración autora del acto para su posterior impugnación en vía contencioso-administrativa (artículo 9.1 del RGRVA), en el plazo de 2 meses a contar desde el día siguiente a la fecha de declaración de lesividad (artículo 46 de la LJCA). No se establece de forma expresa que la resolución que declara la lesividad deba notificarse al interesado, pero será emplazado (artículo 49.6 de la LJCA) en el procedimiento contencioso-administrativo posterior.

---

[176] Por ejemplo, VARIOS, *Formularios Tributarios*, ob. cit., pág. 415 [formulario V.5. (*Tol* 3968779)].

2.3. Revocación

El procedimiento especial de revocación es una de grandes novedades de la LGT de 2003 y ha sido muy estudiado desde el punto de vista teórico[177], lo que contrasta con su escasa utilización práctica, al menos en el ámbito de la AEAT.

La LGT (artículo 219.2) sólo permite la revocación mientras no haya transcurrido el plazo de prescripción (es decir, 4 años), pero también regula un plazo de duración del procedimiento (para resolver y notificar) desde que se notifique al interesado el acuerdo de iniciación (seis meses según el artículo 219.4 de la LGT).

La incorporación de esta figura despertó muchas ilusiones y también gran interés, incluso antes de la aprobación de la LGT, pues su regulación en el primer Anteproyecto de Ley y durante el trámite parlamentario dio origen a diversos comentarios. Algunos estudiosos esperaban que a través de este procedimiento la Administración tributaria pudiera anular, en beneficio de los interesados, los actos defectuosos (siempre que no fueran nulos de pleno derecho, ni incorporaran meros errores de hecho) una vez pasado el plazo de un mes del recurso ordinario. No conozco datos estadísticos proporcionados por las Administraciones tributarias sobre este procedimiento, pero no parece que su empleo sea significativo, al menos en comparación con los recursos ordinarios.

Las razones de su mínima utilización por la Administración tributaria, aunque suponga adelantar algunos aspectos de la regulación que luego comento con más detalle, han sido básicamente, en mi opinión, las siguientes:

Primera, sólo puede iniciarse por la Administración y no a solicitud del contribuyente. Es cierto que el contribuyente puede promoverlo, pero ello no equivale a una solicitud de iniciación y, por tanto, impide su impugnación en vía administrativa o judicial.

Segunda, los casos son limitados y el procedimiento es complejo y requiere la intervención de numerosos órganos, lo que garantiza el acierto de la decisión, pero dificulta que se produzca la revocación.

---

[177] Además de numerosos comentarios en obras generales o parciales sobre revisión tributaria, ha sido objeto de varias monografías dedicadas en exclusiva a la figura. Por ejemplo, GARCÍA NOVOA, C., *La Revocación en la Ley General Tributaria*, Thomson Aranzadi, Cizur Menor (Navarra), 2006; MARTÍNEZ MUÑOZ, Y., *La revocación en materia tributaria*, Iustel Publicaciones, 2006. También existen numerosos artículos en revistas especializadas.

Tercera, la Administración tributaria ha sido, en general, reacia a este procedimiento, en particular la AEAT, ni siquiera cuando ha sido instada por otros órganos administrativos (por ejemplo, el Consejo para la Defensa del Contribuyente o los TEAS[178]). Sólo ha utilizado el procedimiento en casos muy claros y en los que no existía ninguna otra posibilidad de revisión.

En resumen, la regulación ha tratado de asegurar una adecuada protección de los intereses públicos, pero ha dificultado en la práctica que esta figura pudiera constituir una alternativa a los recursos ordinarios, lo que era muy deseable para algunos estudiosos, mientras para otros era totalmente desaconsejable. El propio TS ha señalado que el procedimiento de revocación no es una vía alternativa a la de los recursos [STS 22-02-2017 recurso 554/2016 (*Tol 5978180*)]. Sin embargo, la reciente STS 09-02-2022 recurso 126/2019 (*Tol 8804274*) parece matizar esta idea, en cuanto esté ligada a una solicitud de ingresos indebidos, como expondré posteriormente.

Por tanto, recomiendo que el contribuyente u obligado que pretenda promover (pues no puede iniciar) el procedimiento especial de revocación no tenga demasiadas ilusiones sobre el éxito de su petición, pues las probabilidades de que la Administración lo inicie y declare la revocación son escasas, salvo en supuestos muy claros. De todas maneras, el contribuyente tiene poco que perder cuando intenta promover el inicio de este procedimiento, aunque como expondré la normativa sólo obliga a la Administración a acusar recibo.

2.3.1. Actos revisables

La revocación sólo abarca los actos de aplicación de los tributos e imposición de las sanciones, pero no es aplicable a las resoluciones de los TEAS, ni tampoco a los citados actos cuando se ha dictado una resolución o acuerdo de terminación por los citados TEAS (artículo 10.3

---

[178] Los TEAS en ocasiones han considerado que la petición del contribuyente (por ejemplo, un recurso que ha sido tramitado como un recurso extraordinario de revisión) podía considerarse un escrito por el que se promovía que la AEAT iniciara un procedimiento especial de revocación [TEAC 16-01-2018 RG 4213-2014 (*Tol 6494602*)], pero ello no implicaba que la AEAT necesariamente iniciara dicho procedimiento. Resulta claro que un TEA no tiene competencias para iniciar una revocación [TEAC 14-03-2007 RG 859-2006 (*Tol 1141886*)], ni puede ordenar la iniciación de un procedimiento de revocación [TEAC 08-09-2009 RG 7696-2008 (*Tol 6433846*)].

del RGRVA). Esto reduce de forma clara su ámbito de aplicación, pero mientras no exista una resolución del TEA la Administración que dictó el acto puede revocar y, además, nada parece impedir que simultáneamente se tramite la REA[179]. No puede acudirse a este procedimiento especial para las declaraciones, autoliquidaciones o comunicaciones de los obligados tributarios, ni para las actuaciones de otros particulares, pues no son actos administrativos, sin perjuicio de que tengan sus mecanismos específicos para poder corregirlos.

La revocación sólo puede hacerse en beneficio de los interesados en tres casos, siempre que no constituya dispensa o exención no permitida por las normas tributarias, ni sea contraria al principio de igualdad, al interés público o al ordenamiento jurídico (artículo 219.1 de la LGT)[180].

Por dispensa o exención se entiende una excepción o derogación singular. Así, de la norma generalmente aplicable. No puede ser contraria al principio de igualdad (por ejemplo, no puede aplicarse cuando no utiliza el mismo criterio que en otros casos idénticos o no se realiza la revocación de los destinatarios de un acto o actos idénticos), al interés público (supone un límite a la discrecionalidad del órgano) o al ordenamiento jurídico (no puede conculcar ningún principio ni norma jurídica).

Paso a comentar los tres casos previstos legalmente con más detalle:

a) *Cuando se estima que infrinjan manifiestamente la ley*

No basta que el acto infrinja la ley, sino que lo haga de forma manifiesta, es decir que se pueda percibir con claridad como nulo o contrario a la norma, de manera que la conculcación de la ley fuera originaria y no fruto de una actividad de comprobación fáctica posterior. La exigencia que la infracción sea manifiesta pretende evitar que se convierta en una segunda oportunidad impugnatoria, fuera de plazo, de los actos firmes [STS 22-02-2017 recurso 554/2016 (*Tol 5978180*)].

---

[179] Si la Administración revoca el acto, el TEA debe limitarse a archivar la REA por satisfacción extraprocesal, mientras si el TEA resuelve la REA la Administración no podría revocar. La posibilidad de simultanear fue apoyada por la propuesta número 44/1999 del Consejo para la Defensa del Contribuyente.

[180] La redacción de los límites en la LGT es idéntica (salvo sustituir "leyes" por "normas tributarias"), a la prevista para la revocación en el artículo 109.1 de la LPACAP (que mantuvo la redacción de la previa Ley 30/1992).

b) Cuando circunstancias sobrevenidas que afecten a una situación jurídica particular pongan de manifiesto la improcedencia del acto dictado

Estas circunstancias sobrevenidas serían, por ejemplo, las sanciones firmes que han quedado sin causa, resultados lesivos consecuencia de la descoordinación de órganos y las irregularidades de especial gravedad[181].

El ejemplo más claro es el acuerdo de imposición de sanción tributaria que deriva de la deuda determinada en una liquidación, cuando dicha liquidación ha sido anulada en vía administrativa o judicial y la sanción, quizás por despiste del contribuyente, no fue impugnada mediante los recursos ordinarios. El propio TS ha admitido este supuesto [STS 19-05-2011 recurso 2411/2008 (*Tol 2147505*)].

c) Cuando en la tramitación del procedimiento se haya producido indefensión a los interesados

Los trámites cuya falta produce indefensión son, por ejemplo, la falta de trámite de audiencia, pero cuando existe dicha indefensión en el procedimiento parece que también podría acudirse a solicitar la iniciación del procedimiento de nulidad de pleno derecho en base a que es un acto dictado prescindiendo total y absolutamente del procedimiento previsto en la LGT [artículo 217.1.e)]. Por ello, el contribuyente puede iniciar mediante solicitud dicho procedimiento de nulidad, siempre que se trate de un acto firme, aunque nada impide que pueda promover el inicio del procedimiento de revocación.

2.3.2. Procedimiento

El procedimiento está regulado brevemente en la LGT que contempla algunos aspectos (artículo 219.2 a 5) y con más detalle en el RGRVA (artículos 10 a 12). Sin embargo, nada expresa sobre la suspensión. Ahora bien, entiendo que en este caso no es aplicable la posibilidad de suspender de la LPACAP (artículo 108) por el órgano competente para resolver cuando la ejecución pudiera causar perjuicios de imposible o difícil reparación, pues no está prevista expresamente ni siquiera para la revocación regulada en la propia LPACAP.

---

[181] Según reflejaba la enmienda del Congreso que proponía precisamente el caso de circunstancias sobrevenidas y que finalmente fue incorporada a la regulación legal aprobada.

a) Iniciación

Como he adelantado, el procedimiento de revocación sólo puede iniciarse por la Administración (artículo 219.3 de la LGT), en concreto por el superior jerárquico del órgano que hubiera dictado el acto. El inicio debe notificarse al interesado y, además, comunicarse al órgano proponente (si lo hubo), al órgano competente para tramitar y al órgano que dictó el acto objeto del procedimiento.

Aunque existían posiciones teóricas favorables a reconocer la posibilidad de iniciar por los interesados, la LGT y el RGVA eran claros en sentido contrario. Ello ha sido expresado por la doctrina administrativa del TEAC y el propio TS lo ha confirmado según he reflejado previamente, ligado a que no es una vía alternativa a los recursos ordinarios. No obstante, antes he mencionado la reciente STS en el caso de devolución de ingresos indebidos, a la que me referiré con más detalle al exponer dicho procedimiento especial.

Sin embargo, los interesados pueden promover la iniciación[182] mediante escrito dirigido al órgano que dictó el acto, aunque en este caso la Administración sólo está obligada a acusar recibo de dicho escrito.

También el propio órgano que dictó el acto u otro órgano de la misma Administración Pública puede promover de forma motivada el inicio del procedimiento de revocación.

b) Tramitación

La competencia para tramitar el procedimiento corresponde al órgano que establezca la norma de organización específica[183], que recibirá copia cotejada del expediente administrativo y un informe del órgano que dictó el acto (en el plazo de diez días desde que el mismo reciba la comunicación de iniciación). Este órgano puede:

- Solicitar cualquier otro dato, antecedente o informe que considere necesario.

---

[182] Por ejemplo, VARIOS, *Formularios Tributarios*, ob. cit., págs. 418 a 419 [(formulario V.6. (*Tol 3968778*)].

[183] En el ámbito de la AEAT la Resolución de la Presidencia de la AEAT de 03-07-2006 atribuye a determinadas Subdirecciones. Por ejemplo, en el Departamento de Gestión Tributaria, la Subdirección General de Asistencia Jurídica y Coordinación Normativa.

– Dará audiencia a los interesados en el plazo de 15 días (hábiles), a contar desde el siguiente al de la notificación de dicha audiencia para alegar y presentar documentos y justificantes. Los interesados pueden presentar o no un escrito de alegaciones[184].

– Terminado el trámite de audiencia, solicita informe del órgano con funciones de asesoramiento jurídico. Recibido dicho informe formula la propuesta de resolución y envía al órgano competente para resolver.

c) Resolución

El órgano competente para resolver en el ámbito de competencias del Estado es el Director General competente o el Director del Departamento de la AEAT competente del que dependa el órgano que dictó el acto o, si el acto ha sido dictado por dichos Directores, su inmediato superior jerárquico.

El plazo para revocar, como antes expuse, no puede superar el plazo de prescripción de cuatro años[185], pero además iniciado el procedimiento de revocación el plazo máximo para resolver y notificar la resolución expresa es de seis meses desde la notificación del acuerdo de iniciación. Cuando el plazo es superado, el procedimiento caduca (en sentido impropio), pues, aunque no se diga expresamente, cabe entender que es posible volver a iniciar el procedimiento de revocación.

La resolución que resuelve el procedimiento de revocación pone fin a la vía administrativa (artículo 219.5 de la LGT), por lo que no puede recurrirse en reposición o mediante REA, pero sí en vía judicial mediante el RCA [STS 19-02-2014 recurso 4520/2011 (*Tol 4177166*)].

2.4. Rectificación de errores de hecho

Este procedimiento especial de la LGT (sección 4ª del capítulo II del título V y artículo 220) recibe el nombre de "*rectificación de errores*", pero puede provocar confusiones. En efecto, parece referirse a todo tipo de errores, aunque realmente sólo permite la rectificación de los "*errores ma-*

---

[184] Por ejemplo, VARIOS, *Formularios Tributarios*, ob. cit., págs. 420 a 421 [formulario V.7. (*Tol 3968777*)].
[185] Regulado en el artículo 66 de la LGT para los actos de aplicación de los tributos y en los artículos 189 y 190 de la respecto a las infracciones y sanciones. Hay que considerar también aplicables las normas sobre la interrupción de la prescripción y la extensión y efectos de la misma.

teriales, de hecho o aritméticos" (artículo 220.1 de la LGT), es decir, errores de hecho en sentido amplio que incluye los materiales y aritméticos y contrapuestos a los errores de derecho (o errores jurídicos). Por ello, creo preferible utilizar la denominación "*rectificación de errores de hecho*", ya que evita equivocaciones.

El procedimiento de rectificación de errores de hecho es muy poco estudiado desde el punto de vista teórico[186], a pesar de su abundante utilización práctica. Las Administraciones tributarias no suelen dar datos estadísticos sobre este procedimiento, pero todo parece indicar que es frecuente, al menos en comparación con otros procedimientos especiales de revisión. Esto es justo lo contrario de lo que sucede con la revocación, aunque es similar a lo que ocurre con el recurso de reposición. Es curioso que algunos procedimientos de revisión muy empleados sean poco estudiados en profundidad, mientras que los menos frecuentes reciben mayor atención. Quizás la explicación es que la regulación es breve, pero también porque plantean pocos problemas teóricos y prácticos, dando lugar a una escasa doctrina administrativa o jurisprudencia (en el caso de la rectificación de errores de hecho, versa casi exclusivamente si el error es de hecho o de derecho). Esto significa que cumplen razonablemente la función para la que están establecidos.

El escaso análisis por los estudiosos del procedimiento de rectificación de errores de hecho provoca que sea poco conocido que la LGT modificó la regulación anterior, lo que está ligado a que en el recurso extraordinario de revisión tributario (artículo 244.1 de la LGT) desaparece como circunstancia el "*manifiesto error de hecho que derive de los documentos incorporados al expediente*" previsto en la regulación anterior. En el procedimiento de rectificación de errores actual pueden corregirse aquellos errores de hecho que resulten de los propios documentos incorporados al expediente, que es el supuesto antes regulado como circunstancia del recurso extraordinario de revisión y pueden rectificarse tanto la cuantía del acto o resolución, como cualquier otro elemento de los mismos. Sin embargo, como expondré, no puede anularse o revocarse el acto o resolución.

La LGT (artículo 220.1) sólo permite la rectificación de errores de hecho mientras no haya transcurrido el plazo de prescripción (es decir, 4 años), pero también regula un plazo de duración del procedimiento (para resolver y notificar) desde que el interesado presenta su solicitud o se notifica al in

---

[186] No conozco ninguna monografía dedicada únicamente a este procedimiento, aunque es analizado en numerosos comentarios dentro de obras generales o parciales sobre revisión tributaria.

teresado el acuerdo de iniciación por la Administración (seis meses según el artículo 220.2 de la LGT).

2.4.1. Actos revisables

Los actos que pueden revisarse por este procedimiento son todos los dictados por los órganos tributarios (incluidas las resoluciones de los TEAS[187]), con la única limitación de que no haya transcurrido el plazo de prescripción y que se trate de un error de hecho (es decir, que no sea de derecho). No puede acudirse a este procedimiento especial para las declaraciones, autoliquidaciones o comunicaciones de los obligados tributarios, ni para las actuaciones de otros particulares, pues no son actos administrativos, que deberán rectificarse conforme a lo señalado por su normativa específica.

Por tanto, es indiferente que el acto sea firme o no, que exista o no una resolución económico-administrativa[188] o que la rectificación sea favorable o no para el interesado. También da igual quien ha causado el error cometido. Esto provoca que pueda simultanearse la rectificación de errores con otros procedimientos de revisión, pero en un epígrafe anterior de este capítulo he comentado que, si se ha interpuesto un recurso de reposición basado precisamente en que se ha cometido un error de hecho, probablemente la solicitud de rectificación del error de hecho a través del procedimiento especial resulta innecesaria. Sin embargo, no puede utilizarse cuando exista una sentencia judicial firme.

El procedimiento especial desde el punto de vista práctico es especialmente relevante cuando ha transcurrido el plazo de un mes del recurso ordinario. Ahora bien, los contribuyentes, en defensa de sus intereses, tienen la tendencia considerar que todo error del acto es un error de hecho. Sin embargo, advierto que jurídicamente esto sólo sucede cuando efectivamente sea dicho tipo de error. Por ello, es frecuente que la Administración rechace rectificar el acto porque no es un error de hecho, sino de derecho. Contra el acuerdo o resolución que deniega la rectificación, el contribuyente puede presentar los recursos ordinarios (recurso de reposición o REA) en el plazo de un mes desde la notificación.

---

[187] El artículo 229.1.f) y 2.c) de la LGT refleja de forma expresa la posibilidad de que, respectivamente, el TEAC y los TEARLS, rectifiquen los errores en que incurran sus resoluciones, remitiendo al artículo 220 de la LGT.

[188] Al menos que con la rectificación lo que se haga es alterar lo decidido en la resolución del TEA, en cuyo caso debería solicitarse la rectificación de errores de hecho de la propia resolución del TEA.

2.4.2. Error de hecho

El punto esencial de este procedimiento especial de revisión es precisamente qué es error de hecho, pero ello ha sido aclarado desde hace tiempo por la jurisprudencia del TS, con la regulación anterior, que el propio TS entiende aplicable a la regulación actual de la LGT.

El error de hecho es el "*error en los elementos de hecho*", habiéndose ampliado desde el mero error aritmético, numérico o accidental, a todos los que se manifiesten con independencia de cualquier interpretación o criterio humanos e, incluso, a ciertos errores de procedimiento o más modernamente a determinados errores informáticos [STS 30-04-1992 recurso 2208/1989 (*Tol 1682400*)].

La caracterización del error de hecho por el TS se encuentra en múltiples sentencias. Paso a transcribir la STS de 30-01-2012 recurso 2374/2008 (*Tol 2438605*), que aplica expresamente a la regulación actual de la LGT (artículo 220) y empieza destacando qué es el error de hecho:

> *"Hemos de comenzar recordando la conocida doctrina de esta Sala sobre la rectificación de errores materiales, aritméticos o de hecho mediante un procedimiento de revisión de oficio. Dicho error se caracteriza por ser ostensible, manifiesto, indiscutible y evidente por sí mismo, sin necesidad de mayores razonamientos, y por exteriorizarse prima facie por su sola contemplación, por lo que su corrección por ese cauce requiere que concurran, en esencia, las siguientes circunstancias: (a) que se trate de simples equivocaciones elementales de nombres, fechas, operaciones aritméticas o transcripciones de documentos; (b) que el error se aprecie teniendo en cuenta exclusivamente los datos del expediente administrativo en el que se advierte; (c) que el error sea patente y claro, sin necesidad de acudir a interpretaciones de las normas jurídicas aplicables; (d) que mediante su corrección no se proceda de oficio a la revisión de actos administrativos firmes y consentidos; (e) que no se produzca una alteración fundamental en el sentido del acto (pues no existe error material cuando su apreciación implique un juicio valorativo o exija una operación de calificación jurídica); (f) que no padezca la subsistencia del acto administrativo, es decir, que no genere la anulación o la revocación del mismo, en cuanto creador de derechos subjetivos, produciéndose uno nuevo sobre bases diferentes y sin las debidas garantías para el afectado, pues el acto administrativo rectificador ha de mostrar idéntico contenido dispositivo, sustantivo y resolutorio que el acto rectificado, sin que pueda la Administración, so pretexto de su potestad rectificatoria de oficio, encubrir una auténtica revisión; y (g) que se aplique con un hondo criterio restrictivo [véanse las sentencias de 5 de febrero de 2009 (casación 3454/05, FJ 4°), 16 de febrero de 2009 (casación 6092/05, FJ 5°) y 18 de marzo de 2009 (casación 5666/06, FJ 5°)]".*

Esta misma STS expresa que, si bien la supresión del error de hecho entre las circunstancias del recurso extraordinario de revisión de la LGT, podía hacer pensar que la regulación de la LGT habilita para algo distinto a la figura equivalente de la Ley 30/1992 (la STS es previa a la aprobación de la LPACAP que mantiene idéntica redacción), mediante el procedimiento especial de rectificación de error de hecho no es posible atacar la subsistencia del acto administrativo, es decir, no es posible anular el acto. Esto cierra la posibilidad de anular el acto cuando exista un error en los elementos de hecho, a pesar de la modificación legal. Es cierto que la LGT no lo dice expresamente, como señala el TS en su argumentación, pero parece que se pretendía ampliar el alcance del error de hecho. En todo caso, el TS ha zanjado las dudas existentes[189].

Por otro lado, en la práctica, cuando el error de hecho es puramente tipográfico (por ejemplo, si en una liquidación que realiza la AEAT por el IRPF mi segundo apellido pone "Toledo" en vez del correcto "Toledano") no es habitual la solicitud por el interesado o la rectificación por el órgano administrativo, dado que el acto, a pesar del error, no genera dudas. Lo mismo cuando la trascendencia práctica es escasa (por ejemplo, confusión en el número de referencia de la liquidación o en la cuantía de la misma) porque el contenido del acto es claro. Sin embargo, en ocasiones el contribuyente solicita la rectificación (por ejemplo, una resolución de un TEA que estima y ordena devolver y dice que la liquidación de la AEAT fue 123.482 euros, en vez de la correcta de 132.482 euros) porque quiere estar seguro de las consecuencias.

Por ello, aunque cualquier error, aunque sea mínimo, se puede rectificar, recomiendo sólo hacerlo en los que tengan trascendencia jurídica o económica (por ejemplo, el acto de liquidación suma las cuantías de 125.000 euros del ejercicio 2015 y 35.000 euros del ejercicio 2016 y el resultado pone un total de 170.000 euros en vez de la correcta de 160.000 euros).

La jurisprudencia y doctrina administrativa han aclarado diversos casos en que existe o no error de hecho, de forma casuística, en algunos casos antes de la nueva LGT y otros posteriormente, pero se entienden aplicables actualmente, en cuanto el TS mantiene la caracterización del error de hecho en ambas normativas.

Por ejemplo, sería error de hecho la determinación de una cuota de IRPF a ingresar como resultado de la diferencia entre dos cuotas que eran negativas [TEAC 29-01-1999 RG 6045-1998 (*Tol 213819*)] o la consideración como firme de una sentencia en un caso concreto porque está basado en el dato fáctico incorrecto de la firmeza de dicha sentencia, pues era susceptible

---

[189]   Me remito a lo que expuse en RUIZ TOLEDANO, J. I., ob. cit. (*El nuevo…*), págs. 237 y 238.

de recurso, como resulta de los documentos incorporados al expediente, porque en la propia sentencia que obra en el mismo, aportada por el reclamante, consta que es susceptible de recurso [TEAC 23-10-2014 3286-2011-52 (*Tol 4606675*)].

Por el contrario, no existiría error de hecho, sino de derecho, en su caso, en la determinación de los días inicial y final de cómputo de intereses de demora [TEAC 22-11-2007 RG 934-2006 (*Tol 8871466*)], en la falta de consignación en un acuerdo de liquidación de intereses de demora, como consecuencia de la suspensión de la ejecución de una deuda tributaria, de los porcentajes correspondientes al interés legal vigente durante el periodo de devengo, en lugar de los correspondientes al interés legal incrementado, cuando en dicho acuerdo no se especificaba expresamente cuál de los dos resultaba aplicable [TEAC 20-02-2013 RG 1213-2010 (*Tol 6428184*)] o cuando se practican liquidaciones anuales en vez de las correctas trimestrales [TEAC 22-09-2015 RG 6857-2013 (*Tol 5509666*)].

2.4.3. Procedimiento

El procedimiento está regulado brevemente en la LGT (artículo 220.2 y 3) y en el RGRVA (artículo 13). A diferencia de otros procedimientos especiales, que no dicen nada sobre la suspensión, puede suspenderse sin aportar garantía cuando se aprecie que se ha podido cometer el error de hecho (artículo 13.3 del RGRVA).

a) Iniciación

La iniciación puede realizarse mediante solicitud del contribuyente[190] o por iniciativa del propio órgano que hubiera dictado el acto o la resolución.

b) Tramitación

La tramitación, por tratarse de un error de hecho, es mínima y sólo está regulada expresamente la notificación de la propuesta de resolución al interesado para que en el plazo de 15 días (hábiles) contados a partir del día

---

[190]   Por ejemplo, VARIOS, *Formularios Tributarios*, ob. cit., págs. 423 a 424 [formulario V.8. (*Tol 3968776*)].

siguiente al de la notificación pueda presentar alegaciones. El interesado puede presentar o no un escrito de alegaciones[191].

Sin embargo, esta regla tiene dos excepciones:

- Cuando la rectificación es iniciada por el órgano que dictó el acto o resolución no es necesario notificar la propuesta para que pueda realizar alegaciones cuando la rectificación beneficie al interesado, pues puede notificar directamente la resolución del procedimiento.

- Cuando la rectificación es iniciada a solicitud del interesado, no es necesario notificar la propuesta para que pueda realizar alegaciones cuando no figuren en el procedimiento ni sean tenidos en cuenta otros hechos, alegaciones o pruebas que los presentado por el interesado la Administración, pues también puede resolver directamente.

c) Resolución

El acuerdo o resolución de rectificación de errores de hecho corregirá el error en la cuantía o en cualquier otro elemento del acto o resolución que se rectifica.

El plazo para rectificar, como antes expuse, no puede superar el plazo de prescripción de cuatro años[192], pero además iniciado el procedimiento de rectificación existe un plazo máximo (para resolver y notificar) desde que el interesado presenta su solicitud o se notifica al interesado el acuerdo de iniciación por la Administración (seis meses según el artículo 220.2 de la LGT). Si se supera este plazo para resolver y notificar se entiende desestimada por silencio si fue iniciado a solicitud del interesado o se produce la caducidad (en sentido impropio) si fue iniciado por el órgano administrativo, pero puede iniciarse otro nuevo procedimiento con posterioridad, siempre dentro del plazo de prescripción.

Los acuerdos o resoluciones dictados en el procedimiento de rectificación de errores de hecho son susceptibles de recurso de reposición y de REA (artículo 220.3 de la LGT).

---

[191] Por ejemplo, VARIOS, *Formularios Tributarios*, ob. cit., págs. 425 a 426 [formulario V.9. (*Tol 3968775*)].

[192] Como no está regulado un plazo específico de prescripción para la rectificación de errores, hay que entender que remite al artículo 66 de la LGT para los actos de aplicación de los tributos y a los artículos 189 y 190 de la respecto a las infracciones y sanciones. También hay que considerar aplicables las normas sobre la interrupción de la prescripción y la extensión y efectos de la misma.

2.5. Devolución de ingresos indebidos

El procedimiento especial para la devolución de ingresos indebidos (artículo 221 de la LGT) puede provocar confusión en el contribuyente, pues realmente no parece revisar actos tributarios, como ocurre con los demás procedimientos especiales de revisión regulados en la LGT. Además, es el único procedimiento especial que no tiene equivalente en la LPACAP, sino que es una especialidad tributaria para reconocer que determinados ingresos realizados en el Tesoro Público son indebidos y obtener la devolución correspondiente, con intereses de demora desde la fecha en que se realizó el ingreso indebido (artículo 32.2 de la LGT). Por otro lado, el propio concepto de ingresos indebidos no resulta fácil de entender, porque realmente hay varios conceptos, básicamente uno más amplio y otro más estricto y este último es el que puede reconocerse y devolverse a través del procedimiento especial.

Los ingresos indebidos y el procedimiento especial de la LGT para su devolución son poco estudiados desde el punto de vista teórico[193], aunque tengan una importancia evidente desde el punto de vista práctico.

La devolución de ingresos indebidos puede realizarse mientras no haya transcurrido el plazo de prescripción, que está previsto específicamente en la LGT, distinguiendo el derecho a solicitar [artículo 66.c)] y el derecho a obtener [artículo 66.d)], con normas específicas de cómputo y de interrupción.

La correcta comprensión de este procedimiento especial requiere una breve explicación sobre qué son los ingresos indebidos en general, como paso previo a comentar los ingresos indebidos por errores de pago o recaudatorios y, finalmente, el procedimiento especial. Sin embargo, comienzo advirtiendo que no voy a exponer con detalle todos los supuestos, sino sólo los casos de ingresos indebidos por errores de pago o recaudatorios (artículo 221.1 de la LGT) y únicamente el procedimiento especial correspondiente a los mismos. Los diversos procedimientos para reconocer ingresos indebidos, según los casos, exceden de lo que constituye el procedimiento especial de revisión que examino en este capítulo.

---

[193] Una de las escasas monografías dedicada a los ingresos indebidos es la realizada por QUINTANA FERRER, E., *Devolución de ingresos indebidos y Ley General Tributaria*, Lex Nova, Valladolid, 1ª Edición abril 2004. Sin embargo, los ingresos indebidos y el procedimiento especial del artículo 221 de la LGT son analizados en numerosos comentarios dentro de obras generales o parciales sobre revisión tributaria.

2.5.1. Los ingresos indebidos en general o sentido amplio

De forma sencilla, son los que de forma indebida (es decir, no debida, ya que no eran obligatorios) ha sido realizados en el Tesoro Público para cumplir las obligaciones tributarias o pagar las sanciones tributarias correspondientes a un obligado (artículo 32 de la LGT). Son ingresos tributarios en que no existe fundamento legal para que el Tesoro Público los perciba y, por ello, el obligado a través de diversos procedimientos puede conseguir que sean reconocidos como indebidos, como paso previo a su devolución.

No son ingresos indebidos los que derivan de la normativa del tributo (artículo 31 de la LGT), en que puede haber una cantidad a devolver, pero no porque las pagadas previamente fueran indebidas, sino porque finalmente todo o parte debe ser devuelto como consecuencia de la repetida normativa. Por ejemplo, es lo que ocurre con las retenciones del IRPF que realiza e ingresa en el Tesoro el empresario a cuenta de su trabajador al pagarle el sueldo, aunque salga un resultado a devolver en la autoliquidación realizada por el contribuyente. Lo mismo con los pagos fraccionados que en el IRPF ingresa en el Tesoro un contribuyente que realiza una actividad económica a cuenta de su posterior autoliquidación, aunque también salga un resultado a devolver. La devolución no proviene de ingresos indebidos, sino de ingresos que, en su momento fueron debidos, pero que han resultado improcedentes como consecuencia del cálculo de la autoliquidación. Dicho de otra forma, el ingreso correspondía a lo exigido por la normativa (era debido), aunque finalmente no proceda, porque se ha calculado exactamente lo que corresponde por el tributo concreto.

Teniendo en cuenta este concepto de ingresos indebidos (en sentido amplio), puede haber varios supuestos diferentes que permiten su reconocimiento (artículo 15 del RGRVA[194]):

1º Ingresos indebidos en casos de errores de pago (artículo 221.1 de la LGT), es decir, duplicidad de pago, cantidad pagada superior a la resultante del acto o de la autoliquidación o ingreso transcurridos los plazos de prescripción u otros establecidos en la normativa tributaria.

---

[194] El artículo 15.1.f) del RGRVA se refiere, además, a otros procedimientos establecidos en la normativa tributaria (por ejemplo, los ingresos indebidos derivados de una deuda aduanera se rigen por los Reglamentos comunitarios, de forma que el RGRVA sólo tiene aplicación supletoria) y el artículo 15.2 del RGRVA para la devolución de ingresos indebidos producidos mediante efectos timbrados exige que esté regulado en Orden Ministerial.

Es aplicable el procedimiento especial, que se desarrolla reglamentariamente (artículos 17 a 19 del RGRVA).

2° Ingresos indebidos cuando el acto el acto de aplicación de tributos o imposición de sanciones que provocó el ingreso indebido es firme. Es necesario previamente acudir a mecanismos especiales o extraordinarios (artículo 221.3 de la LGT). En concreto, los procedimientos especiales de revisión de actos nulos de pleno derecho, revocación, rectificación de errores o el recurso extraordinario de revisión.

3° Ingresos indebidos cuando el acto que provocó el ingreso indebido no es firme. En este supuesto, el contribuyente que considera que existen ingresos indebidos, puede interponer el recurso ordinario en el plazo de un mes a partir del día siguiente al de la notificación, precisamente argumentando que son indebidos y, en su caso, los posteriores recursos en vía administrativa y judicial. De esta forma, se reconocerá que son indebidos, pero no por el procedimiento especial, sino por la propia Administración (tras el recurso de reposición), por un TEA (tras la REA) o por un Tribunal Contencioso-Administrativo (tras el RCA contra la resolución del TEA que confirme el acto) cuando adquiera firmeza la resolución o sentencia que reconozca el ingreso indebido.

4° Ingresos indebidos reconocidos en un procedimiento de aplicación de los tributos. En este caso, el propio acto dictado reconoce que los ingresos son indebidos.

5° Los ingresos indebidos consecuencia de un error en la autoliquidación del contribuyente u obligado u otros obligados. En este supuesto debe previamente solicitarse la rectificación de la autoliquidación (artículo 221.4 de la LGT), a través del procedimiento correspondiente (artículo 120.3 de la LGT).

Conseguido el reconocimiento, queda ejecutar la devolución del ingreso indebido (artículos 221.2 de la LGT y 20 del RGRVA).

En definitiva, los ingresos indebidos pueden entenderse en un sentido amplio (artículo 32 de la LGT) de modo que el reconocimiento de que son indebidos debe realizarse a través de diversos procedimientos, pero también hay un sentido estricto (artículo 221.1 de la LGT), que son los casos de errores de pago citados y el reconocimiento debe realizarse a través del procedimiento especial.

A veces no es claro cuando se trata de devolución de ingresos indebidos o devolución derivada de la mecánica de los impuestos o cuando corresponde la imputación temporal del ingreso indebido:

– En un caso de devolución de ingresos indebidos consecuencia de una sentencia del TJUE en la que se declara contrario al derecho europeo el IVMDH, las cantidades abonadas en concepto de IVMDH son exigibles desde el momento en el que se reconoce el derecho a su devolución como consecuencia de la inaplicación de la norma y, por tanto, ese es el momento al que corresponde su imputación temporal y no al momento en que las mismas fueron exigibles, como sucede en el caso de tributos declarados inconstitucionales [TEAC 20-12-2021 RG 1768-2019 (*Tol 8882276*)].

– En la ejecución de un acuerdo consecuencia de un procedimiento amistoso en que resulta una liquidación con resultado a devolver (siendo aplicable la Ley 4/2008) habrá que distinguir si se corresponde con devolución derivada de la mecánica del impuesto (pagos fraccionados y retenciones) o con devolución de ingresos indebidos (cuota diferencial ingresada) y, en el primer caso, el plazo de 6 meses para el cómputo de intereses de computa desde que la Administración tributaria tiene conocimiento de los términos en que finalmente ha adquirido firmeza el acuerdo amistoso [TEAC 20-12-2021 RG 1833-2020 (*Tol 8882275*)].

Por otro lado, el TS últimamente parece utilizar un concepto amplio de ingresos indebidos, que liga en ocasiones a otros procedimientos de aplicación de los tributos (como el de rectificación de autoliquidación) u otros procedimientos especiales (como el de revocación).

Así, el contribuyente puede solicitar por segunda vez la rectificación de la autoliquidación y la devolución de ingresos indebidos derivados en tanto no se consume el plazo de prescripción del artículo 66.c) de la LGT. Una segunda solicitud es diferente a la primera cuando incorpora argumentos, datos o circunstancias sobrevenidas, relevantes para la devolución instada, como es el dictado de varias sentencias que consideraban a efectos del IIVTNU que la transmisión de un inmueble se lleve a cabo por un precio menor al de adquisición comporta una pérdida o minusvalía insusceptible de ser gravada y, además, se había dictado anteriormente un auto de un Juzgado que elevó al TC una cuestión de inconstitucionalidad en relación con las normas reguladoras del IIVTNU en Guipúzcoa que determinó de forma directa, la invalidación de las normas cuestionadas por parte del TC, como también ocurrió con otras normas forales y de la LRHL sobre el mismo impuesto [STS 04-02-2021 rec. 3816/2019 (*Tol 8324047*)].

Sin embargo, el TEAC considera que es un caso distinto cuando la primera solicitud da lugar a una comprobación limitada que es firme. Así, en el supuesto de que una primera solicitud de devolución, presentada con la autoliquidación a través del Modelo 210, sea objeto de un procedimiento de comprobación limitada que finaliza con un acto administrativo, ya firme, que contiene una liquidación diferente a la formulada por el contribuyente y que deviene firme, no procede admitir la presentación de una segunda solicitud de devolución de las mismas retenciones aunque se basen en argumentos nuevos. Lo contrario supondría anular una liquidación firme sin pasar por las vías procedimentales excepcionales que condicionan esa posibilidad [TEAC 20-12-2021 RG 5462-2017 (*Tol 8882277*)].

Más recientemente, la STS 09-02-2022 recurso 126/2019 (*Tol 8804274*) parece abrir, al menos en determinados casos, la posibilidad de que solicitando una devolución de ingresos indebidos la Administración deba iniciar el procedimiento de revocación. La STS trata del acuerdo de un Ayuntamiento que inadmite a trámite la solicitud de revocación y de devolución de ingresos indebidos correspondientes a liquidaciones del IIVTNU[195]. Recomiendo leer con detalle la argumentación del TSel TS, pero destaco que respondiendo a la primera cuestión planteada en el recurso de casación:

> "9. El art. 221.3 de la LGT como especialidad, actos firmes, dentro del procedimiento de devolución regulado en el art. 221. La infracción manifiesta de la Ley. Cuando estamos en la órbita del art. 221.3 de la LGT, el inicio de la tramitación de la revocación es un deber impuesto legalmente.
> Solicitada por el administrado la devolución de ingresos indebidos, siendo el acto de aplicación de los tributos del que deriva el ingreso firme, promovido por el interesado su revocación, la Administración tiene la obligación de resolver y el interesado, de serle la resolución desfavorable, el derecho a impugnar la misma por los cauces dispuestos legalmente, poseyendo acción al efecto".

Luego, la misma STS, respondiendo a la primera cuestión planteada en el recurso de casación expresa literalmente:

> "Dicho lo anterior, y dado que no estamos en la órbita directa del art. 219 de la LGT, sino en el procedimiento de devolución de ingresos indebidos y en el supuesto contemplado en el art. 221.3 ha de convenirse que el interesado posee acción para solicitar el inicio del procedimiento, sin que pueda escudarse la Administración para no iniciar y resolver sobre la revocación del acto firme el corresponderle la competencia exclusiva para iniciar de oficio el procedimiento de revocación; la resolución expresa o por silencio derivada de la solicitud cursada por el interesado en aplicación del art. 221.3, conforme a los principios de plenitud jurisdicción y tutela judicial efectiva, es susceptible de impugnación y de

---

[195] Este tributo ha sido objeto de diversas SSTC que declaran la inconstitucionalidad, como expongo con más detalle en el capítulo sexto de esta obra al tratar de los recursos judiciales.

poseer el órgano judicial los datos necesarios, tiene potestad para pronunciarse sobre el fondo, sin necesidad de ordenar la retroacción del procedimiento de revocación".

Esta última STS me llama mucho la atención, pero creo que esta obra no es lugar para criticarla o alabarla. Si no la entiendo mal, cuando un contribuyente solicite el inicio de un procedimiento de revocación la Administración no está obligada a iniciarlo. Sin embargo, si dicho contribuyente inicia un procedimiento de devolución de ingresos indebidos (por ejemplo, del IIVTNU porque el TC ha declarado inconstitucional algunos aspectos) pidiendo la revocación, la Administración sí debe proceder, como consecuencia del inicio del procedimiento de devolución de ingresos indebidos, a iniciar y resolver la revocación.

Posteriormente, la STS 04-03-2022 recurso 7059/2019 (*Tol 8874354*), referida a una petición de devolución de ingresos indebidos por el Impuesto sobre Construcciones, Instalaciones y Obras a un Ayuntamiento, señala que el Juzgado y la Sala actuaron con corrección al resolver sobre la revocación planteada, pues contaban con todos los elementos para pronunciarse sobre tal cuestión, sin necesidad de devolver las actuaciones a la Administración tributaria, resultando innecesario el inicio de un procedimiento de revocación cuando la circunstancia sobrevenida consistía en la nulidad judicial de la Orden que había constituido el fundamento de la liquidación. Tal nulidad, posterior y sobrevenida, resulta un motivo adecuado para acceder a la revocación de la liquidación firme.

2.5.2. Los ingresos indebidos por errores de pago o en sentido estricto

Los ingresos indebidos en sentido escrito son exclusivamente los casos de errores de pago o recaudatorios (artículo 221.1 de la LGT). En estos casos, no hay error en la liquidación o autoliquidación, sino en el pago y, en general, son supuestos claros. Son los siguientes:

– Cuando se haya producido una duplicidad en el pago de deudas tributarias o sanciones. Por ejemplo, el obligado ordena a la entidad bancaria que ingrese una liquidación de 1.000 euros y, por error, se realizan dos ingresos de 1.000 euros en el Tesoro. Uno de ellos es claramente indebido.

– Cuando la cantidad pagada haya sido superior al importe a ingresar resultante de un acto administrativo o de una autoliquidación. Por ejemplo, el mismo obligado ordena a la entidad bancaria que ingrese la liquidación de 1.000 euros y, por error, se realizan un ingreso de

10.000 euros en el Tesoro. El exceso (10.000 - 1.000 euros = 9.000 euros) es indebido.

- Cuando se hayan ingresado cantidades correspondientes a deudas o sanciones tributarias después de haber transcurrido los plazos de prescripción. En el ámbito tributario la prescripción es aplicable de oficio (artículo 69.2 de la LGT), de manera que, realizado un ingreso de una deuda y sanción prescrita, la Administración debe proceder a reconocer el ingreso indebido y proceder a su devolución.

- Cuando así lo establezca la normativa tributaria.

2.5.3. Procedimiento

El procedimiento está regulado con detalle en el RGRVA (artículos 17 a 19)[196]. Como son supuestos en que se ha producido un ingreso indebido por error en el pago no está regulada de forma expresa la suspensión de la ejecución, quizás porque no hay propiamente acto.

a) Iniciación

La iniciación puede realizarse mediante solicitud del interesado[197] o por iniciativa del propio órgano que hubiera dictado el acto o la resolución.

En el caso de solicitud del interesado estará dirigida al órgano competente para resolver que contendrá las menciones generales de las solicitudes de revisión (artículo 2 del RGRVA) y además (artículo 17.2 RGRVA):

- La justificación del ingreso indebido, adjuntando los documentos que acrediten el derecho a la devolución y todos los elementos de prueba oportunos. Los justificantes podrán sustituirse por la mención exacta de los datos identificativos del ingreso realizado, entre ellos, la fecha, lugar de ingreso e importe.

- Declaración expresa del medio elegido para la devolución.

---

[196] El RGRVA regula una serie de disposiciones generales (artículo 14 sobre legitimados para iniciar el procedimiento de devolución y beneficiarios del derecho a la devolución, artículo 15 referido a supuestos de devolución y artículo 16 respecto al contenido del derecho a la devolución de ingresos indebidos) y la ejecución de la devolución de ingresos indebidos (artículo 20), pero están referidos, en general, a los ingresos indebidos, más que al procedimiento especial de devolución en los casos del artículo 221.1 de la LGT.

[197] Por ejemplo, VARIOS, *Formularios Tributarios*, ob. cit., págs. 429 a 431 [formulario V.10. (*Tol 3968774*)].

– En su caso, solicitud de compensación en los términos previstos en el RGR.

Cuando se inicia por el órgano administrativo competente, notificará al interesado el acuerdo de iniciación y la propuesta de resolución, cuando tenga todos los datos suficientes.

b) Tramitación

El órgano competente comprobará las circunstancias que, en su caso, determinen el derecho a la devolución, la realidad del ingreso y su no devolución posterior, así como la titularidad del derecho y la cuantía de la devolución y puede solicitar los informes que considere necesarios.

La propuesta de resolución debe notificarse al obligado para que un plazo de 10 días (hábiles) a contar desde el siguiente a la notificación presente las alegaciones y los documentos y justificantes que estime necesarios. No es necesario este trámite cuando el órgano competente para la tramitación sólo tenga en cuenta los hechos y alegaciones realizados por el obligado tributario o la cuantía es la misma que la solicitada por el mismo, excluidos los intereses de demora. El interesado puede presentar o no alegaciones[198].

Finalizada la tramitación, el órgano competente para la tramitación enviará la propuesta de resolución al órgano competente para resolver.

c) Resolución

El órgano competente para resolver, que en el ámbito de competencias del Estado es el órgano de recaudación determinado en la norma de organización, sólo puede reconocer que los ingresos son indebidos, como antes expuse, cuando no haya trascurrido el plazo de prescripción de cuatro años del derecho a solicitar la devolución de ingresos indebidos de la LGT [artículo 66.d)], pero además iniciado el procedimiento existe un plazo máximo (para resolver y notificar) desde que el interesado presenta su solicitud o se notifica al interesado el acuerdo de iniciación por la Administración (seis meses). Si se supera este plazo para resolver y notificar se entiende desestimada por silencio si fue iniciado a solicitud del interesado o se produce la caducidad (en sentido impropio) si fue iniciado por el órgano adminis-

---

[198] Por ejemplo, VARIOS, *Formularios Tributarios*, ob. cit., págs. 432 a 433 [formulario V.11. (*Tol 3968773*)].

trativo, pero puede iniciarse otro nuevo procedimiento con posterioridad, siempre dentro del plazo de prescripción.

Los acuerdos o resoluciones dictados en el procedimiento especial de devolución de ingresos indebidos son susceptibles de recurso de reposición y de REA (artículo 221.6 de la LGT).

3. RECURSO EXTRAORDINARIO DE REVISIÓN TRIBUTARIO

El recurso extraordinario de revisión tributario que resuelve el TEAC (artículo 244 de la LGT) es otro mecanismo que permite revisar actos tributarios. Los aspectos más destacados, en mi opinión, son los siguientes:

1º Sólo puede interponerse contra actos firmes cuando concurran determinados casos o circunstancias (artículo 244.1 de la LGT)[199].

2º El plazo de interposición es de tres meses (artículo 244.5 de la LGT).

3º La competencia para resolver es siempre del TEAC (artículo 244.4 de la LGT).

4º No suspende la ejecución del acto recurrido (artículo 233.14 de la LGT).

5º En lo no regulado expresamente, resulta aplicable lo dispuesto para las REAS en única o primera instancia (artículo 62 del RGRVA).

La Administración tributaria no proporciona datos estadísticos sobre este recurso[200], pero su número es reducido en comparación con los recursos de reposición o las REAS. Esto es totalmente lógico, pues no tendría sentido que un recurso extraordinario fuera tan utilizado como los recursos ordinarios.

Por otro lado, desde el punto de vista teórico recibe muy escasa atención[201], lo que quizás influye en que los contribuyentes y sus asesores pue-

---

[199]   Por eso es "extraordinario", a diferencia de los recursos ordinarios, que pueden interponerse contra cualquier acto (no sólo los firmes) y por cualquier motivo (no solo en casos o circunstancias tasados).

[200]   En el momento de escribir estas líneas (durante el mes de abril de 2022) la última Memoria de los TEAS publicada en Internet corresponde al año 2020 y sólo refleja dentro del TEAC las entradas y resoluciones totales, sin distinguir el tipo de recurso.

[201]   No conozco ninguna monografía referida en exclusiva y los artículos en revistas especializadas son muy escasos. Me remito al que dediqué a este recurso: RUIZ TOLEDANO, J. I. "El recurso extraordinario de revisión ante el Tribunal Económico-Admi-

dan en ocasiones cometer errores, muchos de ellos relacionados con la existencia de un recurso con la misma denominación en el ámbito administrativo en general (artículos 125 y 126 de la LPACAP), pero que tiene algunas diferencias. Por ejemplo, el recurso de la LGT:

1° No puede interponerse en base a que al dictar el acto se hubiera incurrido en error de hecho que resulte de los propios documentos incorporados al expediente, como ocurre con el recurso de la LPACAP. Sin embargo, no tiene trascendencia práctica porque el contribuyente puede acudir al procedimiento especial de rectificación de errores de hecho del artículo 220 de la LGT.

2° No está prevista la solicitud de dictamen del Consejo de Estado o, en su caso, del órgano consultivo de la Comunidad Autónoma.

3° No resuelve el órgano que dictó el acto, como en la LPACAP. La importancia práctica es que el contribuyente que no tiene en cuenta que va a resolver el TEAC a veces considera evidentes algunos aspectos que conoce dicho contribuyente y el órgano que dictó el acto, pero quizás no el TEAC, que es un órgano ajeno al procedimiento que termina con el acto recurrido.

4° No es posible la suspensión de la ejecución del acto recurrido, a diferencia de la LPACAP (artículo 117).

3.1. Actos recurribles

Los actos recurribles son únicamente los actos firmes de la Administración tributaria, incluyendo las resoluciones firmes de los TEAS y también de algunos procedimientos especiales de revisión, como la rectificación de errores de hecho y la devolución de ingresos indebidos. Sin embargo, no puede acudirse a este recurso en la revisión de actos nulos de pleno derecho, declaración de lesividad o de revocación, pues sólo puede acudirse a la vía contencioso-administrativa.

Los actos firmes son los que no han sido impugnados en plazo o, habiendo sido impugnados, existe una resolución firme en vía administrativa o una sentencia judicial firme.

---

nistrativo Central (TEAC)", Revista Técnica Tributaria 123 (octubre-diciembre 2018), págs. 31 a 54. Sin embargo, hay comentarios dentro de numerosas obras dedicadas a la revisión tributaria en general o a la vía económico-administrativa.

Por ejemplo, la liquidación del IRPF de 1.000 euros por el ejercicio 2016, que no ha sido impugnada en el plazo de un mes desde la notificación mediante un recurso de reposición o REA.

Otro ejemplo sería si contra la citada liquidación el contribuyente interpuso REA, que fue desestimada por resolución del TEA, pero dicha resolución no fue impugnada. En este caso, tanto la liquidación, como la resolución económico-administrativa que la confirma, son firmes al no haber interpuesto RCA.

En consecuencia, no puede interponerse un recurso extraordinario de revisión ante el TEAC si está pendiente un recurso RCA, porque el acto administrativo no es firme, que es lo que exige la LGT [TEAC 02-02-2017 RG 1799-2016 (*Tol 5954233*)][202], a diferencia de la LPACAP (artículo 125.1) que se refiere a los actos firmes "*en vía administrativa*".

Como no son actos dictados por órganos tributarios, no pueden impugnarse mediante un recurso extraordinario de revisión las autoliquidaciones, ni elementos de autoliquidaciones que no hayan sido objeto de una liquidación previa, pues el recurso no pretendería la modificación de los actos previos, sino de aspectos de la autoliquidación que no fueron objeto de regularización [TEAC 10-02-2020 RG 4755-2017 (*Tol 7791796*)].

Por otro lado, no puede interponerse este recurso, como ocurre también con los demás medios de revisión tributarios, cuando:

– Exista una sentencia judicial firme que haya confirmado el acto (artículo 213.3 de la LGT). Sin embargo, el obligado puede acudir a la revisión de sentencias firmes ante el órgano judicial (artículo 102 de la LJCA) con motivos similares, aunque no idénticos.

– Los actos de trámite, salvo casos excepcionales (artículo 227.1 de la LGT). Sin embargo, el obligado puede impugnar el acto provisional o definitivo.

Por ejemplo, firmada un acta de inspección en 2014 del IRPF del ejercicio 2009 y dictada luego la liquidación derivada del acta el mismo año 2014, que no fue recurrida en plazo, no puede impugnarse el acta a través del recurso extraordinario de revisión, pero sí la liquidación derivada del acta.

---

[202] Existe alguna sentencia de la AN contraria a esta posición y está pendiente de pronunciarse el TS, pues fue admitido mediante auto de 04-03-2021 recurso 5405/2020 (*Tol 8347426*) un recurso de casación para resolver esta cuestión.

3.2. Casos o circunstancias tasadas

El contribuyente puede interponer este recurso extraordinario cuando concurran determinadas circunstancias previstas legalmente, es decir sólo en casos o motivos tasados. Además, son de interpretación estricta, según destaca de forma reiterada la jurisprudencia del TS con la regulación precedente, pero que se entiende aplicable a la actual LGT. Por ejemplo, la SAN 02-10-2019 recurso 224/2016 (*Tol 7544726*), que se apoya en la línea marcada por la STS de 02-09-2014 recurso 59/2012 (*Tol 4515900*), en cuanto el recurso extraordinario de revisión no permite su transformación en una nueva instancia, ni puede ser utilizado para corregir los defectos formales o de fondo que puedan alegarse.

La finalidad del recurso extraordinario de revisión es revisar actos firmes, pero no por cualquier razón, sino en supuestos limitados de especial trascendencia en que aparecen documentos o se dictan determinadas sentencias firmes que afectan de forma esencial al acto dictado y que, sobre todo, no pudieron tenerse en cuenta al dictar el acto.

Por otra parte, como he destacado antes, no es motivo o circunstancia el error de hecho derivado de los propios documentos incorporados al expediente, a diferencia del que ocurre en el recurso regulado en la LPACAP[203]. Sin embargo, el interesado puede solicitar la revisión a través del procedimiento especial de rectificación de errores de hecho (artículo 220 de la LGT), que resuelve el mismo órgano que dictó el acto y no el TEAC, que he comentado con detalle antes en este mismo capítulo.

3.2.1. Documentos de valor esencial que aparezcan y evidencien el error

La circunstancia de la letra a) del artículo 244.1 de la LGT consiste en que aparezcan documentos de valor esencial para la decisión del asunto que fueran posteriores al acto o resolución recurridos o de imposible aportación al tiempo de dictarse los mismos y que evidencien el error cometido. Es el supuesto más frecuente en la práctica, pues las demás circunstancias son muy raras y debe interponerse el recurso en el plazo de tres meses desde el conocimiento del documento.

---

[203]   Artículo 125.1.a), que mantiene la regulación del previo artículo 118.1.1ª de la Ley 30/1992. Por otro lado, la misma LPACAP en su artículo 109.2 regula también la rectificación de los "*errores materiales, de hecho y aritméticos*", con idéntica redacción a la regulación del previo artículo 105.2 de la Ley 30/1992.

Los documentos pueden ser públicos o privados, pero también lo son los propios actos tributarios, incluidas las resoluciones de los TEAS, así como las sentencias judiciales distintas de las contempladas en las letras b) y c) del artículo 244.1 de la LGT.

Puede extrañar que los propios actos tributarios y las sentencias judiciales sean documentos, pero deben determinar hechos sobre el acto impugnado y contribuyente concreto, es decir, no basta que fijen criterios jurídicos. Así, lo refleja TEAC 11-09-2014 RG 00-04193-2011 (*Tol 4606595*), que reitera lo expresado previamente por dicho TEAC y cita en el mismo sentido jurisprudencia.

Por ejemplo, determina un hecho sobre una sanción tributaria una resolución posterior de un TEA que anula la liquidación de la que deriva la sanción [TEAC 22-11-2007 RG 2535-2005 (*Tol 8871467*)].

Por el contrario, si los actos administrativos (incluidas las contestaciones a consultas de la Dirección General de Tributos y las resoluciones del TEAC) o sentencias judiciales (incluida la jurisprudencia del TS) sólo establecen un criterio jurídico o de Derecho, no es admisible el recurso extraordinario de revisión. Por ejemplo, no es un documento de valor esencial a efectos de dicho recurso la STS de 03-10-2018 recurso 4483/2017 (*Tol 6820531*) sobre la exención de las prestaciones de maternidad, como señala TEAC 11-06-2020 RG 00 1161-2019 (*Tol 7992760*), porque no se refiere al contribuyente y acto concreto, sino que establece un criterio jurídico.

El acuerdo de ejecución por la Administración tributaria de una previa resolución económico-administrativa o sentencia judicial puede considerarse un documento esencial a los efectos del recurso extraordinario revisión cuando incluya hechos o elementos fácticos nuevos respecto a los incluidos en la previa resolución o sentencia que manifiesten la improcedencia del acto impugnado [TEAC 13-12-2019 RG 04739/2017 (*Tol 7668693*)].

Además, los documentos deben aparecer, lo que no incluye cuando es provocado por el propio contribuyente que interpone el recurso extraordinario de revisión que lo solicita. Por ello no cabe fundamentar el recurso extraordinario en la aparición de documentos de valor esencial, cuando estos han sido elaborados a petición de parte, antes de interponer el recurso, pues, en este caso, serían fruto de una aparición forzada o buscada, no espontánea, como exige la jurisprudencia del Tribunal Supremo [TEAC 10-12-2018 RG 6129/2016 (*Tol 8476680*)].

Por ejemplo, el certificado de empadronamiento solicitado por el contribuyente después del acto impugnado para fundamentar el recurso extraordinario de revisión.

Las facturas rectificativas no son documentos esenciales a efectos del recurso extraordinario de revisión porque no reúnen los requisitos exigidos legalmente. No constituyen documentos de valor esencial aquellos que pudieron y debieron presentarse en el procedimiento tributario correspondiente por encontrarse en posesión del contribuyente ni aquellos que pudieron aportarse por él previa solicitud al órgano correspondiente [TEAC 18-12-2019 RG 03451/2018 (*Tol 7671981*)].

Tampoco es documento esencial a efectos de este recurso extraordinario la declaración modificativa de la Declaración Anual de Operaciones con Terceras Personas (modelo 347) presentada por otro obligado tributario [TEAC 17-07-2020 RG 1035/2017 (*Tol 8476092*)], ni el modelo 180 presentado por el arrendatario a la AEAT con posterioridad a la firmeza de la liquidación al arrendador [TEAC 17-07-2020 RG 4917/2017 (*Tol 8476089*)].

Finalmente, los documentos deben tener valor esencial para la decisión y evidenciar el error cometido.

3.2.2. Documentos declarados falsos por sentencia judicial firme

La circunstancia de la letra b) del artículo 244.1 de la LGT consiste en que al dictar el acto o la resolución hayan influido esencialmente documentos o testimonios declarados falsos por sentencia judicial firme anterior o posterior a aquella resolución.

La sentencia firme, debe ser penal y declarar la falsedad de un documento o testimonio. Como la LGT menciona una sentencia, no basta un mero archivo provisional del proceso penal [SAN 24-10-2013 recurso 52/2011 (*Tol 3988137*)]. Además, debe influir de forma esencial en el acto o resolución impugnado mediante el recurso extraordinario el documento o testimonio declarado falso.

Por otro lado, el contribuyente puede acudir, en vez de al recurso extraordinario, al procedimiento especial de revisión de actos nulos por el supuesto de que sean constitutivos de infracción penal o se dicte como consecuencia de ésta.

3.2.3. Consecuencia de conducta punible declarada por sentencia judicial firme

La circunstancia de la letra c) del artículo 244.1 de la LGT consiste en que el acto o la resolución se hubiese dictado como consecuencia de prevaricación, cohecho, violencia, maquinación fraudulenta u otra conducta punible y se haya declarado así en virtud de sentencia judicial firme.

La sentencia firme, también debe ser penal y declarar que existe una conducta punible como las citadas, pero además dicha conducta debe haber provocado que el órgano administrativo dicte un acto o resolución, que es precisamente la impugnada en el recurso extraordinario.

Por otro lado, también el contribuyente puede acudir, en vez de al recurso extraordinario, al procedimiento especial de revisión de actos nulos por el supuesto de que sean constitutivos de infracción penal o se dicte como consecuencia de ésta.

3.3. Personas que pueden interponer el recurso

Los legitimados para interponer el recurso extraordinario de revisión (artículo 244.2 de la LGT) son los mismos legitimados para el recurso de alzada ordinario (artículo 241.3 de la LGT), es decir, los interesados, los Directores Generales del Ministerio de Hacienda, los Directores de Departamento de la AEAT en materia de su competencia, así como los órganos equivalentes o asimilados de las Comunidades Autónomas en materia de tributos cedidos o recargos sobre tributos del Estado. También en materias de su competencia (DA 11ª.5 de la LGT y artículo 63 del RGRVA) el Director General del Tesoro y el Director del Departamento de Recaudación de la AEAT.

3.4. Procedimiento

En lo no regulado expresamente en la LGT, resulta aplicable lo dispuesto para las REAS en única o primera instancia (artículo 62 del RGRVA).

3.4.1. Iniciación

El plazo para interponer este recurso es de tres meses a contar desde el conocimiento de los documentos o desde que quedó firme la sentencia judicial (artículo 244.5 de la LGT), mediante el escrito de interposición del recurso[204].

El plazo de interposición de tres meses del recurso en el supuesto de que se haya interpuesto una previa solicitud de rectificación de autoliquidación, que no ha sido admitida, en vez del correcto recurso extraordinario de revisión, basándose en un documento de valor esencial, debe contarse, para no producir indefensión y para que el recurso extraordinario no pierda su finalidad, desde la fecha en que se tenga conocimiento de que el documento puede fundamentar un recurso extraordinario de revisión, siempre que no haya transcurrido el plazo de tres meses desde el conocimiento del documento hasta que presentó el previo procedimiento de solicitud de rectificación de autoliquidación [TEAC 01-06-2020 RG 6947/2017 (*Tol 8476111*)].

3.4.2. Tramitación

La tramitación del recurso de revisión es la misma del procedimiento económico-administrativo en única o primera instancia, pero la interposición de este recurso no suspende la ejecución del acto (artículo 233.14 de la LGT[205]).

El recurso extraordinario de revisión no está configurado como un procedimiento en el que el TEAC, ante la falta de documentación presentada por el recurrente, deba realizar requerimientos a otros órganos de la misma u otra Administración o, incluso, a otros obligados tributarios, para conseguir documentos o pruebas que justifiquen lo alegado en el recurso [TEAC 12-03-2020 RG 1932/2018 (*Tol 8476173*)].

3.4.3. Resolución

La competencia para resolver este recurso corresponde exclusivamente al TEAC (artículo 244.4 de la LGT) y el plazo para resolver y notificar es de seis meses desde la interposición del recurso (artículo 244.6 de la LGT).

---

[204] Por ejemplo, VARIOS, *Formularios Tributarios*, ob. cit., págs. 529 a 530 [formulario V.37. (*Tol 7389366*)].

[205] La redacción no ha variado, pero es el apartado 14 tras las modificaciones realizadas por la Ley 11/2021, de 9 de julio, de medidas de prevención y lucha contra el fraude fiscal, aunque originalmente estaba en el apartado 11 y tras la Ley 34/2015 en el apartado 12.

Superado dicho plazo el recurrente puede considerar desestimada el recurso a efectos de interponer el recurso procedente.

La resolución declarará la inadmisibilidad del recurso cuando se aleguen circunstancias distintas a las previstas legalmente (artículo 244.3 de la LGT) y para ello puede actuar de forma unipersonal (artículo 244.4 de la LGT).

4. ESPECIALIDADES AUTONÓMICAS Y LOCALES

Las CCAA tienen especialidades, sobre todo las CCAA de régimen foral que tiene regulación específica en su norma general tributaria[206], en vez de aplicar la regulación de la LGT, aunque es parecida en la mayoría de los aspectos. Por ello, recomiendo consultar en cada Comunidad, porque puede tener peculiaridades, aunque sólo sea del órgano competente. Por ejemplo, para las CCAA de régimen común en la nulidad de pleno derecho corresponde al órgano superior equivalente al Ministro de Hacienda para el Estado, normalmente en el Consejero de Hacienda (artículo 51 de la Ley 21/2001) previo dictamen del Consejo de Estado u Órgano consultivo equivalente respecto de los tributos cedidos. Lo mismo para la declaración de lesividad [artículo 51.1.d) de la Ley 21/2001] de sus propios actos declarativos de derechos.

Los EELL tienen escasas singularidades y la normativa se remite con frecuencia a la regulación de la LGT. Así la LRHL (artículo 14.1), además de expresar que no serán en ningún caso revisables los actos administrativos confirmados por sentencia judicial firme, remite expresamente para la rectificación de errores de hecho y la devolución de ingresos indebidos a la LGT y, en general, a la LBRL (artículo 110) que se limita a remitir a la regulación tributaria de la LGT de 1963, pero que hay que entender actualmente que sería la LGT de 2003. Por ello, hay que considerar que también son aplicables la regulación de la actual LGT sobre nulidad de pleno derecho, declaración de lesividad y es más dudoso sobre revocación, aunque todo parece indicar que sería igualmente aplicable con las adaptaciones pertinentes. De esta forma, en la nulidad de pleno derecho y para la declaración de lesividad la competencia correspondería al Pleno de la Corporación.

Es habitual que los Ayuntamientos que han ejercido su potestad reglamentaria regulando en la correspondiente Ordenanza algunos aspectos de

---

[206] A título de ejemplo, en Bizkaia en los artículos 224 a 229 de la Norma Foral 2/2005, de 10 de marzo, General Tributaria del Territorio Histórico de Bizkaia.

estos mecanismos se limitan a reproducir, con algunas adaptaciones, la regulación de la LGT y el RVRVA[207].

---

[207] A título de ejemplo, en el Ayuntamiento de Madrid, está regulado en los artículos 142 a 160 de la Ordenanza Fiscal General de Gestión, Recaudación e Inspección.

Capítulo Sexto
RECURSO CONTENCIOSO-ADMINISTRATIVO Y OTROS RECURSOS JUDICIALES

El acto tributario dictado por un órgano administrativo o la actuación tributaria de un particular pueden revisarse en vía judicial cuando la previa revisión en vía administrativa no deja satisfecho al contribuyente u obligado y, por tanto, interpone el correspondiente recurso judicial. De esta forma, la revisión administrativa constituye un filtro que resuelve los problemas planteados en gran número de casos y, por ello, sólo llegan a la vía judicial pocos casos, aunque algunos de ellos tengan gran trascendencia económica o jurídica.

A través del recurso contencioso-administrativo (RCA) normalmente se impugna una resolución o acuerdo de revisión en vía administrativa, pero al hacerlo permite examinar el previo acto de aplicación de los tributos o de imposición de sanciones dictado por la Administración tributaria o la actuación de un particular. Por ejemplo, si contra una liquidación de la AEAT sobre el IVA el contribuyente interpone una REA ante el TEAC que dicta una resolución desestimatoria, el obligado que interpone un RCA ante la AN impugna la resolución del TEAC, pero al mismo tiempo, también la liquidación subyacente.

Existen también algunas posibilidades, si bien limitadas, de revisión en materia tributaria ante otros órganos judiciales, como el TC, el TEDH y el TJUE, a través de diversos recursos.

La mayoría de las obras dedicadas a la revisión tributaria no suelen examinar estos recursos en vía judicial, probablemente porque tienen un alcance más amplio que el tributario. Por ejemplo, el RCA abarca toda la actuación de las Administraciones Públicas sometida al Derecho Administrativo.

Sin embargo, creo que conviene examinarlos para tener una visión más completa de las posibilidades de revisión tributaria[208], aunque en esta obra

---

[208] La única obra que conozco que estudia todos estos recursos judiciales de forma extensa en relación con la materia tributaria, es decir, que no hace una exposición mínima, es VARIOS, *La revisión de actos en materia tributaria. Directores Pablo Chico de la Cámara y Javier Galán Ruiz*, ob. cit.

sólo haré una exposición breve, sobre aspectos básicos, en cuanto pueda tener interés en el ámbito tributario.

Además, a través de estos recursos judiciales no sólo se revisan actos o actuaciones, sino que pueden impugnarse normas contrarias al derecho de la Unión Europea (ante el TJUE), leyes contrarias a la CE (ante el TC) o disposiciones reglamentarias contrarias a las leyes (a través del RCA). Sin embargo, normalmente no están al alcance del obligado tributario, al menos de manera directa.

A través del RCA el ciudadano puede impugnar de forma directa normas reglamentarias, pero en la práctica lo habitual es que sólo lo haga de forma indirecta, cuando impugna un acto determinado que le afecta, en base a que el mismo aplica una norma reglamentaria que es considerado ilegal.

Para las normas contrarias al derecho de la Unión Europea o las leyes inconstitucionales el obligado debe impugnar el acto concreto y solicitar al Tribunal Contencioso-Administrativo que plantee una cuestión prejudicial (ante el TJUE) o una cuestión de inconstitucionalidad (ante el TC), pues no puede hacerlo directamente.

Ahora bien, recomiendo que la persona que desee utilizar estos recursos acuda a un especialista que le ayude, ya que son complejos desde el punto de vista técnico. La normativa reguladora de los mismos no es fácil de entender para un ciudadano normal y, además, hay que evaluar los posibles costes de los mismos. Por otra parte, la terminología utilizada es muy precisas y, por ello, la utilizaré sin pretender explicarla con otras palabras, salvo en algún caso muy destacado como en la pretensión, pues ello exigiría mucho mayor número de páginas que el que voy a utilizar.

1. RECURSO CONTENCIOSO-ADMINISTRATIVO

El RCA en un sentido amplio incluye el RCA propiamente dicho tramitado mediante los procedimientos en primera o única instancia o abreviado, pero también otros recursos (como el recurso de casación), así como algunos procedimientos especiales. Todo ello está contemplado con detalle en la LJCA (Ley 29/1998), que regula el orden o jurisdicción contencioso-administrativa y dedica preceptos a aspectos comunes, como los órganos y competencias, las partes, objeto, medidas cautelares o costas procesales. También haya que tener en cuenta la LOPJ (Ley Orgánica 6/1985), pues la jurisdicción contencioso-administrativa sólo constituye una parte u orden del Poder Judicial. La CE establece (artículo 106.1) que los tribunales controlan la potestad reglamentaria y la legalidad de la actuación administrativa, pero no se refiere a la jurisdicción competente para el control de las Administraciones Públicas, salvo cuando señala [artículo 153.c)], que el control de la Administración autonómica y sus normas reglamentarias se ejercerá por la jurisdicción contencioso-administrativa.

La jurisdicción contencioso-administrativa está encomendada a los Juzgados y Tribunales de lo Contencioso-Administrativo, integrado por diversos órganos (artículo 6 de la LJCA), que son los Juzgados de lo Contencioso-Administrativo (JCAS), los Juzgados Centrales de lo Contencioso-Administrativo y las Salas de lo Contencioso-Administrativo de los TSJ, AN y TS. Como estos órganos revisan todas las materias administrativas y no sólo la tributaria, los citados Juzgados y Tribunales no están especializados en materia tributaria, aunque en algunos Tribunales existan secciones dedicadas en exclusiva a los tributos y formen parte de las mismas Magistrados con gran experiencia en temas tributarios porque llevan años revisando estos temas.

Esta obra no es el lugar adecuado para examinar si es conveniente o no que exista una jurisdicción tributaria específica, como ocurre en países con Alemania. Sólo pretendo destacar que del total de asuntos examinados por la jurisdicción contencioso-administrativa[209] una pequeña parte son tributarios y su número es considerablemente menor que, por ejemplo, las REAS ante los órganos económico-administrativos.

La jurisdicción contencioso-administrativa recibe mucha atención desde el punto de vista teórico y es objeto de numerosas obras, comentarios y artículos en revistas especializadas[210]. Sin embargo, a diferencia de

---

[209]   En el momento de escribir estas líneas (durante el mes de abril de 2022) la última Memoria del Poder Judicial publicada en Internet es la correspondiente a 2021, con datos del año 2020, aprobada por el Pleno del Consejo General del Poder Judicial de 22-07-2021. La misma refleja que entraron en la jurisdicción contencioso-administrativa en dicho año 194.223 asuntos y se resolvieron 191.948, pero no proporciona datos de los asuntos que corresponden a materia tributaria, *Memoria sobre el estado, funcionamiento y actividades del Consejo General del Poder Judicial y de los juzgados y tribunales en el año 2020*, Consejo General del Poder Judicial, Secretaría General, 2021, pág. 419. Sólo expresa que de los asuntos ingresados por los Juzgados Contencioso-Administrativos en el año 2020 (101.419) el 10% corresponde a la Administración tributaria, pág. 423.

[210]   La simple enumeración ocuparía probablemente tantas páginas como esta obra. A título de ejemplo, por citar un libro reciente y enfocado a la práctica, VARIOS, *Memento Práctico Procesal Contencioso-Administrativo 2022*, Francis Lefebvre, Madrid, 2021. Desde el punto de vista tributario, para toda la exposición de la jurisdicción conten-

lo que ocurre con las REAS y los TEAS, nadie pone en duda la necesidad de que exista una jurisdicción que revise los actos administrativos, incluyendo los tributarios, pues ello resulta evidente y constituye un elemento esencial en un Estado de Derecho. Cuestión distinta es que puedan existir críticas sobre su configuración actual o propuestas de posibles mejoras, pero esta obra no es el lugar adecuado para exponerlas, ni siquiera brevemente.

Por otro lado, desde el punto de vista práctico, la revisión contencioso-administrativa, a diferencia de la vía administrativa, requiere normalmente abogado y procurador (artículos 23 y 24 de la LJCA) y puede suponer la imposición de costas a la parte que pierde el pleito. Por ello, antes de tomar la decisión de interponer el RCA conviene realizar un análisis de los posibles costes en relación con los beneficios que pueden conseguirse. Esto no una tarea fácil, dado que existen múltiples variables a tener en cuenta.

1.1. Aspectos generales

Como sólo pretendo exponer algunos puntos de la regulación contencioso-administrativa en cuanto pueden resultar de interés para comprender la revisión de los actos tributarios, comenzaré con algunos aspectos comunes.

1.1.1. Órganos competentes

Como la regulación es compleja y extensa sólo voy a dar algunas pinceladas relacionadas con los actos tributarios, sin pretender exponerla de forma completa.

Además, previamente voy a destacar que, debido a la existencia de la vía económico-administrativa estatal, los actos de la AEAT (y de las CCAA sobre tributos cedidos por el Estado) revisados por los TEAS del Estado son impugnables ante las Salas de lo Contencioso-Administrativo de los TSJS (resoluciones de los TEARLS dictadas en única instancia y del TEAC sobre tributos cedidos) y de la AN (resoluciones del TEAC que no se refieran a tributos cedidos). Los actos de las CCAA sobre tributos propios y de los EELL, que a veces son revisados por sus órganos económico-administrativos, son

---

cioso-administrativa me remito a VARIOS, *La revisión de actos en materia tributaria. Directores Pablo Chico de la Cámara y Javier Galán Ruiz*, ob. cit. En concreto, la Parte V (págs. 457 a 903) ha sido redactada por Ignacio Calatayud Prats.

impugnables ante los JCAS y las Salas de lo Contencioso-Administrativo de los TSJS, según los casos.

a) JCAS

Revisan los actos de los órganos que tengan su sede en la circunscripción de cada JCA (artículos 8 y 14 de la LJCA) referidos a:

- Actos de las EELL sobre tributos locales, incluyendo los de los tribunales económico-administrativos municipales[211].

- Actos de las CCAA sobre tributos propios de las mismas, incluyendo los órganos económico-administrativos de dichas CCAA cuando opten por un modelo descentralizado por provincias (si es centralizado y único por CCAA corresponde a los TSJS).

Las sentencias de los JCA serán susceptibles de apelación ante los TSJS (artículo 8 de la LJCA) cuando la cuantía supere los 30.000 euros o, independientemente de la cuantía si declaran la inadmisibilidad del recurso, en procedimientos de protección de derechos fundamentales de las personas o resuelvan impugnaciones indirectas de ordenanzas fiscales.

Además, los JCA son competentes para las autorizaciones de entradas en domicilios y otros lugares constitucionalmente protegidos en relación con las actuaciones de aplicación de los tributos que requiera acceso y el titular se oponga a ello o exista riesgo de oposición.

b) Salas de lo Contencioso-Administrativo de los TSJS

Revisan (artículo 10 de la LJCA) los actos de los órganos que tengan su sede en la circunscripción de cada TSJ (artículo 14 LJCA) en única instancia:

- Los actos de los EELL y CCAA no atribuidos a los JCAS.

- Las resoluciones y acuerdos de los TEARLS dictados en única instancia.

- Las resoluciones y acuerdos del TEAC en materia de tributos cedidos.

- Los actos no atribuidos a otros órganos contencioso-administrativos.

---

[211] En el caso de que sean actos sobre tributos locales dictados por el Catastro (que es un órgano del Estado), como ocurre con el IBI aa IAE, son revisados por los TEAS en vía administrativa y no corresponde en la vía judicial la revisión a los JCAS, sino a los TSJS o a la AN.

Además, en segunda instancia resuelven:

- Las apelaciones contra sentencias y autos de los JCAS y los recursos de queja.
- Los recursos de revisión contra sentencias firmes de los JCAS.

c) Sala de lo Contencioso-Administrativo de la AN

Revisa (artículo 11 de la LJCA) en única instancia, los actos dictados por el Ministerio de Hacienda y por el TEAC (salvo en tributos cedidos).

d) Sala de lo Contencioso-Administrativo del TS

Revisa (artículo 12 de la LJCA):

- Los recursos de casación.
- Los recursos de revisión contra sentencias firmes de las Salas de lo Contencioso-Administrativo de los TSJS, AN y el propio TS.

1.1.2. Partes

Las partes en el proceso contencioso-administrativo son la parte demandante (normalmente un obligado tributario) y la parte demandada (normalmente la Administración o el órgano de la misma contra la que se dirija el recurso). La LJCA regula con detalle la legitimación (artículos 19 a 22).

1.1.3. Objeto

El objeto en el proceso contencioso-administrativo está relacionado con una actividad administrativa impugnable y hay que tener en cuenta la pretensión de las partes, la posibilidad de acumulación y la fijación de la cuantía.

a) Actividad impugnable

El RCA permite impugnar las disposiciones de carácter general, los actos expresos o presuntos de la Administración Pública que pongan fin a la vía administrativa (definitivos y también de trámite en ciertos casos), la inactividad de la Administración y la vía de hecho (artículo 25 de la LJCA).

En el ámbito tributario son impugnables las resoluciones y acuerdos de los TEAS y de los órganos económico-administrativos de las CCAA y de los EELL en el caso de Municipios de Gran Población. Esto supone, como he señalado, que también impugnan los actos subyacentes revisados por todos estos órganos económico-administrativos, salvo que no pueda entrarse en el fondo del asunto, como cuando el RCA es inadmisible por haberse interpuesto fuera de plazo.

En el caso de los actos tributarios dictados por los EELL que no son de Gran Población y, por tanto, no existe un órgano municipal de revisión económico-administrativo, son impugnables ante los JCA los actos tributarios de los EELL tras el acuerdo que resuelve el preceptivo recurso de reposición (artículo 14.2 de la LRHL).

b) Pretensiones de las partes

La pretensión es un concepto jurídico complicado, que tiene una regulación detallada en la LJCA (artículos 31 a 33) y que ha dado lugar numerosa jurisprudencia porque en la demanda la parte demandante fija su pretensión y lo mismo hace la parte demandada en la contestación a la demanda (artículo 56 de la LJCA), a lo que se une que la sentencia debe ser congruente con las pretensiones (artículo 67 de la LJCA). La pretensión es distinta a los motivos que apoyan dicha pretensión y no hay duda que en vía contencioso-administrativa pueden alegarse motivos (alegaciones) que no fueron planteados en la vía administrativa previa, pero resulta más dudoso de que pueden plantearse nuevas pretensiones[212].

El órgano contencioso-administrativo debe pronunciarse sobre las pretensiones enfrentadas de las partes demandante y demandada.

Por ejemplo, un obligado que recurre ante la Sala de lo Contencioso-Administrativo de la AN una resolución del TEAC referida al IRPF que desestima un recurso de alzada ordinario, probablemente está pidiendo la revisión de una previa resolución de un TEAR en una REA que, a su vez, se interpuso contra un acuerdo de un recurso de reposición, que se presentó contra una liquidación de la AEAT. La pretensión puede ser que se anule la resolución del TEAC y todos los actos subyacentes, incluida la liquidación,

---

[212] Me remito a VARIOS, *La revisión de actos en materia tributaria. Directores Pablo Chico de la Cámara y Javier Galán Ruiz*, ob. cit., págs. 466 a 473 (sobre la pretensión contencioso-administrativa y la previa pretensión en vía administrativa), 703 a 709 (sobre demanda y motivos) y 750 a 766 (congruencia de la sentencia).

con devolución de lo ingresado más intereses de demora (en caso de que se hubiera ingresado). Por el contrario, la parte demandada (representada por el Abogado del Estado) tiene la pretensión de que se confirme la resolución del TEAC y todos los actos subyacentes. El motivo del demandante puede ser, a título de ejemplo, que la indemnización está exenta, en contra de lo que consideró la liquidación, que fue confirmada en los diversos recursos y reclamaciones en vía administrativa. Los razonamientos o argumentaciones jurídicas del demandante en apoyo de la exención pueden ser muy variados y lo mismo los contrarios de la parte demandada.

c) Acumulación

Como en un mismo proceso la parte demandante puede tener diversas pretensiones en relación con un mismo acto, disposición o actuación se produce la acumulación de pretensiones y lo mismo las que se refieran a varios actos cuando exista cualquier conexión directa.

d) Cuantía

Viene determinada por el valor económico de la pretensión, remitiendo a la LEC con ciertas particularidades. Por ello, la cuantía cuando el RCA pretende la anulación de una liquidación es la cuota más recargos exigibles legalmente, pero no los restantes componentes de la deuda tributaria.

1.1.4. Intervención de abogado y procurador

Debido a la complejidad desde el punto de vista jurídico del proceso contencioso-administrativo las partes deben estar representadas por un procurador y asistidas por un abogado cuando se trata de actuaciones ante órganos colegiados[213]. Cuando las actuaciones son ante órganos unipersonales (como los JCAS) podrán hacer lo mismo, pero también pueden conferir la representación a un abogado al que se notificarán las actuaciones[214].

En el caso de las Administraciones Públicas normalmente corresponde al Abogado del Estado o equivalente.

---

[213] Tradicionalmente recibe el nombre de *"postulación"*.
[214] Como excepción pueden comparecer por sí mismos los funcionarios públicos en cuestiones de personal que no impliquen la separación del servicio de un funcionario inamovible.

1.1.5. Costas

Las costas procesales (artículo 139 de la LJCA) o costas judiciales son determinados gastos producidos durante el procedimiento contencioso-administrativo y abarca, sobre todo, los honorarios del abogado y derechos de procurador cuando su intervención es obligatoria[215].

La regla es que la parte que pierde (la que ve rechazadas sus pretensiones) debe pagar sus costas y también las de la parte ganadora, aunque pueden imponerse costas por su totalidad, por una parte de las mismas o hasta una cifra máxima. Además, existen algunas excepciones que la sentencia o auto debe motivar:

- En un procedimiento en primera o única instancia cuando el caso presente serias dudas de hecho o de derecho cada parte abonará sus costas y cuando haya estimación o desestimación parcial cada parte abonará sus costas, salvo que se impongan a una de las partes al apreciar mala fe o temeridad.

- En los recursos desestimados totalmente se imponen las costas al recurrente, salvo que existan circunstancias que motiven su no imposición.

- En el recurso de casación cada parte abonará sus costas y las comunes por mitad, salvo que motive que una de las partes ha actuado con mala fe o temeridad.

El importe de las costas en algunos casos puede ser elevado. Por ello, mientras los procedimientos en vía administrativa son gratuitos, puesto que no requieren abogado o procurador, el proceso contencioso-administrativo conlleva unos gastos y el contribuyente u obligado antes de interponer el recurso debe evaluar los riesgos de pagar sus costas e, incluso, las costas de la otra parte, frente a la posibilidad de que la otra parte sea la que pague todas las costas.

Además, durante el proceso cada parte debe abonar los gastos y será la sentencia (o en su caso auto) la que determinará lo que proceda sobre las costas producidas. Dicho de forma más sencilla, la condena en costas (condena a pagar los gastos del proceso, incluidos los de la parte contraria) es decidida en la sentencia y corresponde a quien pierde, salvo excepciones.

---

[215] La determinación o tasación de las costas es realizada conforme a la LEC.

1.2. Procedimiento en única o primera instancia

El procedimiento contencioso-administrativo en única o primera instancia (artículos 43 a 77 de la LJCA) tiene una regulación muy detallada, por lo que sólo voy a exponer algunos aspectos muy básicos y de forma necesariamente incompleta.

1.2.1. Plazo e iniciación

El plazo para interponer el recurso es de dos meses desde la notificación del acto impugnado, pero no hay plazo en caso de silencio, pues no existe acto [STC 52/2014, de 10 de abril (*Tol 4236036*)].

El plazo de dos meses se cuenta de fecha a fecha, es decir se inicia a partir del día siguiente a la notificación del acto administrativo y termina el día equivalente en el mes de vencimiento de la notificación en el mes inicial [por ejemplo, STS 02-12-2003 recurso 5638/2000 (*Tol 339328*)]. Es decir, se cuenta igual que los plazos administrativos de la LPACAP.

Además, se aplica de forma analógica al proceso contencioso-administrativa la regla civil (artículo 135 de la LEC) conforme a la que se entiende presentado en plazo el recurso hasta las 15 horas hábiles del siguiente día hábil al del vencimiento del plazo.

El recurso comienza con un escrito de iniciación citando el acto recurrido (por ejemplo, la resolución del TEAR que confirma una liquidación) y acompañando una serie de documentos, entre ellos copia del acto expreso y del documento que acredite la representación.

El Letrado de la Administración de Justicia[216] examinará de oficio el escrito y, cuando observe algún defecto, procederá a su subsanación. Además, requerirá a la Administración para que remita el expediente administrativo.

Recibido el expediente procede al emplazamiento de los demandados y la admisión del recurso, pues puede no admitirse en determinados casos (falta de jurisdicción o competencia, falta de legitimación, actividad no susceptible de impugnación, caducidad del plazo de interposición del recurso, etc.).

---

[216] Tradicionalmente recibía el nombre de secretario judicial.

1.2.2. Trámites

Recibido el expediente, el Letrado de la Administración de Justicia acordará su entrega al recurrente para que en el plazo de veinte días formule la demanda (si no lo hace, mediante auto se declarará la caducidad del recurso) y luego dará traslado de la misma, junto con el expediente, a la parte demandada, para que realice la contestación a la demanda en el plazo de veinte días.

Los escritos de demanda y contestación incluirán separadamente los hechos, fundamentos de derecho y las pretensiones, alegando los motivos que se entiendan oportunos, hayan sido o no planteados en vía administrativa. Si hay defectos subsanables el citado Letrado acordará la subsanación y en algunos casos puede pedirse el recibimiento a prueba y vista o conclusiones.

El recibimiento a prueba debe solicitarse en los escritos de demanda o contestación (mediante otrosí) o en los de alegaciones complementarias.

Si se acuerda la celebración de la vista (que es una exposición oral), se fijará el día y en la misma se dará la palabra a las partes para que de forma sucinta expongan sus alegaciones.

Si se acuerda el trámite de conclusiones (que es una exposición escrita y es la regla general), las partes presentarán las mismas en un plazo de diez días, realizando unas alegaciones sucintas de hechos, prueba practicada y fundamentos jurídicos en que apoyan sus pretensiones

Celebrada la vista o presentadas las conclusiones el Juez o Tribunal declarará que el pleito ha quedado concluso para sentencia.

1.2.3. Terminación

La sentencia es la forma normal de terminación y debe dictarse en el plazo de diez días desde que el pleito ha sido declarado concluso. Su contenido puede ser estimatorio o desestimatorio o también declarar la inadmisibilidad (cuando el Juez o Tribunal carezca de jurisdicción, se hubiera interpuesto por persona incapaz, no debidamente representada o no legitimada, etc.)

También puede terminar el procedimiento por desistimiento del recurrente (apartamiento del recurso por el demandante en cualquier momento anterior a la sentencia), allanamiento (la parte demandada acepta las pretensiones del demandante) o reconocimiento expreso en vía administrativa de las pretensiones. También está prevista la posibilidad (artículo 77 de la LJCA) de transacción judicial, es decir que exista un acuerdo entre las partes cuando alcance a materias susceptibles de transacción, pero es una vía poco utilizada y no parece, al menos por el momento, tener aplicación en materia tributaria.

1.3. Procedimiento abreviado

El procedimiento abreviado (artículo 78 de la LJCA) contencioso-administrativo fue una novedad introducida en la LJCA de 1998 con la finalidad de agilizar los procedimientos en materias muy limitadas y asuntos de escasa cuantía que se encomienda a los JCAS y a los Juzgados Centrales de lo Contencioso-Administrativo. En concreto cuando la cuantía no supere los 30.000 euros. El RCA se inicia por demanda directamente a la que acompañarán los documentos en los que la parte demandante se funda. Destaca su oralidad a través de un acto de vista en el que la partes formularán alegaciones y aportarán pruebas y, terminada la misma, el Juez dictará sentencia en el plazo de diez días.

En la práctica es el procedimiento más utilizado, pero no en materia tributaria, pues las resoluciones de los TEAS del Estado son impugnables ante los TSJ o la AN por el procedimiento ordinario en primera o única instancia.

1.4. Recursos y otros medios de impugnación

La revisión en vía contencioso-administrativa no se agota con el RCA propiamente dicho, pues contra la sentencia (así como, en su caso, providencias o autos e, incluso, resoluciones del Letrado de la Administración de Justicia) pueden interponerse diversos recursos (artículos 79 a 102 bis de la LJCA). Sin embargo, para los actos tributarios destaca el recurso de casación ante el TS[217], por su enorme relevancia práctica, ya que un alto porcentaje de los recursos de casación presentados se refieren a la materia tributaria y las sentencias dictadas tienen una enorme trascendencia.

Por ello, aunque el contribuyente u obligado puede interponer un recurso de casación, recomiendo, sobre todo, que esté atento a los recursos plantados por otras personas y, mientras tanto, trate de evitar que el acto

---

[217] El recurso de casación fue modificado en profundidad por la Ley Orgánica 7/2015 y ha dado lugar a numerosas obras y comentarios. En el ámbito tributario me remito a una monografía dedicada precisamente al mismo: ÁLVAREZ MENÉNDEZ, E., *El recurso de Casación en Materia Tributaria*, Thomson Reuters Aranzadi, Cizur Menor (Navarra), 2018.

tributario concreto que le afecta adquiera firmeza (por ejemplo, interponiendo los recursos en vía administrativa o contencioso-administrativa). Esto no siempre es posible, pero una vez dictada una sentencia por el TS, a veces existen algunas posibilidades de revisión. Sin embargo, lo ideal para el contribuyente sería que el acto tributario esté pendiente en vía administrativa o en vía contencioso-administrativa mediante el correspondiente RCA. Cuando no existe un acto tributario, sino una autoliquidación, el contribuyente debe procurar presentar la solicitud de rectificación de autoliquidación, antes de que prescriba su derecho.

Los recursos de casación planteados y todavía no resueltos normalmente sólo son conocidos por especialistas tributarios, aunque los medios de comunicación y las revistas tributarias especializadas, asociaciones de afectados (así como blogs y otros mecanismos) muchas veces dan información de recursos que afectan a un buen número de contribuyentes. Por otro lado, a través del CENDOJ, que es la base de datos en Internet del Poder Judicial, pueden buscarse los autos de admisión de los recursos de casación, aunque ello no resulta fácil para el contribuyente normal.

Un ejemplo, de hace pocos años, es el referido a las prestaciones por maternidad en el IRPF, que afectan a muchos contribuyentes. El TS admitió el recurso de casación en el año 2017 y dictó a finales de 2018 la STS 03-10-2018 recurso 4483/2017 (*Tol 6820531*), que establece como doctrina legal que las prestaciones públicas por maternidad percibidas de la Seguridad Social están exentas del IRPF. La cuantía para cada persona concreta era pequeña, pero no cabía duda que afectaba a gran número de personas y, por ello, fue admitido el recurso de casación y se dictó dicha STS, que ha tenido una gran relevancia práctica. Muchos contribuyentes interpusieron REAS conociendo el recurso de casación y, una vez dictada la STS, las mismas fueron resueltas estimando. Otros contribuyentes lograron, dirigiéndose a la AEAT, la rectificación de sus autoliquidaciones, aunque dicha AEAT hubiera rechazado una previa rectificación.

En la actualidad la labor del TS a través del recurso de casación resulta esencial en el ámbito tributario, confirmando o desautorizando los criterios administrativos, con bastante rapidez y con unos efectos muy importantes para cada contribuyente concreto y también, en su conjunto, para la Hacienda Pública.

El recurso de casación puede interponerse contra:

– Sentencias dictadas en única instancia por los JCAS que se reputen gravemente dañosas para los intereses generales y sean susceptibles de extensión de efectos.

– Sentencias dictadas en única instancia o en apelación por las Salas de lo Contencioso-Administrativo de la AN y de los TSJ (para estos sólo si pretende fundarse en infracción de normas estatales o de la Unión Europea relevantes o determinantes en el fallo si hubiera sido invocadas oportunamente y consideradas por la Sala).

– Diversos autos dictados por las Salas de lo Contencioso-Administrativo de la AN y de los TSJ, entre ellos los dictados en materia tributaria cuando declaren la extensión de la sentencia).

Además, la admisión a trámite del recurso de casación requiere que el recurso presente interés casacional objetivo para la formación de la jurisprudencia, cuando se invoque una concreta infracción del ordenamiento jurídico, tanto procesal como sustantiva o de la jurisprudencia. Este interés casacional es esencial y la normativa detalla diversos supuestos (artículo 88.2 de la LJCA), que los propios autos de la Sección de admisión de la Sala de lo Contencioso-Administrativo han ido aclarando[218].

Lo importante, desde el punto de vista práctico, es que no importa la cuantía concreta de la cuestión, pero sí que afecte a un buen número de situaciones o que, por otras razones, tenga el repetido interés casacional. Por ejemplo, la citada STS sobre las prestaciones de maternidad.

Además, el recurso de casación tiene una regulación procedimental detallada. De forma muy esquemática, es la siguiente:

1º La iniciación supone la preparación ante el órgano que dictó la sentencia o auto en el plazo de treinta días contados a partir del día siguiente a la notificación por quienes fueron parte. El escrito de iniciación debe reflejar diversos extremos (según el artículo 89 de la LJCA los requisitos de plazo, legitimación y recurribilidad, identificar las normas o jurisprudencia que se considera infringida, fundamentar la existencia de interés casacional objetivo, etc.) y si se cumplieran se tendrá por presentado el recurso ordenando el emplazamiento de las partes en plazo de treinta días ante la Sala de lo Contencioso-Administrativo del TS, remitiendo los autos, el expediente y, en su caso, una opinión fundada.

---

[218] Me remito a ÁLVAREZ MENÉNDEZ, E., ob. cit., págs. 369 y siguientes, sin perjuicio de advertir que, al haber sido escrita la monografía en 2018, desde entonces algunos aspectos han sido perfilados por el propio TS.

- La Sección de Admisión podrá acordar oír a las partes personas por plazo común de 30 días acerca de si el recurso presenta interés casacional objetivo.

- Mediante resolución motivada admitirá el recurso precisando la cuestión que presenta interés casacional objetivo y las normas objeto de interpretación (lo que no vincula a la Sala) o inadmitirá el recurso (asumiendo las costas la parte recurrente).

- La preparación del recurso no impide la ejecución provisional de la sentencia recurrida, pero pueden acordarse medidas como la presentación de caución o garantía cuando pudieran derivarse perjuicios.

2º La tramitación implica que el Letrado de la Administración de Justicia remite las actuaciones a la Sección de la Sala competente y transmite a la parte que tiene treinta días para interponer el recurso que debe reunir determinados requisitos y si los cumple trasladará a la parte recurrida para que pueda oponerse en el plazo de treinta días. Puede acordarse vista pública, salvo que se entienda que es innecesario.

3º La terminación mediante sentencia fijará la interpretación procedente y, a la vista de la misma, puede anular la sentencia o auto, resolviendo sobre las costas.

1.5. Procedimiento para la protección de los Derechos Fundamentales de la persona

La LJCA regula diversos procedimientos especiales, pero desde el punto de vista tributario hay que resaltar el procedimiento para la protección de los derechos fundamentales, que, junto con el recurso de amparo ante el TC, son mecanismos de protección de dichos derechos.

La CE establece para la protección de los derechos fundamentales y libertades públicas un doble sistema de protección. Primero, a través de un procedimiento ante la jurisdicción ordinaria basado en los principios de sumariedad (rapidez) y preferencia, que está regulado actualmente en la LJCA como un procedimiento especial (artículos 114 a 122 bis). Segundo, mediante el recurso de amparo ante el TC, que comento en un epígrafe posterior dedicado a los recursos ante el TC.

El procedimiento especial de la LJCA a veces recibe el nombre de recurso de amparo ordinario, para distinguirlo del recurso de amparo ante el TC.

Hay que destacar que dicho procedimiento no permite examinar o resolver cuestiones de legalidad ordinaria, pues su ámbito se circunscribe a determinar si el acto o disposición que se impugna vulnera directamente alguno de dichos derechos fundamentales. Además, el Fiscal es parte en dicho procedimiento.

En materia tributaria, los principios del sistema tributario (artículo 33.1 CE) quedan fueran de esta protección, por lo que sólo puede basarse la impugnación en vulneración de determinados derechos y libertades (artículo 53.2 de la CE, que se refiere a los artículos 14 y 30 en cuanto a la objeción de conciencia, así como los incluidos en la Sección primera del Capítulo segundo del Título Primero, es decir, los artículos 14 a 29). Por ello, el recurso debe basarse, por ejemplo, en una vulneración del derecho a la igualdad ante la ley (artículo 14 de la CE y no meramente el principio de igualdad tributario del artículo 31.1 de la CE), la intimidad personal y familiar o la inviolabilidad del domicilio (artículo 18.1 y 2 de la CE), las garantías del proceso (artículo 24 de la CE) o las garantías del régimen sancionador procedimental o sustantivo (artículos 24.2 y 25.1 de la CE).

En la práctica, es conveniente evitar el error de considerar este procedimiento especial como una alternativa a otros recursos, entre ellos el RCA. Sólo en algunos casos, puede intentarse con posibilidades de éxito.

El procedimiento está regulado con detalle en la LJCA y sólo destaco algunos aspectos:

– El plazo para interponerlo es de diez días y el escrito de interposición expresará el derecho cuya tutela se pretende y los argumentos que lo fundamentan.

– El mismo día o el siguiente el Letrado de la Administración de Justicia requerirá el envío del expediente para que la Administración remita el expediente acompañado de los datos e informes que estime procedentes y lo comunique a los interesados para que puedan comparecer ante el órgano judicial en el plazo de cinco días.

– Recibido el expediente el citado Letrado pondrá de manifiesto a las partes para que por un plazo de cuarenta y ocho horas puedan alegar. Existe la posibilidad de que el órgano judicial acuerde mediante auto la inadmisión, que puede solicitar la Administración o los demás demandados al comparecer.

– Cuando haya sido acordado que continúa el procedimiento el Letrado pondrá de manifiesto el expediente al recurrente para que en plazo de ocho días formule la demanda y acompañe documentos y, formalizada dicha demanda, dará traslado al Ministerio Fiscal y a la parte demandada para que presente alegaciones en el plazo de ocho días. En su caso, puede decidirse el recibimiento a prueba, con un período probatorio que no podrá ser superior a veinte días.

– Conclusas (terminadas) las actuaciones, el órgano judicial dictará sentencia en el plazo de cinco días y, en el caso de las sentencias dictadas por los JCA, procede siempre el recurso de apelación en un sólo efecto.

1.6. Medidas cautelares y suspensión

La suspensión del acto impugnado tiene gran importancia desde el punto de vista práctico, si bien la LJCA (artículos 129 a 136) no menciona expresamente la suspensión, sino que regula las medidas cautelares, en general, superando la antigua concepción de que sólo podía acudirse a la suspensión. Las medidas cautelares pueden solicitarse por los interesados en cualquier estado del proceso y deben ponderarse todos los intereses en conflicto en cada caso por el órgano judicial.

La medida cautelar sólo podrá acordarse cuando la ejecución del acto pudiera hacer perder su finalidad al recurso y podrá denegarse cuando pudiera derivarse una perturbación grave de los intereses generales o de tercero. Por ello, puede exigirse garantía o caución cuando de la medida cautelar deriven perjuicios de cualquier naturaleza (artículo 133 de la LJCA).

El procedimiento consiste, en general, en un incidente cautelar en pieza separada[219], con audiencia de la parte contraria en plazo de diez días, resolviéndose por auto dentro de los cinco días siguientes, de forma motivada y susceptible de apelación. La medida cautelar se mantiene hasta la sentencia o finalización del proceso y, levantada la medida por sentencia u otra causa, el interesado que aportó garantía podrá solicitar la indemnización de los daños producidos.

Una vez expuesta la regulación general, debo destacar que la suspensión del acto impugnado ha sido una de las cuestiones más comentadas y debatidas desde hace muchos años en la revisión contencioso-administrativa de los actos tributarios.

La existencia de un régimen muy detallado de suspensión en vía administrativa plantea si debe traspasarse o, al menos influir en el ámbito

---

[219]   Es decir, un procedimiento o subprocedimiento distinto del procedimiento principal.

contencioso-administrativo o, por el contrario, las reglas son totalmente autónomas. En la LGT la existencia de una deuda tributaria que debe ingresarse produce un perjuicio para el recurrente, pero el interés público queda garantizado si el recurrente presenta una garantía tasada, aunque en vía económico-administrativa pueda garantizarse con otras garantías o sin garantías en algunos casos. Por otro lado, en la LGT existe una regla de suspensión automática sin garantías de las sanciones por el mero recurso.

Por ello, voy a destacar algunos puntos en el ámbito contencioso-administrativo relacionados con los actos tributarios:

- La suspensión en vía administrativa no determina automáticamente que deba adoptarse en vía judicial, porque debe aplicarse la normativa contencioso-administrativa [STS 06-02-1999 recurso 2499/1993 (*Tol 1700235*)].

- A pesar de la suspensión automática sin garantías en vía administrativa, las sanciones tributarias no se suspenden automáticamente en vía judicial, sino que el órgano judicial debe ponderar las circunstancias concretas [STS 15-12-2011 recurso 1696/2011 (*Tol 2368016*)].

- En la práctica, las garantías que permitieron la suspensión en vía administrativa suelen servir en vía contencioso-administrativa. Por ejemplo, es frecuente que el contribuyente consiga un aval o fianza solidaria de una entidad de crédito con efectos en la vía administrativa y también que tenga alcance en la posterior vía contencioso-administrativa, pero la suspensión judicial requiere la tramitación del incidente cautelar y la decisión del órgano judicial.

- La LGT establece que la suspensión en vía administrativa se mantiene en vía judicial hasta que el órgano judicial tome la decisión sobre suspensión cuando el interesado comunique a la Administración tributaria en el plazo de interposición del RCA que lo ha interpuesto y ha solicitado la suspensión en el mismo, siempre que la garantía en vía administrativa conserve su vigencia y eficacia y en el caso de sanciones sin necesidad de prestar garantía. Ahora bien, esto constituye una carga para el litigante para obtener la seguridad de que no se va a ejecutar el acto impugnado hasta que se sustancia y resuelve el incidente cautelar. Sin embargo, cuando la Administración conoce o puede conocer, a través del Abogado del Estado como representante procesal, la existencia de un proceso y la petición de suspensión del acto, no puede pretextar ignorancia de tales circunstancias, que se presume cuando conste el conocimiento de las vicisitudes del proceso y la pieza cautelar, mediante actos de comunicación realizados en forma legal por parte del Abogado del Estado [STS 15-10-2020 recurso 315/2018 (*Tol 8148207*)].

– En cuanto al reembolso del coste de las garantías por la Administración, la normativa tributaria (artículos 33 de la LGT y 72 a 79 del RGRVA) menciona de forma expresa el caso de las sentencias firmes que hubieran declarado total o parcialmente improcedente el acto impugnado, lo que puede llevar a concluir que basta que el órgano contencioso-administrativo acredite los costes para que la Administración deba reembolsarlos.

1.7. Ejecución de sentencias y extensión de efectos

La ejecución de las sentencias contencioso-administrativas desde hace muchos años ha sido un tema de gran relevancia para evitar que la Administración, poniendo trabas, trate de retrasar o evitar lo decidido en las mismas, pero también porque cuando la ejecución implica el pago de cantidades de dinero por la Administración afecta a los Presupuestos, en concreto los gastos públicos presupuestados, que es lo más frecuente en materia tributaria cuando la sentencia es estimatoria y el recurrente ingresó la deuda tributaria exigida.

La CE (artículo 118) consagra la obligación de cumplir las sentencias y demás resoluciones judiciales firmes y prestar colaboración en la ejecución de lo resuelto. La LJCA (artículos 103 a 113) reitera esta obligación de todas la personas y entidades públicas y privadas y parte de la potestad de los órganos judiciales de hacer ejecutar lo juzgado. Está ligado al propio derecho a la tutela judicial efectiva, pues no basta una justicia meramente teórica, sino que implica la ejecución puntual de lo resuelto en sus propios términos. Además, la LJCA regula la extensión de los efectos de las sentencias, de manera que, en determinadas materias, como la tributaria, los efectos de una sentencia firme que resuelve un caso concreto pueden extenderse en ejecución a otros casos.

1.7.1. Ejecución de sentencias en general

La regulación es detallada y, una vez que la sentencia sea firme, el Letrado de la Administración de Justicia lo comunicará en el plazo de diez días al órgano que hubiera realizado la actividad objeto del recurso, para que la lleve a efecto y, transcurridos dos meses a partir de la comunicación de la sentencia o el plazo fijado en la misma para el cumplimiento, cualquiera de las partes y personas afectadas podrá instar su ejecución forzosa.

El órgano judicial, en caso de incumplimiento, podrá ejecutar la sentencia a través de sus propios medios o requiriendo la colaboración de autoridades y agentes de la Administración condenada y de otras Administraciones y podrá adoptar las medidas necesarias para que adquiera eficacia, incluyendo la ejecución subsidiaria con cargo a la Administración condenada. Si la Administración realizare alguna actividad contraria a la sentencia, el órgano judicial procederá a reponer la situación al estado exigido por la sentencia y determinará los daños y perjuicios que ocasiona el incumplimiento.

Cuando concurren causas de imposibilidad material o legal de ejecutar una sentencia, la Administración lo comunicará al órgano judicial que, con audiencia de los interesados, apreciará o no la concurrencia de dichas casusas, adoptará medidas para el cumplimiento y fijará una indemnización por la parte en que no pueda ser objeto de cumplimiento pleno. Está previsto que el Gobierno de la Nación y, en algunos casos, los Consejo de Gobierno de la CCAA puedan declarar la concurrencia de causas de utilidad pública o de interés social para expropiar los derechos o intereses legítimos reconocidos frente a la Administración en una sentencia firme en casos limitados (por ejemplo, peligro cierto de alteración grave del libre ejercicio de los derechos y libertades de los ciudadanos) en el plazo de dos meses a la comunicación de la sentencia. El órgano judicial al que corresponda la ejecución apreciará en algunos casos la concurrencia de las causas y fijará la correspondiente indemnización.

Para evitar el impago de cantidades está previsto (artículo 106 de la LJCA) que el crédito del presupuesto tendrá siempre la condición de ampliable y si fuera necesaria una modificación presupuestaria deberá concluir en el plazo de tres meses siguiente a la notificación de la resolución judicial. Además, se añadirá el interés legal del dinero calculado desde la fecha de notificación de la sentencia dictada en primera o única instancia.

En materia tributaria desde hace bastantes años varios temas ligados a la ejecución han sido objeto de discusión, como si una vez dictada una sentencia meramente anulatoria de un acto tributario la Administración puede dictar un nuevo acto. El problema surgió inicialmente en las liquidaciones consecuencia de comprobaciones de valores realizadas por las CCAA en tributos cedidos, en que la anulación por falta de motivación, provocaba en la práctica que la Administración volviera a realizar una nueva valoración con intereses de demora hasta la fecha del nuevo acto. Es una materia compleja y que requería muchas páginas. De forma resumida, tras una sentencia meramente anulatoria de un acto tributario, por motivos de fondo o forma, puede dictarse un nuevo acto en sustitución del anulado porque la potestad administrativa no se extingue por la anulación, pero sometida a ciertos límites, como la prescripción (interrumpida por el acto anulado), la imposibilidad de repetir el mismo defecto que motivó la anulación y los intereses de demora sólo se exigirán hasta la fecha del acto inicial impugnado. Sin embargo, cuando el acto es una sanción tributaria una vez anulada no puede imponerse una nueva porque chocaría con el principio *ne bis in idem* en su vertiente procedimental.

1.7.2. Extensión de efectos

En materia tributaria los efectos de una sentencia firme que reconozca una situación jurídica individualizada a favor de determinadas personas podrán extenderse a otras en ejecución de sentencia (artículo 110 de la LJCA). Esto es muy relevante desde el punto de vista práctico, pero precisa tres requisitos:

– Identidad entre la situación jurídica del interesado que pide la extensión y el interesado favorecido por la sentencia firme, pero excluye cuando quien pide la extensión hubiera dejado firme y consentida la resolución administrativa dictada. Por tanto, no es útil para evitar recursos, sino sólo para resolver rápidamente los interpuestos.

– El órgano judicial que dictó la sentencia firme debe ser competente para conocer la situación jurídica del interesado que pide la extensión.

– La extensión debe instarse por el interesado directamente ante el órgano judicial en el plazo de un año desde la notificación de la sentencia firme. La Administración remitirá en veinte días el expediente y un informe detallado y se producirá el emplazamiento de los interesados para alegar en un plazo de tres días y luego dictar auto decidiendo la cuestión, contra el que procederán los recursos generales. El auto cuando sea estimatorio no podrá reconocer una situación diferente de la decidida en la sentencia cuyos efectos se extiende y puede ser desestimatorio cuando exista cosa juzgada sobre la pretensión concreta o un acto administrativo firme o consentido.

2. OTROS RECURSOS JUDICIALES.

Los actos tributarios, en supuestos muy limitados, pueden revisarse ante órganos judiciales que no pertenecen a la jurisdicción contencioso-administrativa, mediante algunos recursos, en concreto ante el TC, el TEDH y el TJUE. Sin embargo, la revisión de dichos actos está configurada para realizarse, en primer lugar, en la vía administrativa (a través de diversos recursos y procedimientos), pero terminada la misma, en segundo lugar, en vía contencioso-administrativa (igualmente a través de varios recursos y procedimientos). Por ello, no existe una tercera vía propiamente dicha ante otros órganos judiciales, sino que existen algunas posibilidades limitadas de revisión ante órganos que no pertenecen a la jurisdicción contencioso-administrativa, en casos muy excepcionales.

El obligado tributario que piense que, tras acudir infructuosamente, a la vía administrativa y luego a la vía contencioso-administrativa, tiene una tercera "*instancia*" ante otros órganos, probablemente quedará decepcionado. Es decir, no tiene realmente una tercera "*oportunidad*" para recurrir sus actos, aunque pueda interponer algunos recursos.

En la práctica, los pronunciamientos del TC, el TEDH o el TJUE tienen consecuencias muy importantes para los obligados, pero más que por recursos planteados por los mismos, normalmente por recursos planteados por otros organismos u otros obligados.

Por ello, aunque nada impide a un obligado concreto examinar todas las posibilidades de revisión y utilizarlas, recomiendo prestar, sobre todo, atención a los recursos planteados por otras personas y, mientras tanto, tratar de evitar que el acto tributario concreto adquiera firmeza.

Un ejemplo muy reciente, referido al TC, son las sentencias dictadas en materia de IIVTNU (es decir, la conocida vulgarmente como "plusvalía" municipal). Tras varias sentencias en 2017, entre ellas la STC 59/2017, de 15 de mayo (*Tol 6092482*) que declaró inconstitucionales y nulos diversos artículos de la LRHL en cuanto sometían a gravamen algunas situaciones en que no existía incremento de valor, el TS dictó numerosas sentencias y lo mismo otros órganos administrativos y judiciales. Sin embargo, ha sido el año pasado cuando la STC 182/2021, de 26 de octubre (*Tol 8641521*), ha declarado la inconstitucionalidad de diversos artículos relativos a la determinación de la base imponible del IIVTNU, aunque no podían revisarse las situaciones que a la fecha de la sentencia (26-10-2021) habían sido decididas por sentencia con fuerza de cosa juzgada, resolución administrativa firme, las liquidaciones no impugnadas y las autoliquidaciones en que no se había solicitado la rectificación.

Otro ejemplo, incluso más reciente, referido al TJUE, trata sobre la declaración de bienes en el extranjero (vulgarmente conocida por el modelo 720). La STJUE de 27-01-2022 asunto C-788/19 (*Tol 8760110*) declara que el Reino de España ha incumplido las obligaciones que le incumben en virtud del principio de libre circulación de capitales por establecer una obligación imprescriptible y unas sanciones desproporcionadas al poder superar el valor de los bienes y derechos en el extranjero y la falta de proporción de las sanciones en relación con las impuestas en otras obligaciones informativas de carácter nacional. La sentencia resuelve un recurso por incumplimiento interpuesto por la Comisión Europea y no por un contribuyente particular, pero probablemente no hubiera sido dictada sin las peticiones de contribuyentes y sus asesorares que se oponían al régimen de la declaración de bienes en el extranjero. Por ello, muchos contribuyentes que tienen pendientes REAS y RCAS contra actos de la AEAT lograrán que se aplique lo decidido por el TJUE a través de los medios de revisión ordinarios que habían interpuesto.

Por otro lado, estos recursos son analizados frecuentemente desde el punto de vista teórico, en monografías y comentarios, aunque normalmente forman parte de obras de alcance más amplio[220]. Sin embargo, sólo voy a exponer algunos rasgos básicos, a efectos meramente informativos, advirtiendo que son recursos complejos desde el punto de vista jurídico.

2.1. Recursos ante el Tribunal Constitucional (TC)

Los contribuyentes u obligados tienen pocas posibilidades de interponer recursos ante el TC, pues la declaración de inconstitucionalidad de una ley tributaria debe pedirse a través del recurso de inconstitucionalidad para el que sólo determinadas personas están legitimadas [Presidente del Gobierno, Defensor del Pueblo, etc., según el artículo 162.1.a) de la CE], mientras que la cuestión de constitucionalidad sólo puede plantearse por órganos judiciales (artículo 163 de la CE).

---

[220] Desde el punto de vista tributario, me remito a VARIOS, *La revisión de actos en materia tributaria. Directores Pablo Chico de la Cámara y Javier Galán Ruiz*, ob. cit. En concreto, las partes VI dedicada a los recursos ante el TC (págs. 905 a 963) y VII referida a los recursos ante el TEDH (págs. 965 a 991), que han sido redactadas por Juan Ignacio Moreno Fernández, mientras la parte VIII sobre la cuestión prejudicial ante el TJUE (artículos 993 a 1044) ha sido elaborada por Rafael Calvo Salinero y Salvador Pastoriza Vázquez.

Esto no impide que un obligado tributario, de forma indirecta, trate de conseguir que una ley tributaria sea declarada inconstitucional por el TC, pues al impugnar un acto tributario que le afecta a través de un RCA pueden solicitar que el órgano judicial plantee la cuestión de constitucionalidad. También, sin necesidad de un acto, puede pedir a alguno de los legitimados que interpongan el recurso de inconstitucionalidad (por ejemplo, al Defensor del Pueblo).

Por ello, el recurso que un obligado tributario o, en general, cualquier ciudadano, puede directamente interponer ante el TC es el recurso de amparo [artículo 162.1.b) de la CE[221]], como segunda vía de protección de los derechos fundamentales y libertades públicas tras el procedimiento especial de la LJCA de protección de los derechos fundamentales, que he comentado previamente en este mismo capítulo.

Sin embargo, el recurso de amparo ante el TC es subsidiario respecto al procedimiento especial de la LJCA y, además, es extraordinario y no queda garantizado por la CE en la generalidad de los casos [SSTC 143/1994, de 9 de mayo (*Tol 82549*) y 175/2001, de 26 de julio (*Tol 12998*)]. A través del mismo sólo puede preservarse o reestablecer los derechos fundamentales vulnerados y no efectuar juicios de inconstitucionalidad de normas. Además, hay que evitar considerarlo como una tercera instancia de revisión de actos tributarios.

En especial, cuando un contribuyente pretende acudir a una vulneración del principio de igualdad constitucional (artículo 14 de la CE), la igualdad "*ante*" la ley no implica necesariamente una igualdad material o económica efectiva, que sería igualdad "*en*" la ley. El TC ha ido refiriéndose a múltiples casos de todo tipo y, a título de ejemplo, en el ámbito tributario y en el IRPF en diversos recursos de amparo ha concluido que no se vulnera a efectos de deducción por pensiones por alimentos, pensiones compensatorias y pensiones al cónyuge en caso de separación o divorcio [STC 1/2001, de 15 de enero (*Tol 81385*)] o las rentas irregulares del trabajo respecto a las irregulares del capital o actividades económicas [ATC 245/2009 de 29 de septiembre (*Tol 2276168*)]. Por ello, el recurso de amparo que acude al principio de igualdad ante la ley no puede servir respecto a los principios de justicia tributaria (artículo 31.1 de la CE, entre los que se incluye el de igualdad).

---

[221] Desarrollado con detalle en los artículos 41 a 58 de la Ley Orgánica del Tribunal Constitucional (LOTC).

El procedimiento es complicado, pero de forma muy esquemática:

- La iniciación mediante demanda exige haber agotado la vía contencioso-administrativa y depende de los casos. Dejando de lado las decisiones y actos sin valor de ley de las Cortes o de las Asambleas legislativas de las CCAA, que no son impugnables por los ciudadanos, cuando se trata de violaciones consecuencia de actos, jurídicos, omisiones o simple vía de hecho de las Administraciones Públicas debe interponerse la demanda en el plazo de veinte días desde la resolución recaída en el previo proceso judicial y si se trata de violaciones de un acto u omisión de un órgano judicial en el plazo de treinta días de la resolución recaída en el procedimiento judicial, cumpliendo una serie de requisitos. Puede inadmitirse en ciertos supuestos.

- La tramitación, una vez admitida la demanda, comienza con el requerimiento por la Sala del TC al órgano que dictó la decisión, acto o hecho para que remita las actuaciones en un plazo que no podrá exceder de diez días y recibidas dará vista a los interesados para que en un plazo que no podrá exceder de veinte días presenten alegaciones. Seguidamente señalará día para la vista o, en su caso, deliberación y votación (la Sala podrá deferir la resolución del recurso a una Sección cuando para ello resulta aplicable doctrina consolidada del TC).

- La finalización se produce por sentencia de la Sala o Sección en el plazo de diez días desde el señalado para la vista o deliberación, pudiendo otorgar o denegar el amparo.

2.2. Recursos ante el Tribunal Europeo de Derechos humanos (TEDH)

El Convenio Europeo de Derechos Humanos (CEDH) aprobado en el seno del Consejo de Europa el 04-11-1950 encomendaba la protección de determinados derechos civiles y políticos a diversos organismos. Tras múltiples modificaciones del Convenio a través de "*Protocolos*", en la actualidad sólo puede hacerse ante el Tribunal Europeo de Derechos humanos (TEDH), al que no sólo pueden recurrir los Estados (demandas estatales), sino también los particulares (demandas individuales)

El TEDH está formado por jueces elegidos por la Asamblea Parlamentaria del Consejo de Europa. El número de jueces coincide con el número de Estados Contratantes (47) y cada Estado propone una terna (tres personas) de las que se elige un Juez, pero no representa a dicho Estado, sino que actúa de forma individual, por nueve años, no reelegibles. El TEDH actuar mediante Juez único, Comités de tres jueces, Salas de siete jueves o Gran Sala de diecisiete jueces, que tienen diferentes competencias.

El recurso o demanda debe referirse a la vulneración de algún derecho del CEDH y sus Protocolos[222], que advierto que no coinciden con los susceptibles de recurso de amparo ante el TC, ni con las libertades recogidas en los Tratados de la Unión Europea, que pueden impugnarse ante el TJUE. Por ello, considero que esta posibilidad es incluso más excepcional, sobre todo porque deben haberse agotado todas las vías de recurso internas (incluyendo el recurso de amparo ante el TC cuando se trate de un derecho impugnable mediante el mismo).

La demanda individual puede ser presentada por cualquier persona física, organización no gubernamental o grupo de particulares que considere que es víctima de una violación por una de las partes contratantes del CEDH (entre ellas, el Reino de España).

Algunos aspectos del procedimiento son los siguientes:

- El plazo para presentar la demanda es de seis meses (cuatro meses cuando España apruebe el Instrumento de ratificación del Protocolo número 15) a partir de la fecha de la decisión interna firme, pero puede inadmitirse o archivarse en determinados supuestos.

- El TEDH procede al examen contradictorio del caso con los representantes de las partes y, si procede, realizará una indagación.

- Las sentencias (en el caso de las sentencias de las Salas pueden impugnarse ante la Gran Sala) deben ser motivadas y deben acatarse por las partes contratantes. Por ello, el TEDH no tiene competencias ejecutivas y es el Estado contratante el que debe adoptar las medidas necesarias para cumplir las obligaciones derivadas de la sentencia, pero si se resiste a ejecutar es el TEDH el que podrá adoptar una resolución sobre cómo reparar la lesión causada el ciudadano.

2.3. Recursos ante el Tribunal de Justicia de la Unión Europea (TJUE)

El TJUE es una institución de la Unión Europea que tiene como misión garantizar el respeto del Derecho en la interpretación y aplicación de los Tratados de la Unión Europea y, por ello, controla la legalidad de los actos

---

[222]   En el caso de España los derechos cuya lesión se puede invocar son el derecho a la vida, el derecho a no padecer torturas, etc., VARIOS, *La revisión de actos en materia tributaria. Directores Pablo Chico de la Cámara y Javier Galán Ruiz*, ob. cit., págs. 973 y 974.

de las instituciones de la Unión Europea, vela porque los Estados miembros respeten las obligaciones establecidas en los Tratados e interpreta el Derecho de la Unión a solicitud de los jueces nacionales. Por tanto, es la autoridad judicial de la Unión Europea que vela por la aplicación e interpretación uniforme del Derecho de la Unión, en colaboración con los órganos jurisdiccionales de los Estados miembros.

Está integrado por el Tribunal de Justicia y el Tribunal General[223] y, como cada Estado miembro tiene su propia lengua y su sistema jurídico específico, es multilingüe, ya que cada una de las lenguas oficiales puede ser lengua del procedimiento.

Los procedimientos y recursos ante el TJUE son muy numerosos:

- Cuestión prejudicial.

- Recurso por incumplimiento.

- Recurso de anulación.

- Recurso por omisión.

- Recursos de casación.

- Reexamen.

El más relevante desde el punto de vista tributario[224], es la cuestión prejudicial mediante la que los órganos jurisdiccionales de un Estado miembro (como los españoles) plantean si una determinada normativa interna es compatible con el derecho de la Unión Europea, como establece el Tratado de Funcionamiento de la Unión Europea (TFUE)[225]. Los TEAS, como estableció la STJUE de 21-01-2020 (*Tol 7682847*), no pueden plantear cuestiones prejudiciales, por lo que los contribuyentes tendrán que solicitar a los órganos jurisdiccionales contencioso-administrativos que planteen la cuestión prejudicial.

---

[223] El Tribunal de la Función Pública creado en 2004 puso fin a sus actividades el 01-09-2016, tras traspasar sus competencias al Tribunal General.

[224] Pero también pueden ser relevantes otros recursos. Así, la STJUE de 27-01-2022 referida a la normativa sobre declaración de bienes en el extranjero, antes citada, resuelve un recurso por incumplimiento interpuesto por la Comisión Europea.

[225] Artículo 267, desarrollado en los artículos 23 y 23 bis del Estatuto del TJUE y en el Reglamento de procedimiento del TJUE, este último que lo regula con detalle. La LOPJ ha regulado la cuestión prejudicial en el artículo 4 bis, tras la reforma realizada por la LO 7/2015, especificando que lo harán conforme a la jurisprudencia del TJUE y mediante auto, previa audiencia de las partes.

El TJUE ha resuelto diversas cuestiones prejudiciales que afectan al ámbito tributaria y, por ello, tiene bastante relevancia práctica. Sin embargo, a diferencia de otros países, el planteamiento de estas cuestiones por los órganos jurisdiccionales españoles fue muy escasa durante años, pero ha aumentado notablemente en los últimos años.

Es importante destacar que la cuestión prejudicial puede plantearse por todos los órganos jurisdiccionales, incluso los JCA, pero sólo es obligatoria para aquellos cuyas sus resoluciones no puedan ser objeto de recurso judicial en el derecho interno.

Para que el órgano jurisdiccional plantee la cuestión debe suscitarse ante el mismo una cuestión relativa a la interpretación o validez de una norma o acto comunitario, en un asunto pendiente y cuando para poder resolver necesite que el TJUE se pronuncie al respecto con carácter previo. La decisión corresponde al órgano jurisdiccional y no a las partes, aunque las mismas pueden solicitarlo y el momento es aquél en que dicho órgano está en condiciones de definir el marco jurídico y fáctico del asunto, de manera que el TJUE, al recibir la cuestión, tenga todos los elementos necesarios.

La remisión de la cuestión prejudicial implica la suspensión del proceso nacional hasta que se resuelva la cuestión y en cuanto al procedimiento cabe destacar:

– El contenido de la petición contendrá una exposición concisa del objeto del litigio, las normas nacionales y jurisprudencia nacional y las razones que han llevado al órgano nacional a preguntarse sobre la interpretación o validez de las disposiciones del derecho de la Unión.

– En la fase escrito ante el TJUE se notificará a las partes las demandas, contestaciones, alegaciones y demás documentos de apoyo.

– En la fase oral el TJUE da audiencia a los agentes, asesores y abogados, así como de las conclusiones del Abogado General y, en su caso, el examen de testigos y peritos.

– Las sentencias serán leídas en sesión pública y serán publicadas.

CALENDARIO DE DÍAS INHÁBILES DEL AÑO 2022

administracion.gob.es
punto de acceso general

2022-Calendario de días inhábiles AGE

enero						
L	M	M	J	V	S	D
					1	2
3	4	5	6	7	8	9
10	11	12	13	14	15	16
17	18	19	20	21	22	23
24	25	26	27	28	29	30
31						

febrero						
L	M	M	J	V	S	D
	1	2	3	4	5	6
7	8	9	10	11	12	13
14	15	16	17	18	19	20
21	22	23	24	25	26	27
28						

marzo						
L	M	M	J	V	S	D
	1	2	3	4	5	6
7	8	9	10	11	12	13
14	15	16	17	18	19	20
21	22	23	24	25	26	27
28	29	30	31			

abril						
L	M	M	J	V	S	D
				1	2	3
4	5	6	7	8	9	10
11	12	13	14	15	16	17
18	19	20	21	22	23	24
25	26	27	28	29	30	

mayo						
L	M	M	J	V	S	D
						1
2	3	4	5	6	7	8
9	10	11	12	13	14	15
16	17	18	19	20	21	22
23	24	25	26	27	28	29
30	31					

junio						
L	M	M	J	V	S	D
		1	2	3	4	5
6	7	8	9	10	11	12
13	14	15	16	17	18	19
20	21	22	23	24	25	26
27	28	29	30			

julio						
L	M	M	J	V	S	D
				1	2	3
4	5	6	7	8	9	10
11	12	13	14	15	16	17
18	19	20	21	22	23	24
25	26	27	28	29	30	31

agosto						
L	M	M	J	V	S	D
1	2	3	4	5	6	7
8	9	10	11	12	13	14
15	16	17	18	19	20	21
22	23	24	25	26	27	28
29	30	31				

septiembre						
L	M	M	J	V	S	D
			1	2	3	4
5	6	7	8	9	10	11
12	13	14	15	16	17	18
19	20	21	22	23	24	25
26	27	28	29	30		

octubre						
L	M	M	J	V	S	D
					1	2
3	4	5	6	7	8	9
10	11	12	13	14	15	16
17	18	19	20	21	22	23
24	25	26	27	28	29	30
31						

noviembre						
L	M	M	J	V	S	D
	1	2	3	4	5	6
7	8	9	10	11	12	13
14	15	16	17	18	19	20
21	22	23	24	25	26	27
28	29	30				

diciembre						
L	M	M	J	V	S	D
			1	2	3	4
5	6	7	8	9	10	11
12	13	14	15	16	17	18
19	20	21	22	23	24	25
26	27	28	29	30	31	

Leyenda
- Días inhábiles en todo el territorio nacional
- Días inhábiles sólo en el territorio de las CC.AA. que se especifican a continuación:

FEBRERO	Día 28:	Andalucía
MARZO	Día 1:	Illes Balears
ABRIL	Día 14:	Andalucía, Aragón, Principado de Asturias, Illes Balears, Canarias, Cantabría, Castilla-La Mancha, Extremadura, Galicia, Región de Murcia, País Vasco, La Rioja, Castila y León, Madrid, Comunidad Foral de Navarra, Comunitat Valenciana y en la Ciudad de Ceuta y Ciudad de Melilla
	Día 18:	Illes Balears, Cataluña, País Vasco, La Rioja, Comunidad Foral de Navarra, Comunitat Valenciana,
MAYO	Día 2:	Andalucía, Aragón, Principado de Asturias, Extremadura, Región de Murcia, Castilla y León y Madrid
	Día 3:	Ciudad de Melilla
	Día 17:	Galicia
	Día 30:	Canarias
	Día 31:	Castilla-La Mancha
JUNIO	Día 6:	Cataluña
	Día 9:	La Rioja, Región de Murcia
	Día 16:	Castilla-La Mancha
	Día 24:	Cataluña, Galicia y la Comunitat Valenciana
JULIO	Día 11:	Ciudad de Melilla
	Día 25:	Galicia, País Vasco, Madrid y Comunidad Foral de Navarra
	Día 28:	Cantabria
AGOSTO	Día 5:	Ciudad de Ceuta
SEPTIEMBRE	Día 2:	Ciudad de Ceuta
	Día 6:	País Vasco
	Día 8:	Principado de Asturias y Extremadura
	Día 15:	Cantabria
DICIEMBRE	Día 26:	Andalucía, Aragón, Principado de Asturias, Illes Balears, Canarias, Cantabría, Castilla-La Mancha, Extremadura, Región de Murcia, La Rioja, Cataluña, Castila y León, Madrid, Comunidad Foral de Navarra, y en la Ciudad de Melilla

NIPO: 137-22-007-1

BIBLIOGRAFÍA

Bibliografía básica

CHECA GONZÁLEZ, C., Reclamaciones Económico-Administrativas, Thomson Reuters Aranzadi, Cizur Menor (Navarra), 1ª Edición, 2017.

RODRÍGUEZ MÁRQUEZ, J., *La revisión de oficio en la Nueva Ley General Tributaria ¿Una vía para solucionar los conflictos entre Administración y contribuyentes?*, Thomson Aranzadi, Cizur Menor (Navarra), 2004.

RUIZ TOLEDANO, J. I., *El Nuevo Régimen de Revisión Tributaria Comentado*, La Ley, Wolters Kluwer, Madrid 2006.

VARIOS, *Manual de Revisión de Actos en Materia Tributaria. Libro Conmemorativo del 125 aniversario de la creación del Cuerpo de Abogados del Estado*, Ministerio de Justicia Thomson Aranzadi, Cizur Menor (Navarra), 2007.

VARIOS, *La revisión de actos en materia tributaria. Directores Pablo Chico de la Cámara y Javier Galán Ruiz*, Lex Nova Thomson Reuters, Cizur Menor (Navarra), junio 2016.

VARIOS, *Formularios Tributarios Dirección Pablo Chico de la Cámara y Domingo Carbajo Vasco*, Tirant lo Blanch, Valencia 2019.

VARIOS, Memento Procedimientos tributarios 2022-2023, Francis Lefebvre, Madrid 2021.

Bibliografía adicional

ALARCÓN GARCÍA, E., "La nueva ley de procedimiento administrativo en el ámbito tributario", *Crónica Tributaria*, nº 171/2019.

ÁLVAREZ MENÉNDEZ, E., El recurso de Casación en Materia Tributaria, Thomson Reuters Aranzadi, Cizur Menor (Navarra), 2018.

BAENA AGUILAR, A., *El domicilio tributario en derecho español,* Aranzadi, Elcano (Navarra), 1995

CUBERO MARCOS, J. I., *Las notificaciones administrativas*, Instituto Vasco de Administración Pública, Bilbao, 2017.

DOMÍNGUEZ BARRERO, F., *Planificación fiscal personal y en la empresa*, Thomson Reuters Aranzadi, Cizur Menor (Navarra), 2017.

GARCÍA NOVOA, C., *Las Notificaciones Tributarias*, Aranzadi, Elcano (Navarra), 2001.

GARCÍA NOVOA, C., *La Revocación en la Ley General Tributaria*, Thomson Aranzadi, Cizur Menor (Navarra), 2006.

GÓMEZ TABOADA, J., "Las obligaciones tributarias conexas" en VARIOS, *Comentarios a la Ley General Tributaria al hilo de su reforma*, Wolters Kluwer AEDAF CISS, 2016, págs. 79 a 101.

HUESCA BOADILLA, R., *Actuaciones y procedimientos de gestión tributaria*, Sepín, Madrid, 2012.

HUESCA BOADILLA, R. "Los actos administrativos y el procedimiento administrativo común en la nueva Ley 39/2015, de 1 de octubre, del Procedimiento administrativo común de las Administraciones Públicas", *BIT Plus, Boletín Informativo Tributario Registradores de España*, nº 194.

MARTÍNEZ MUÑOZ, Y., *La revocación en materia tributaria*, Iustel Publicaciones, 2006.

PARRONDO AYMERICH, J., *El Consejo para la Defensa del Contribuyente*, Tirant lo Blanch, Valencia, 2021.

QUINTANA FERRER, E., *Devolución de ingresos indebidos y Ley General Tributaria*, Lex Nova, Valladolid, 1ª Edición abril 2004.

RUIZ TOLEDANO, J. I. "El recurso extraordinario de revisión ante el Tribunal Económico-Administrativo Central (TEAC)", Revista Técnica Tributaria 123 (octubre-diciembre 2018), págs. 31 a 54.

RUIZ TOLEDANO, J. I., *La prueba tributaria según la doctrina administrativa y la jurisprudencia*, Thomson Reuters Aranzadi, 2021.

VARIOS, *Informe para la Reforma de la Ley General Tributaria*, Instituto de Estudios Fiscales, julio 2001.

VARIOS, *Litigiosidad tributaria: Estado, Causas y Remedios. José María Lago (Director)*, Thomson Reuters Aranzadi, Cizur Menor (Navarra), Primera Edición, 2018.

VARIOS, *Memento Práctico Procesal Contencioso-Administrativo 2022*, Francis Lefevbre, Madrid, 2021.

VARIOS, *Memoria de la Administración tributaria 2019*, Ministerio de Hacienda, Inspección General, 2021

VARIOS, *Memoria 2020 Tribunales Económico-Administrativos*, Ministerio de Hacienda y Función Pública, Centro de Publicaciones, 2021.

VARIOS, *Memoria sobre el estado, funcionamiento y actividades del Consejo General del Poder Judicial y de los juzgados y tribunales en el año 2020*, Consejo General del Poder Judicial, Secretaría General, 2021.

VARIOS, *Libro Blanco sobre la Reforma Tributaria*, Madrid 2022.

VIVAS PUIG, F. y CAMPOS DAROCA, J. M., *Revisión de actos y recursos administrativos*, Bosch Wolters Kluwer, Las Rozas (Madrid), 2016.